방황의 기록

방황의 기록

발　행 | 2024년 1월 8일
저　자 | 구름위를걷는
펴낸이 | 한건희
펴낸곳 | 주식회사 부크크
출판사등록 | 2014.07.15.(제2014-16호)
주　소 | 서울특별시 금천구 가산디지털1로 119 SK트윈타워 A동 305호
전　화 | 1670-8316
이메일 | info@bookk.co.kr

ISBN | 979-11-410-6536-2

www.bookk.co.kr

방황의
기록

구름위를걷는 지음

<이 책을 읽으시는 분께>

여기 나의 지난 기록들이 있다.

인생은 꿈이라는데 돌아보니 지난 5년간도 그저 꿈처럼 느껴진다. 어떻게 살아왔는지 모르겠다.

여기 이 기록들은 나의 지난 시간들, 특히 혼란과 아픔 괴로움 등을 극복하고 살아내기 위한 글쓰기였다.

글을 잘 쓸 줄은 모르지만 나름대로 쓴 이 글들에는 나의 투쟁이 고스란히 담겨있다. 돌아보면 지난 시간 동안 글쓰기를 통해 한 단계 한 단계 나아갈 수 있었다. 이렇게 책으로 정리하는 것을 기점으로 삼아 지난 시간들은 내려놓고 새로운 시작을 맞이하고 싶다.

보시면 알겠지만 나는 글을 잘 쓸 줄 모릅니다. 그저 쓰고 싶은 대로 썼습니다.

지난 기록들을 그냥 놔둬도 됐겠지만 마음에 안 들어서 많이 고쳤는데 고칠수록 글이 더 어지럽고 조잡하게 된 면이 있어서 난감한 마음도 듭니다. 반복된 말도 많고 부족한 글 실력이어서 양해를 구합니다.

내 안에 갇힌 이야기가 많이 있더라도 그저 한 사람의 세계구나 하고 봐주셨으면 감사하겠습니다.

밀림에서 벗어나느라 애를 많이 썼습니다. 누군가에게는 나의 방황이 도움이 되었으면 좋겠습니다.

이렇게 미숙한 글 읽어주셨던 몇 안 되는 페북 친구들께 감사합니다. 댓글들이 저한테 중요했기에 모두 옮겼습니다. 댓글 달아주신 분들의 이름은 생략했고 중간에 생략한 부분이 있습니다. 제 글과 댓글들은 개인적인 생각으로 읽는 분과 견해가 다를 수도 있습니다. 띄어쓰기와 맞춤법에 신경을 못 써서 죄송합니다.

신은 지름길로 가게 하기위해 길을 잃게 하기도 한다고 하는 말이 있습니다.

어디로 향하는지는 모르지만 방황하며 지나온 길이 지름길이 되었으면 좋겠고, 당신의 인생에도 건투를 빕니다.

책 최종 수정일: 2024년 11월

구름위를걷는: iamjiny@naver.com

2019.1.3

<글을 시작하며>

글을 적고 싶다. 아픔에 대해서, 고통에 대해서, 극한 상황에 대해서. 적고나면 나아지니까. 무작정 적어도 되긴 되지만 이왕이면 예술적 소질이 있어 잘 적으면 좋을 텐데...

댓글

글을 적는게 중요합니다. 다른 사람이 아닌 스스로 돌아보는 계기가 되니말입니다. '나만보기'로 많이 적으세요^^

2019.1.4

동영상 링크올림

댓글

반갑네요. 페북친구 *님. 잠들기전 이런 훌륭한 말씀을 공유하게 되서 좋네요. 그런것 같아요. 힘든 시간들도 지나고나면 잘기억도 안나요. 아 그런일도 있었나보다 정도겠지요. 다들 힘든 순간들이 있지요. 저도 양선생님도 그러겠지요. 같이 건넙시다. 화이팅

네 저도이글이좋아서 얼른가져왔습니다 **님페이지에서 자주뵈었습니다 **님글보는데만 페북이용했는데 이렇게답글도달리고 기분좋네요 힘든일이생기고 **님책읽고 페북도이용하게됐는데.. 힘든시

간이빨리끝났으면좋겠어요. 친구님도 늘 건강하시고 편안하세요~

2019.1.31

<무제>

앞이 잘 보이지 않습니다.
무엇을 해야할지 모르겠습니다
나 무엇을 할 수 있을까요. 세상에서.
삶이 너무 가혹합니다.
흔들리지 않으려 했는데
위태롭게 흔들리고 있습니다.

댓글

양선생님, 나무가 바람에 흔들릴때 버팀목이 지지해주면 쓰러지지않지요. 강한 바람이라도 버팀목이 아주 튼튼하면 괜찮지요. 관세음보살을 찾으세요. 구고구난의 관세음보살이십니다. 그리고 관세음보살께 기도하는 주문인 신묘장구대다라니가있습니다. 이 주문, 진언이라고도 하고 만트라 라고도 합니다, 따라하세요. 모든 고난에서 벗어나고 깨닫기도 한답니다. 휴대폰에서 신묘장구대다라니 치고 따라하세요. 그리고 항상 저하고 연락하세요.

걱정해 주셔서 한결 기분이 나아졌습니다 감사합니다 ! 신묘장구대다라니 검색해보니 되게 길던데요 그런거 처음보는데 한번 따라

해보겠습니다

예 따라하시고 좋으시면 가능하면 외워서 항상 염송해 보십시오. 또 마음속으로 자꾸 염송하셔도 좋습니다. 효과는 제가 100% 보장합니다. 우리 좋은 친구로...

2019.2.2

<저는>

저는 히키코모리입니다.
히키코모리가된건 작년 8월부터입니다.
나이가 어린것도 아닙니다.
40대입니다.
내 인생에는 중대한 문제가 있죠.
한번씩 그런 일이 있곤 했는데
이젠 다시 예전으로 돌아가지 않습니다. 갑자기 그렇게 되어버렸습니다.
한달간 집밖에 나올 수 없었습니다.
끔찍해서 나갈 수가 없었습니다.
지금은 30분씩 집 가까이 숲에 산책은 합니다.
많은 혼란이 왔고 많은 생각을 하고 또 했지만
지금도 모르겠습니다.
내가 누군지.

내가 왜 이 세상에 와서
이렇게 살고 있는지.
이것들이 다 나의 카르마인지.
도대체 나는 전생에 무슨 죄를 그렇게 많이 지었을까요.
나같은 존재는 이 세상에 나 하나뿐이고.
나는 정말 철저히 고립되고 고독한 존재입니다.
오늘은 외출을 하는게 아니었습니다.
가슴이 너무 아파서 울고 말았습니다.
내가 살기 불편한건 둘째치고, 사람들이 내게 허용을 해주지 않습니다.
조금 상황이 나아지길 바라며 용기내어 외출을했지만
희망을 줍고싶던 저는 한계를 주웠습니다.
신의 뜻은 뭘까요.
사람들의 뜻이 곧 신의 뜻일까요.
알고싶습니다.
오늘은 기분이 많이 안 좋았습니다.
아마 또 시간이 지나면 괜찮아지겠죠...
죽을듯하다가 또 견디면서...
지금까지 한것처럼 그렇게 살아가겠죠.
이제는 정말 추락을 멈추고 싶습니다.

댓글
양선생님 지금보고 히키코모리 를 검색해봤습니다. 예 참 힘든 상황이군요. 선생님 어떻게 견디 십니까. 훌륭하십니다. 제 생각이죠, 그냥 저의 의견입니다, 그건 신의 뜻도 인간의 뜻도 카르마도 아닌것 같습니다. 미안합니다. 그건 우주의 축복이죠, 신의 축복입니다. 인도의 어떤 왕이 영토를 많이 얻을려고 고행수행을 했답니다. 고행수행을 해서 소운을 빌면 신이 영토를 많이 주는 소언이 이루어 진다는게 그나라의 종교문화이겟

지요. 하옇튼 이왕은 영토를 많이 얻기 위해서 수행을 했는데 뜻밖에 대박낚았지요. 큰 깨달음을 얻었어요. 부처가 되고 신이 되었어요, 우주 그 자체가 된거죠. 너무 횡설 수설했네요. 새옹지마 라는 말도있지요. 행복도 불행도 마음 먹기에 달린것같아요. 이런 문제는 제가 잘아니까 , 저한테 자꾸연락 주세요. 양선생님 같이해결해요. 또 봐요.

양선생님 얼마나 힘드신지 이해가 갑니다. 그렇게 힘든것 견디고 사는 사람들 무지 많습니다. 양선생님 혼자만이 아닙니다. 지금 이순간에도 한순간 한순간 견디기도 힘들면서 살아가는 사람들 많습니다, 양선생님 보다도 더요?. 몇십년을, 한 평생을요.

마음 공부하시면 되요. 그거 다 마음이 비정상이 되서 그래요. 어떤 정신적인 병도 다 마음이 가라앉지못해서 그래요. 마음을 자꾸 고요하게하세요. 마음이 들뜨고 위로 올라가면 병이고 수행을해서 마음이 지극히가라 앉으면 그게 도인이에요. 마음 가라앉히면되요. 먼저 제일 효과적인게 호흡법입니다. 마음이 안정되면 호흡도 안정되면 호흡도 안정됩니다. 반대로 호흡이 안정되면 마음도 안정됩니다. 불교엣서는 부처님의 깨달음의 수행법이죠. 아나빠나,우리 말로는 안반수의 법 그래요. 그첫단계 호흡법만 먼저 좀해보세요. 숨을 코로 깊게 천천히 들이 마셔서 배꼽밑이 약간 볼록하게 하시고 그다음 또 숨을 천천히 내쉬세요. 그리고 내쉴때 하나라고 마음속으

로 수를 세시고. 또들이마시고 내쉬고, 내쉴때 둘, 이런 식으로 열까지 가고, 그다음은 반대로 내려오세요 . 9..8.....3..2..1. 이것을 마음이 안정될때까지 몇번 반복해보세요. 마음이 훨씬 안정되실겁니다. 이걸 수식관이라고 합니다. 해보세요.

(...)이게 카르마가 아니라
차라리 신이 깨달음에 다가가도록 이런 운명을 주신거라면
받아들이고 깨달음을 추구해나가겠습니다.
나는 도대체 왜 만들어서 이렇게 세상에 내보냈을까요
나는 도무지 감당할수가 없습니다.
나보다 강한 사람을 선택하시지 나보다 더 현명한 사람을 선택하시지.
왜 내게 이런 운명을 주신건지
매일매일 기도를 하지만 답을 들을수도없고 기적도 일어나지않습니다.
제발 누가 날 좀 일으켜주면 좋겠습니다.
제발 추락을 멈추게해주면 좋겠습니다.
사람들이 아무리 나를 힘들게해도 신의 뜻은 따로 있는거라고
신이 날 그냥 만들진 않았을거라고 내가 뭔가하게 해주실거라 믿고
마음의 불빛을 키웠지만 자신이 없어집니다.
난 정말 죽고싶지않고... 길을 찾고싶을뿐입니다.
내게 세상은 정말 어렵고...
나는 정말 지극히 혼란스럽고 외로운 존재입니다.
미안합니다. 답답하실겁니다. 페북친구끊으셔도됩니다.

죄송합니다. 이해합니다. 혹시 배우자분은 계신가요? 누구 혹시 인생의길을 같이 가실분이 있나요. 그런분 한분만 있의시면 됩니다. 없으면 제가 같이 가드릴께요. 미안합니다. 얼마나 힘드신지 압니다. 결코 혼자가 아니십니다. 그리고 길고긴 빛이 한점없는 그 터늘을 결국 빠져나온 사람도 있답니다. 그 사람은 안답니다. 길고 힘들지만 지나고 나면 한순간의 기억일 뿐이라는 것을요. 그리고 신이 우리에게 내려줄 수있는 최상의 축복이라는 것을요. 신은 스스로를 돕는자를 돕는다는 말이 있잖아요. 불교에서도 이런 말이있지요. 우리마음이 지옥으로 가는 길을 택할수도 있고 또 진여문이라고 하죠, 깨달음을 얻을 수있는 길을 선택할 수도 있다고 합니다. 양선생님 우리인간은 강하고 그리고 절대 혼자가 아닙니다. 마지막엔 신이 도와 주십니다. 우리 이렇게 얘기하다 보면 길이 열리겠지요. 다시 연락 주세요.

감사합니다. 오늘은 아무것도 안하고
카페글쓰고 편지쓰고 그렇게 보냈습니다.
오늘은 아무것도 할수가 없네요.
상처가 파고들고... 저의 인생은 아무리 마음먹고 다시 시작해도 끝없이 상처를 받습니다. 그리고 다시 잊고 다시 또 상처받고 또 잊고.
저는 인생에 사람이 없습니다.
(...)
배우자같은거 저한테 허락되지않습니다.
그런 욕심 부리지도 않습니다.

어차피 죽을 용기도 없고, 그냥 마음의 평화를 추구하며 이 세상에 깨달음이 있는지

그런거나 찾아보며 살려고합니다.

저는 김현식노래를 좋아하고. 예전에도 아주 힘들적에 김현식노래로 위로를 많이 받았는데

요즘 다시 찾게되네요.

저는 사람이 없어서 조그만 관심도 위로가 되긴하네요.

실제로는 친구가 하나도 없는데 온라인친구는 있어서 편지주고받거나 카페글쓰거나 하면서 위로받곤합니다.

용기를 내세요. 마음을 편히 가지시고 좋아하는 노래늘으시고 책도 읽어시고 그리고 마음의 평화도 찾아보시고 천천히 쉬시면서 가세요. 내 사랑 내곁에 든가요. 저도 그런 노래 좋아합니다. 인생해답없는것 같습니다. 그냥 자기 좋을대로 편히 사시면 될것같아요. 또 뵙지요.

그거 참 무서운 병

마음다짐이 아주 중요합니다

전 이미 20대초반에 이미 경험을해서 겨우 40넘어서 재정신을차리고있네요

세월은 기다려주질않습니다

답답할수록 돌아다니시고

잡념을 잊여버리시면서 살아야됩니다

죄지은것도 없으시면 그냥 무엇인가 취미생활이라도 천천히 시작해보셔요

옛날 저의 모습운보는것같아 참 안타까울뿐이네요

관심 가져주셔서 감사합니다. 좀 복잡한 인생이라서... 지금은 집 옆 숲길 30분씩 산책은 하고있습니다. 책도 읽으면서 지냅니다. 편안한 하루하루되시길..

2019.2.19

<비가 옵니다>

부산에 비가와서 산책나갔다와서
시를 지어봤습니다.
되도않는 짓 가끔합니다.

-비가 옵니다-

빗소리에 문득 창문을 돌아보니
물방울이 맺혀 있습니다
보던 책을 덮고
숲길로 산책을 나갔습니다
툭툭 빗소리
짹짹 새소리
유행가가 흘러나오는 음악도 꼈습니다
신발에 빗물이 스며들어가 발이 젖었습니다

그래도 마른 곳으로 옮겨가며 산책을 합니다
무심히 사람들을 스쳐지나고
줄지어 이어선 나무들도 지나는 동안
내안에도 빗물이 스며들어 마음이 흠뻑 젖었습니다.
설렘? 평온함?
이것이 무엇일까요
기분이 좋아져 자꾸만 걸음을 옮깁니다.
툭툭
빗소리는 자꾸만
내 가슴에 와서 부딪힙니다

2019.2.24
<나는2>

나는 10년의 아픈 시간이 있습니다.
영혼이 깊이 병들고 아팠던 시절이 내게 있습니다.
3분 터널도 긴데 나는 10년의 긴 고통을 터널을 통과했습니다.
그런 시간 보낸 적 있습니까.
길고 긴 고통의 시간. 지칠 대로 지치고 기다리고 기다려도 희망이란 것이 오지 않는.
영원할 것 같던 어둠의 시간.
나의 온 존재가 뿌리째 흔들리는 그런 경험 있습니까.
나는 이미 파도에 휩쓸려 나 자신을 잃어버리고

어지러움과 혼란에 둘러싸였습니다.
스스로에게 수많은 생각을 강요하고 내 글에는 어지러움이 묻어났습니다.
그 10여년의 어지러움을 정리하고 혼란을 수습하는데 또 다른 10여년의 시간이 걸렸습니다.
그 시간에 내가 배운 것은 겸손입니다.
나는 잘란게 아니라 언제든지 휩쓸려가버릴 수 있는 연약한 존재라는 것,
그것밖에 배운게 없습니다.
한번도 나답게 살아본 적이 없는거 같습니다.
그 10여년 끝에 찾아온 전환기.
그리고 또다시 지금 찾아온 또 다른 전환기.
그렇게 나는 살면서 몇 번의 전환기를 맞이해야 했습니다.
나는 도대체 누구고 지금 나는 왜 또 이런 시간을 맞이하게 된걸까요.
지난 시간들이나 지금의 이런 시간들이 그냥 내게 온 것은 아니라고 믿습니다.
소중한 것을 얻으려면 그만한 대가를 치러야 합니다.
그래서 내가 그런 시간을 보냈고 지금 다시 이런 시간을 맞고있다고 생각합니다.
나는 그 무엇인가를 찾아야 합니다.
소중한 그것, 내 삶이 나에게 일깨워주려는 것.
그것이 무엇인지 잘 모르지만 나는 그것을 찾고 싶습니다...
책을 읽고 명상을 하고 마음을 정리하기 위해 글을 써가기 시작한 것이 최근 들어서 입니다.

그 이전에는 책도 읽지 않고 내가 누군지 깊이 생각하지 않았던 거 같습니다. 평온하다면 평온하게 별다른 일 없이 흘러가던 내 인생에 또 다시 전환기가 찾아오면서 나는 골방에 박히게 되었고 그래서 책도 읽고 생각도 하게 되었습니다.

그리고 이제는 나도 영적성장을 하고 싶다는 생각을 하게 되었고, 될수 있다면 그 무엇도 찾고 싶습니다.

아직도 내 글에 어지러움이 묻어날 것 같지만 그래도 글을 써서 생각을 정리합니다. 다시 길을 잃고 나 자신을 잃지 않도록.

어지럽고 혼란스러운 존재인 나를 다듬어가고 싶습니다.

2019.2.27.

<하나씩 하나씩>

삶이란,

하나씩 하나씩 절망을 쌓아나갈 수도 있고.

하나씩 하나씩 희망을 쌓아나갈 수도 있고...

쉬울 거라 생각하진 않았다. 하지만 너무 어렵다.

정신적인 고통, 마음만 잘 먹으면 된다고 생각한 적도 있었다. 아무것도 모르던 어렸을 적엔. 스스로 정신적 내공이 있다고 생각해서 자신만만했던 걸까. 우스울 정도의 고통만 생각했던 것일까. 둘 다였던 거 같다.

눈에 보이지 않는다고 과소평가했다.

허깨비 같은 것, 진짜가 아닌 것이라고 여겼고 그래서 무시하면 되는 건줄 알았다. 정신만 바짝 차리면 무서울게 없을 줄 알았다.

내가 강한줄 알았고 적어도 그때는 패기만만하고 자신만만했었다. 세상을 만만하게 보고 그깟것이라고 생각하던 내 모습이 떠오른다. 어렸을 땐 이런 절망같은 감정과 말도 못할 괴로움에 대해 알지 못했으니.

지금의 나의 처지는 도무지 뭐라 설명할 수가 없을 정도다.

지금의 나는 우습게 여기고 만만하게 여겼던 것들에 대해서 된통 당하고 있는 거 같다.

삶과 아주 고달프게 대면하고 있다.

내가 나의 이 꼬인 인생을 풀어가기엔 머리로도 가슴으로도 어렵다. 신이여, 언제까지 저를 이렇게 내버려둘 건가요. 무슨 말씀이라도 하셔야죠. 저도 세상에 쓰일 수 있습니까...

댓글

하늘도 스스로 돕는자를 돕는다고 했습니다. 제일 먼저 나 자신이 길을 찾아야한다고 생각합니다. 그리고 같은 말이겠지만 세상하고의 관계 그렇게 깊이 생각마세요. 내가 있고 세상이 있는 거잖아요. 먼저 혼자 튼튼해 지세요. 급한대로 부처님 공부해보세요. 흔히 부처님을 최초의 마음의 의사라고들 합니다. 불교에 관한 책들 좀 보시면 일단 좀 나으실겁니다. 행복하세요.

저두 부처가 깨달음을 얻은것처럼 깨달음을 얻고싶습니다. 그런데 저의 종교는 천주교입니다. 작년만해도 힘들어서 365일 하루도 빠지지않고 묵주기도를 했습니다. 하루 20~30분이니 참 많이했죠.

그런데도 히키코모리나 되고, 상황이 좋아지지않는다고 다른 종교를 기웃거려야할까요. 예전에도 불교에 관심을 가져볼려고 한적이 있었는데 그래도 되나모르겠습니다. 저는 사람들을 마주하지못해서 성당에도 나갈수없습니다. 막연하게 신이 필요한데... 막연하게 불러도 대답을 들을수없습니다... 어디서 도움을 받아야할지 알수없습니다

안녕하세요. 지금 봤습니다. 저도 그래요. 이것 저것 하지만 주는 부처님이에요. 부처님이 원래 두루 두 하시니까 저도 그렇게 하고 있어요. 다들 자기 종교의 테두리를 벗어나기 힘들지요. 또 그럴 필요도 없고요. 그러시다면 제가 인도 힌두교를 추천해 드릴께요. 인도 사람들도 하는 말이지만 힌두교는 종파나 이론이나 수행의 이런 구분이 없는 것같습니다. 세상의 모든 종교, 가르침, 수행법 등등이 다 녹아 있는것 같습니다. 힌두교는 종교가 아니라 어떤 진리를 추구하는 것이면 다 받아들이는 것같습니다. 신을 믿는 종파도 유형의 신을 믿기도 하고 무형의 신을 믿기도 하고, 지식, 지혜를 추구하는 수행도 있고 소위 말하는 우주의 에너지인 쿤달리니 kundalini 를 일깨우는 수행법도 있고, 요즈음 공부하고 있는 스스의 은혜로 에너지를 일깨워 크게 깨닫는 것, 또 흥미로운 캐쉬미르 쉐이비즘이라고 하는 것도 있고 아주 수많은 종파와 수행법들이 있습니다. 제가 보기에는 이런면에서 다를 종교를 믿는 분들도 선택하기 쉽고 효과도 큰것같습니다. 일단 이런것들 중에서 양선생님의 취향이 무엇인지 모르니까 참고될 서적만 대충 소개해드릴테니까 책코너에서 검색해 보시고 참조하시면 좋겠습니다. 먼저 기본 경전으로는 베다vedas, 우파니샤드 upanishad, 바그바드 기타

bagavad gita 이 정도 이고요. 근세에 크게 깨달은 성자에 관한 것으로는 라마나 마하리쉬 ramana maharish, 라마 크리슈나 rama krishna, 스와미 묵타난다 swami muktanand 등 이런분들이 각 힌두교, 아니 인도, 의 대표적인 분들인것 같습니다. 이분들 이름을 검색하시면 관련되 책들이 나오니까 참고하시면 될것 같습니다. 다를 비슷한 내용이니까 천천히 보시면 될것 같습니다. 감사합니다. 자주 연락주시고 양선생님 다음 글 볼께요.

좀 자다가 일어나니까 시간이 좀이르군요. 저는 새벽에 명상을 합니다. 많은 방법을 해 봤습니다. 전부다 마음을 편안하게 하는데 효과가 있습니다. 마음 편한 것은 명상이 제일 좋은것 같습니다. 일단 휴대폰에서 관세음보살 치고 그중에서 묘법연화경 보문품이라는 것을 한번 들어보세요. 관세음 보살님에 관한 좋은 경전 말씀이니까 들어주시면 좋으것같습니다. 그리고 관세음 보살을 계속 불러보세요. 아주 좋은 수행입니다. 인도에서는 자파japa 또는 진언 mantra 수행이라고도 한답니다. 저도 잘 모르지만 저한테 물어보세요. 책읽는 것보다 빠를겁니다. 저도 낮에는 일을 하니까 쉬실때 연락주세요. 페북 친구가 좋아요.

**님처럼 **대나오셨나요
저는 지방의작은 전문대 나왔습니다.
고등학생때부터 힘들기 시작해서 공부를 할 여유가 없긴 했지만
공부를했어도 좋은 대학은 못 나왔을 겁니다.
이왕이면 능력도 있고 재주도 있으면 인생을 헤쳐가기 도움이 되었을텐데

나는 지극히 힘든 삶을 살면서 지극히 평범한 능력만 있습니다.

뭔가되고싶지만, 뭔가 할수있다는 확신과 목표만 있어도 자신감이 생길텐데.

내 존재가 아무 가치가 없는것같고.

지금은 자신감이 극히 떨어진상태입니다.

내앞의 현실은 자꾸 압박스럽고 부담스러운데...

나자신에 대한 자신감이 떨어지니 감당이 안 됩니다.

그 내면의 불이라는게 꺼지는거같습니다.

저두 요즘 명상을 합니다. 20분씩 하는데 제대로 하는건지는 모르겠습니다.

어떤 마음으로 해야 하는지...

그냥 고요하게 해야하는거 같은데 명상을 하면서 생각을 많이 합니다.

마음이 릴렉스해지고 편안하기는 합니다.

유튜브에 마음에 드는 인도음악이 있어서 그거 틀어놓고 합니다.

열심히 하세요. 하다 보면 길도 열리는 것 같습니다. *선생님은 워낙 유명하신 분이시고 알고 보니 저보다 일년 정도 선배 되시는 것 같습니다. 그러니 더 정이 가는 것도 같습니다. 마음 공부가 최고지 다른 공부는 별로 도움이 되는 것 같지 않습니다. 저도 다른 필요가 있어서 페북 개통을 해서 또 * 선생님 페이지에 들어 오게 되었습니다. 아직 사용하는게 많이 불편합니다. 더 나아지겠지요. 아무튼 이런 페북인연 반갑습니다. 건투하세요

2019.03.07

<착각하지 마세요>

내가 아무렇지 않아 보인다구요?
착각하지 마세요
남의 마음에 돌을 던져놓고
당신의 행동을 모른척하고 싶은거겠지만
당신이라면 멀쩡할까요?
나도 당신과 같은 사람일뿐입니다.

당신은 계속해서 돌멩이를 던져대며
그런 것을 즐거워하고 재미있어하는데
그러면서 내가 아무렇지 않아보인다고 핑계를 대는데
그런 당신의 모습을 진지하게 돌아볼 틈은 정말 없던가요

당신이 나를 안다고 생각하나요?
착각하지 마세요.
당신은 나를 보며 마치 뭘 안다는 듯이
야비한 웃음을 짓고는 하는데
그것이 도대체 무슨 의미일까요
당신은 그런식으로 해서 내가 무얼 느끼길 바라는 건가요
부디 나의 공간을 예의로 지켜줄 수 없나요.
당신이 당신에게 그러하길 바라는 만큼.

당신은 아주 무심하게 무례를 범하고 그것을 모르는 것 같은데
아니 모르는 척 하는 것 같은데
왜 그렇게 타인의 입장을 생각해보는 것을
굳이 포기하기로 한 건가요
당신의 그 태도가 타인에게 상처가 된다는 것을.
당신의 그 잠깐의 행동이 타인에게는 긴 시간의 고통이 될 수도 있다는 것을 생각할 수 없나요
부디 타인의 고통에 상상력을 가져줄 수 없나요.

나는 많이 다른 사람이라 그렇게 대해도 된다고요?
그래서 당신이 나의 고통을 조금이나마 알기나 하나요
당신은 상상도 못할 고독과 번뇌에 싸여 살고 있는 것을.
내 가슴의 상처는 아무렇지 않다고요?
그것이 실수라는 걸 언제 이해할건가요.
당신이 나와 다르다는 이기심으로 주는 그 상처.

당신은 나를 함부로 평가하고
또 그것을 드러내는 것을 아무렇지 않아 하는데
당신이 그럴 자격이 있을까요
당신이나 나나 마찬가지 피조물.
당신의 인식은 당신 혼자 간직할 수 없나요
나를 이해할 수 없어도
나의 고유한 부분을 존중하세요
나도 나의 공간 안에서 자유롭고 싶으니까요.

내가 다르다고 생각하지 마세요
나도 당신과 똑같은 걸 느끼는 사람,
아프고 사랑이 필요한 사람이니까
나는 그리 별종이 아니랍니다.

2019.3.13
<가슴이 아프다>

가슴이 아프다. 또 그러다 괜찮아지겠지. 늘 그러니까. 이제 빠져 나오려 노력하지도 말아야지. 괴로우면 괴로운 대로... 내버려둬야지. 이 밑바탕에 깔려있는 슬픔, 가슴아픔 우울. 잠시 괜찮아지고 망각했다가 언제든 다시 되돌아가니깐. 그래 난 슬픔 자체인가봐. 현실의 무엇도 잠시만 위안이 될뿐 난 도무지 이 가슴아픔에서 벗어날 수가 없어.

2019.3.19
<8월이후>

작년 8월 인생이 꼬이고 히키코모리가 된 이후로 내가 좋아하는 버거 먹으러 맥도날드도 못가고, 도서관에 가서 모르는 사람들 둘

러싸여 구석에서 컴퓨터 하는 거 좋아했는데 그것도 못한지 오래다. 가끔 이렇게 사는 게 답답하고 숨이 막힌다. 유일하게 1시간씩 집 옆 숲길 산책하는 게 다다. 그런데 얼마 전부터 좋은 활동거리가 하나 생겼다. 산책마치고 족구장 지날 때 농구골대가 하나있는데 공이 하나 버려져 있는 거다. 그냥한번 해보고 싶어 누가 보든 말든 골을 몇 번 넣어봤는데 재밌는 거다. 땀도 나고 숨도 차고. 15골 정도 넣어보고 지금까지 매일 하고 있다. 한번은 학생들이 하고있어서 못하고. 오늘도 30골 넣고 땀 흘리고 와서 샤워했다. 이렇게 몸을 움직이니 참 좋은 거 같다. 우울한 기분도 날아가고. 또 운동할 땐 잡생각도 안 드니깐! 이런 우울을 해결할 수 있는 방법이 생겨서 참 다행이다.

2019.4.20

<혼자 있으니>

엄마가 여행을 가서 혼자 집에 있으니, 또 시작된다. 우울한 생각. 언제나 혼자 아무것도 안하고 있으면 우울해지기 시작한다.

한 달에 한번 외래가는 날도 버스를 타고 한 시간씩 이동하면 우울에 흠뻑 파묻히게 된다.

그렇기도 하고 주기적으로 돌아오기도 한다.

여러가지 부정적인 생각들.

많다. 두려움, 우울함, 외로움, 혼란...

그리고 또 가끔은 기분이 좋아서 웃기도 하고 자만하기도 하고.

내 삶은 외줄타기와 같이 아슬아슬한데 그러면서도 가끔은 살만해지면 자만심 같은 게 껴들 틈도 있나보다.

너무나 반복되고 자주 겪는 일이라 이제는 내 마음 다스리는 데는 어느 정도 도가 터야되지 않나 싶다. 많이 경험했기 때문에 어느 정도 조절이 될 때도 있다. 잡생각이 들면 그 생각에 파묻혀서 조절하려 애쓰기보다 그냥 내버려두면 사라지곤 한다.

요즘엔 농구를 한다. 한 달 정도 되었을까.

산책 가는 길에 농구골대가 있어서 하루에 30골씩 넣는다.

그렇게 운동을 해서 그런지 신기하게도 요즘은 잡생각이 많이 줄었다. 아마 몸을 쓰며 활동적으로 사는 것이 우울한 생각을 줄이게 해주는 것 같다. 우울한 생각도 습관인거 같다. 넘 익숙하기 때문에 다시 또 다시 또 파묻히게 되는 거 같다. 어쨌든 우울을 줄이는 방법을 찾아서 다행이다.

하지만 오늘 또 반갑지 않은 손님이 오랜만에 와서 내 마음을 괴롭힌다.

많이 두렵고...

내 삶을 받아들이기가 힘들다.

나의 현실이 참 견딜 수 없다.

나는 왜 이렇게 된 걸까.

왜 신은 나를 선택했을까.

내가 가장 적당했을까.

내게 그렇게 힘든 10년을 준건 다 지금의 시간에 준비였을까.

나의 앞으로의 길은 어떨까.

오래 살고 싶지는 않다.
이 혼란하고 힘든 세상을.
모두가 또 내 존재를 부정하지 않는가.
힘을 내고 다시 시작해도 나는 연약하다는 걸 깨닫는다.
아무리 결심을 하고 다시 시작해도 상처받고 마음 쓰고.
한계를 아직은 말하지 말자고 스스로 약속 했었는데...
신은 참 겸손한 나를 원하시나 보다.
그 10년 동안 깨달은 것도 나는 나약하다는 것 뿐이었으니.
나는 강하지 않다.
늘 마음먹어도,
사람들 신경쓰지 않기로, 상처받지 않기로 굳게 마음 먹어도
내 마음 어디 슬쩍 빈틈이 있어서 약한 마음 비집고 스멀스멀 뭔가가 올라온다. 어떤 상황도 다시 생각하게 되고.
한때는 마음껏 행복했던 시간도 있었고
가슴 깊이 절망했던 시간도 있었는데
지금은 그저 마음의 평화만 얻었으면 좋겠다.
내가 얼마나 오래 살진 모르지만... 오래살고 싶지도 않지만
살아있는 동안은.
그리고 뭔가 할 수 있다면 좋겠다.
그저 무의미한 존재로 그저 가슴 아픈 존재로 끝내고 싶진 않다.
내게 찾아온 두려움이란 감정에 이름을 붙이고
왔다가 가도록 내버려두자.
그리고
나의 인생 만트라를 외우자.
모든 게 다 잘 될꺼야...

이 한마디를 외우자.
모든 두려움이 다 떠나가게...
모든 게 다 잘 될거야.

댓글

글을 참 잘쓰시네요. 웬만한 작가보다 훨씬 나으세요 정말입니다 감동입니다 이렇게 자기자신을 잘 나타내는 사람 저는 본적이 없습니다 솔직하시고 용기가 상당하십니다 다른 사람들 양선생님 같이 솔직하지도 못하고 용기도 없습니다 다들 어느만큼은 속이고 살아요 다 좋은데 하나 모르시는게 있느것 같아요 저도 고등학교 때 부터 최면도 배우고 그때는 인도명상도 안들어 왔고 절에 가서 물어도 참선 가르쳐 주지도 않았어요 그리고 대학교 때는 마인드 콘트롤 그런거 들어와서 좀했고 그리고 나중에 인도 초월명상 부터 들어와서 이것저것 많이 해봤지요 참선도 한 20년해 봣고 이것 저것 많이 해봤어요. 인도 철학도 좀 해보고 맛도 좀 보고요

근데 이거 수행 참 쉽고요 진리 이해라도 해보는 것 쉬워요 그저 몇 안되는 방법으로 마음이 콘트롤 되고 고요해지고 그리고 마음이 없어지면 되요 요가나 명상의 근본이 되는 파탄잘리의 요가 수트라에 도 그렇게 나와요 불교나 인도의 모든 수행법도 다 이 마음의 소멸 이거 하기 위한거예요 마음이 없어지면 그게 공이고 마야이고 그래요 그 단게만가도 아니 그보다 못해도 양선생님 고민 다 해결되요 결론부터 말하면 우리의 이 우주 다 공이고 환영이에요 불교 경전 금강경 보세요 공 애기 뿐이에요 그리고 그 공속에 참나, 진아라는게, 불성이란게, 브라만이란게 , 신이란게 있어요, 그게 다 의식이라는 거지요. 텅빈것 속에 행복 평화 희열 이런것들이

있는데 이것을 아는 놈이 있어요 그놈 이거든 의식이라고 하는 놈이 그것 보면 다끝나요 저도 그것 보려고 노력하고 있어요 이렇게 자기의 본질 알면 니르바나 번뇌의 불이 다 꺼진 부처님의 열반이 된다고 합니다 시간 많으신게 좋습니다 그리고 저를 이요하세요 페북 친구잖아요 저는 날때부터 고기 안먹고 철이나고는 개미하나 해친적없어요 물론 다들 그러시지만요 저한테 궁금하신거 하나씩 물어보세요 이제는 저 잘아시잖아요 (...)

하옇튼 여러가지로 도움이 되고 싶네요 이 세상은 서로 도움도 주고 또 받고 그렇게 사는 겁디다 또봐요

많은 도움이되었어요 번역중이신거 출간되서 나오면 좋겠네요 저 가꼭 읽고싶네요 좋은하루되세요

2019.5.17
<신에게>

당신은 내가 아주 어려서부터 외로움을 주셨습니다.

나는 말이 없고 공상에나 빠지는 음울한 아이였고 아이들이 운동장에 나가 교실이 텅 비는 점심시간이면 혼자 남는 것이 부끄러워 운동장을 어정쩡한 모습으로 배회하곤 했죠. 그 시절 여자아이들이 다 하는 고무줄놀이 한번 해본 적 없고 그저 그 옆을 혼자서 어색하게 스쳐지나갈 뿐이었죠.

2학년 때가 시작이었죠. 선생님한테서 컨닝한다는 누명을 쓴 후

아이들의 놀림에 4학년 때까지 친구하나 없었죠.

도대체 그 선생님은 내게 왜 그랬을까요? 아직도 그 순간이 기억납니다. 교탁 뒤에 서서 컨닝하는 애가 있다고 말하면서 내게 일부러 시선을 주지 않고 한참을 이야기하다가 그 애를 짚어 말할 때 내게로 시선을 돌리던 그 순간과 아이들의 모든 눈길이 내 쪽을 향하던 그 순간이요. 어차피 나는 비사회적인 영혼이라서 그 선생 때문이 아니라도 그렇게 살 운명이었을까요. 아니면 그 선생님이 계기가 되어 인생이 이렇게 틀어졌을까요.

바보 취급에, 억울한 일들에, 집에 와서는 답답해서 울기도 하고 다음에 또 억울한 일을 당하면 이렇게 말하자 하며 할 말을 마음속에 기억해두곤 했지만 막상 학교에 가면 한마디도 대응하지 못했죠.

그때부터 삶이 무기력하다는 걸 느꼈던 것 같네요.

나는 공부나 하는 인생은 아니라는 것도 알아서인지 공부를 열심히 해본 기억도 없네요

중학생이 되었을 때가 제일 행복했죠.

친구는 내 지저분한 신발 끈을 고개 숙이고 매어주고 편지지 하단에는 사랑한다고 다정하게 써주었죠.

친구와의 하교 길은 많은 추억을 남겼죠.

아침이면 하루를 시작할 기대로 벅찼고 저녁에 잠들 때면 학교에서 있었던 즐거운 일들이 필름처럼 지나가곤 했죠.

고등학생이 되면서부터 이상한 일이 생겼죠.

학교만 가면 머리가 아팠고, 아이들이 왠지 딴 세계 사람만 같아

친해지기가 어려웠죠. 세상이 갑자기 너무나 낯설게 변해버려 도무지 적응할 수 없었고 이방인이 된 것 같았죠. 두통, 가위눌림, 외로움...

그로부터 10년간이나 암흑기였죠.

참 긴 시간이었죠. 희망이란 것은 쉽게 오는 것이 아니었습니다.

내 영혼은 아주 아주 지치고 병들었습니다.

그 시절을 통과하는 동안 나는 내가 왜 그런 시간을 겪어야하는지 고통 속에서 늘 궁금했고 지금도 역시 나는 알지 못합니다.

내가 왜 그런 시간을 겪어야했는지. 그것들, 고통들이 무슨 의미인지. 아무의미도 없는 건지...

신이여, 지금이라도 그것을 알려주셔야죠.

난 지금도 이유도 없이 다가왔던 그 시간들이 두렵습니다. 아무도 손잡아주는 사람 없이 철저히 외로웠던, 나 혼자 맞이해야했던 그 시간들이요.

10년의 마지막 무렵.

나의 상처들을 모두 치유하는 계기가 있었고, 내가 그렇게 기다리던 전환기가 마침내 왔지만 그것은 완벽히 환영할만한 전환기는 아니었습니다. 복병이 숨어있었으니까요.

하지만 적어도 살만은 하고 지난 10년에 비하면 평화로웠습니다.

혼란스러워서 정신과에 입원을 했다 퇴원했고 낮병원을 다녔습니다. 다시 평화로운 시간을 맞이했다 생각했습니다.

그러다 작년 8월에 그 복병은 드디어 완전히 모습을 드러냈습니다.

나는 이제 다시는 예전처럼 살수 없게 되었습니다.

신이여, 그러나 당신이 나를 배려하여 집 옆으로 사람이 뜸한 곳으로 산책은 할 수 있게 해주어서 감사합니다.

산책을 못했다면 얼마나 갑갑했을까요.

처음 한 달, 꼬박 한 달 아무데도 나가지 않고 집안에만 박혀 있다가 처음으로 바깥에 발을 내딛을 땐 무척 어렵고 힘들었습니다.

하지만 이젠 어느 정도 가벼운 마음으로 다닐 수 있게 되었습니다. 메일친구도 얻게 해주어서 감사합니다.

페이스북에도 오게 해주어서 감사합니다.

그것은 당신이 아직 나를 버리시지는 않았다는 것이죠? 그렇게 믿고 있습니다.

그렇게 나는 영문은 모르지만 또 다른 시간으로의 전환을 마쳤습니다.

그러나 나는 하루하루 지치고 있습니다.

끝없이 되풀이되는 생각들.

하루에도 몇 번씩 죽고 싶습니다.

또한 이유를 알 수 없습니다.

도대체 내가 왜 이렇게 되어야했는지.

당신은 왜 나를 여기 이런 모습으로 지구별 한켠에 처박아두셨나요.

나는 도대체 무엇을 해야하는지도

어떻게 살아야하는지도 모르겠습니다.

적어도 내게 재능이라도 주셨어야죠.

언제까지 이렇게 괴롭고 힘겨운 인생을 견뎌야 하나요.

난 더 이상 나 자신에 대해서도 자신이 없습니다

내 자신이 너무 무겁고 짐스러워서 삶을 이끌어 갈수가 없습니다. 나는 지금 절망 속에서 방구석에 앉아 당신에게 외치고 있습니다. 저 어떻게 하나요. 제발 가르쳐주세요. 보시고계시면 제발 한 말씀만 해주세요...

2019.06.01

<내 인생은>

내 인생은 눈물
신이 나를 이 세상에 내놓을 때
내게 가장 많이 허락한 것은 눈물
신은 나의 눈물을 그렇게 사랑하셔서
그렇게 나를 울게하십니까.
신은 사랑하는 사람에게 고통을 준다는데
그래서 그렇게 나를 아프게 하십니까.
나를 신은 그렇게 사랑하시는지
신이 주신 이 운명길 위에서 비틀거립니다.
현기증이 나고 토할 것 같습니다.
나 지금 어디쯤에 서있는 걸까요?
얼마나 더 가야할까요.
나 앞이 잘 보이지가 않습니다.
나를 사랑하시면 앞을 조금만 보여주세요.

2019.06.23

<나의 불행에 대한 면역체계>

더 이상 견딜 수 없다고 하는데 그러다가 피식 웃어버리는 나를 본다. 한계라고, 더는 나아갈수 없을 것 같다고 생각했는데 시간이 지나면 피식 웃으며 덮어버리는.

이제는 불행에도 습관이 되어버린 것인가?

하지만 언제까지 그럴 수 있을까? 내가 그렇게 하는 것도 언젠가는 한계에 다다르지 않을까?

내 마음은 끝없이 계산하고 있다. 내가 웃어넘기는 것은 어느 정도 살아남을 수 있다는 계산인지 모른다.

아직까지는 내가 의지하고 있는 것들이 어느 정도 있어서 면역체계가 작동하는 것인지 모른다. 그저 몇 안 되는 온라인친구, 카페활동, 책, 막연한 신념... 보잘 것 없어도.

그러다 나를 지탱해주는 것들이 적어지거나 하면 다시 위태롭게 흔들리겠지.

뭐 그러다가 다시 웃으면서 덮어버리겠지만.

나는 이미 그런 삶에 익숙해져버린 건지 모른다.

불행의 바다를 한껏 헤엄치다 어쩌다 한 번씩 공기를 호흡하면서, 그래도 그 잠깐의 공기를 호흡하는 것에 만족해하는 그런 삶에. 불행이 너무 익숙해져서 점점 무감각해지는.

누구 한사람만 있었으면 좋겠다. 정말 누구 한사람만. 의지할 수 있고 내 인생에서 산소가 되고 밧줄이 되어주는.

혼자서 중심을 잡으려 애쓰지만 지금 내가 얼마나 위태위태한지. 나를 붙잡아주는 것도 없이 혼자 중심을 잡으려고 얼마나 애쓰고 있는지.

그런 와중에 계속 노력하고 있다.
진정한 나를 찾고 나답게 살고자
내면에서 강해지고자
자신감도 찾고 싶어 하고.
삶의 의미를 찾고 싶어 하고.
희망을 만들어내고 싶어 하고...
이 시간을 얼마나 지속하면 변화가 나타날까.
변화가 가능할까.
내게 희망이 있을리 없다고 생각하면서도 막연히 무언가를 믿고 있는데... 그건 정말 가능한 것인가 아니면 어리석은 짓인가.

2019.06.29
<비>

또 비에 취해 걸었습니다. 오늘은 그런 날인가봅니다. 아무것도 할수 없고 가슴이 아픈. 아침에는 왜 그리 눈 뜨고 일어나기가 힘든 건가요.

2019.07.17

<사명이 있었으면>

이제 또 글 쓸 때가 왔다.

한 달에 두 번은 써야지.

어떻게 보면 많이 변한 거 같은데.

책도 읽고 생각도 달라지고 마음도 안정되고.

그런데 어떻게 보면 나는 그대로인거 같다. 하나도 변한 거 없이.

예전에 쓴 글들 보면 나는 아무 발전 없이 그저 주기적으로 반복적인 생각을 하는 거 뿐인 거 같기도 하다.

작년 8월 달부터 시작된 나의 일기를 보면 많은 괴로움, 많은 의문, 많은 갈등...이 있었다. 그땐 지금보다 더 힘들었구나... 여기까지 오는 동안 많이 힘들어했구나.. 그때 처음으로 쓴 글은 유서였다. 꼭 죽을 생각은 아니었고 그냥 다 내려놓는 기분에 취해서 한 번 써봤던 거다. 내 인생은 출제오류라는 생각이 들었다. 모든 사람들이 내 존재를 부정하고... 그 후로는 단지 깨달음이 있는지 막연히 그것을 추구하며 살아온 거 같다.

더 이상 내 인생에 의문 같은 건 없다. 풀어야한다는 생각도 없다. 그렇지만 웬지 모든 것이 의미가 있을 거 같은 이상한 생각이 든다. 10년간 아팠던 것, 그 시간 동안의 고통과 상처, 그것들은 혹시 지금의 나를 준비시킨 건 아닐까.

그리고 누군가로 인해 그 상처들을 치유받을 수 있었다는 것, 그것도 그냥 주어진 건 아닌 것 같다.

무엇도 그냥 일어나지 않았다는 느낌이 든다.

신이 나를 어딘가로 이끌어가고 있다는, 나를 어떤 인간으로, 어떤 상태로 만들어가고 있다는 느낌.

그런 건 다 착각일까. 다만 우연일까. 내게 사명이 있다는 생각도 착각일까.

그러나 그 사명이 무엇인지 모르겠지만 나는 그만 죽고 싶다는 생각이 들 때가 많다. 그 사명을 다하기 위해 의욕을 내서 살아야겠다는 마음을 내기보다 그만 다 포기하고 죽고 싶을 때가 많다.

당장이 고통스러워서, 괴로워서.

죽고싶은 마음이 너무 강해서 '이렇게 가면 허무하지 않겠어?' 하는 마음의 설득이 전혀 통하지 않는다.

하지만 이성을 조금 차리고 마음이 조금 가벼워지면 다시 그런 마음이 고개를 드는 것이다.

내 인생도 의미가 있었으면 좋겠다고. 내가 조금 더 참을 수 있었으면 좋겠다고.

내가 인생에서 이룰 일이 있었으면... 사명이 있었으면 정말 좋겠다고.

2019.07.29

<메모>

노트에다가 적어놨습니다.
어떤 것에도 얽매이지 말자고. 내 정신이 자유로이 날개치도록
현실의 어떤 것도 마음이 얽히지 말자고.
책에서 좋은 구절을 만나서 메모해놓습니다.
"나는 지금 내가 생각하는 그런 존재가 아니다.
나의 이름, 내가 이 세상에서 얻은 것, 내가 '나'라고 여기는
그것들은 그 순수한 침묵 위에 떠 있는 구름과 같은 것이다.
가끔 그 구름을 걷고, 그 너머의 절대 침묵의 세계와
하나가 되어야 한다."
괴로움에 관심주지 않고 먹이주지 않고 복잡한 생각하지 말고 그렇게 오늘을 보내야겠습니다.
명상을 잘하고 있는 건지, 제대로 하는 건지 모르겠지만
하루 50분씩 하는 명상이 어느 정도 평온함은 찾는데 도움이 됩니다.

2019.08.04
<아침이면>

저녁이 되면 11시쯤에 잠이 들죠.
저녁에는 가벼운 마음으로 잠이 들 수 있습니다. 그런데 아침에는 너무나 무거운 마음으로 잠이 깹니다.
무의식 속에 깊숙이 들어간 밤 동안 절망과 외로움이 너무나 세게 나를 짓눌러서인지 아침에 문득 의식을 차리게 되면 마음이 괴

로워 견딜 수가 없습니다.

'오늘 또 하루를 어떻게 견뎌야할까. 언제까지 견딜수 있을까. '

7시쯤 잠이 깨어 쉽게 일어나지 못하고 괴롭게 의식 흘러가는 대로 내버려두다가 9시가 되어야 일어납니다.

'이렇게 하면 안 되지. 이렇게 또 괴롭게 하루를 견디면 안 되지.'

일어나 앉아서 차츰 의미를 찾으려고 노력합니다.

그리고 그렇게 일어나서 다행히 얼마정도의 시간이 흐르면 또 살 수 있을 것 같고 힘이 나기도 합니다.

그런식으로 매일 똑같은 아침이 반복되죠.

안 좋은 꿈이나 칙칙한 꿈을 꾸면 특히 더 괴롭고

조금 밝은 꿈을 꾸면 그럴 땐 마음이 조금이나마 가벼워지죠.

끝없이 쳐지고 싶은 마음 억지로 추스르고 산책을 나갑니다. 그렇게라도 해야죠. 나를 가만히 내버려두면 안 되거든요.

세상이 두려워도 사람들 만나기 싫어도. 억지로라도 나가야합니다.

< 어떤 날은 >

어떤 날은 너무나 괴롭고 견딜 수가 없어 도저히 이 여행을 계속할 수 없을 것만 같습니다

그러다 어떤 날은, 어디로 흘러가는지 몰라도 무조건적인 신에 대한 신념이 생깁니다.

어떤 날은 너무나 끈적이게 현실의 고통에 매여있고

또 어떤 날은 마치 초월한 성자 흉내내듯 아무런 상을 짓지않고 무심할 수 있습니다.

어떤 날은 혼미한 안개 속에서 무엇엔가 쫓기는 듯 혼란스럽고
어떤 날은 드디어 안개가 걷히고 무언인가 분명하게 보이는 듯 합니다.

어떤 날은 누구의 이해도 닿지 않는 구석진 곳에서 쓸쓸하게 소외감을 느끼고
어떤 날은 저편 언덕에 닿을 희망으로 기운이 납니다.

어떤 날은 인생이 도무지 무질서하고 무의미하게만 보이고
또 어떤 날은 지금 이 길이 분명히 어딘가에 이르기 위한 여정이라는 확신이 생깁니다.

어떤 날은 내 존재는 출제오류일 뿐이라며 스스로를 의심하고
또 어떤 날은 나도 무언가 사명을 띤 의미있는 존재일 거라는 확신이 듭니다

어떤 날은 마음이 어지럽고 복잡하고 시끄럽고
어떤 날은 차분하고 단순하고 고요합니다.

어떤 날은 답답함과 괴로움에 몸이 바싹 마르고
또 어떤 날은 희망이 삭막한 내 인생을 촉촉히 적시는 걸 느낍니다

어떤 날은 의욕상실한 채 나는 그저 주저앉아 넋 놓고 있지만

그래도 어떤 날에 늘 자신을 다독이고 다시 일어섭니다. 조금만 더 인내하자면서.

2019.08.13

<희망>

나는 길을 걸으며
무심히 걸으면서도
자세히 살폈습니다.
어디서 희망 한 조각 주울까 하고.
나 오래전에
아주 오랫동안
희망을 기다렸던 세월이 있었지요
긴 희망의 부재시간 동안
나는 많이 아팠고
많이 피폐했었죠
아무도 없고 아무 변화도 없던 어떤 시절에.
또다시 나는
그 비슷한 시간을 맞았습니다.
아 어쩌란 말입니까
다시 그 절망의 시간을.

차라리 나는 그때 포기했어야하는 건가요
또다시 그 사막같은 고독한 길
또다시 그 숨막히는 태양 아래
그러나 아직도 희망을 찾아 두리번거리고 있습니다.
아무것도 없는 이 삭막한 풍경이 점점 견디기 힘들어
차라리 신기루라도 보이면 반갑겠습니다.
정말 희망이란게 존재한다면
이번에는 먼저 나를 찾아주었으면
모래 속으로 발이 푹푹 빠지며
무의미한 걸음이나마 계속해서 걷고 있습니다.

2019.08.29
<울었다>

울었다.
엄마가 화를 내서 눈물이 나긴했지만
꼭 그것 때문이 아닌 눈물이 주르륵 흘렀다.
세수를 하고나서도 또 울고 코를 풀고 나서 또 울고.
지금도 또 눈에 눈물이 나온다.
무엇 때문인지 모르겠다.
뭔가 꾹꾹 눌러진 것이 있나 보다.
분명한건 나 지금 너무 힘들다.
신이 나를 너무 학대한다는 생각이 든다.

여린 여자로서 힘없는 한 사람으로서
행복하지 못한 이 삶에서 더 이상 무얼 추구하고 어떤 깨달음을 얻을 수 있을까

2019.09.07
<페친님>

안녕하세요. 양선생님 오래만이네요. 많이 아프신것 같네요. 신이 그러신것 같나요. 그럼 그 신은 성질이 좀 나쁘네요. 신이 아니라 마음이겠죠. 석가모니 부처님께서도 마음이 아프셔서 그 좋은 왕자의 지위와 어여쁜 야소다라 공주 그리고 젖먹이 아들 라훌라를 버리고 출가해서 고행 수도의 길을 택했죠. 그리고 모진 수행을 통해서 니르바나에 당도했죠. 니르는 끄다 그리고 바나는 불이라고 한다나요. 그래서 nirvana는 모든 정신적 고통이 사라진 열반이라고 하네요. 그야말로 평화죠. 평화. 그런데 부처님은 고행 도중 이 고행을 멈추고 고행도 낙행도 아닌 중도를 택해서 깨달음을 얻었지요. 이와같이 명상 수행은 고통이 아닌것 같아요.

정신 치료의 선구자이신 프로이드 박사도 그러셨어요. 신경성 병은 정신 즉 마음이 밖으로 너무 들떠있어서 그런 것이고 마음을 차분히 가라 앉히면 신경성 병이 나을 수있다고요. 책에서 읽은 기억이 나네요.

불교에서는 마음을 8식 또는 9식,10식으로도 분류해요. 보통 말해도 우리가 쓰는 거친 마음이 있고 정심, 무심, 불심이 있다고 하

잖아요. 이와같이 다 마음의 상태이라고 생각합니다. 마음이 외부로 향해 있으면 노이로제, 히스테리고 마음이 내부의 끝에 이르면 정심, 불심이라고 해서 도인이요 부처인 것이지요. 양선생님 너무 심각하게 생각하지 마세요. 하는 말로 다 마음이에요. 명상하면 다 해결되요.

제가 또 명상하는 방법에 대해서 드릴 말씀이 있으니 필요하시면 제 계정에 글을 남기세요. 혹 도움이 되시면 좋겠다는 바람입니다.

안녕히 주무세요.

댓글

정말 오랜만이네요. 감사합니다. 안그래도 명상을 어떻게 하는건지 내가 잘하고 있는건지 궁금했거든요.

매일 한시간 넘게 명상을하긴하는데 하는방법도 모르고 그냥 눈감고 앉아있기만합니다. 마음이 고요하고 편하고 안정되기는하는데 그 이상은 안되네요. 저는 우주와 교감하거나 신과 소통하고싶거든요.

또 저가 평소 자세가 안좋다보니 명상할때도 바른자세가 안나오는데 요걸 고쳐야하는지 그냥 편한대로 하면되나 모르겠구요.

온갖 인생 무게 혼자 다 짊어진 것처럼 어깨가 구부정해서요.

그리고 깨달음이란걸 막연하게 추구하는데..

책에도 깨달음을주는 문장들이 많이 나오잖아요.

'아 그렇구나' 싶은 구절만나고 잠시 깨달은듯하다 잊혀지곤하는데 그런 깨달음말고 또 다른 깨달음이 있는건가요.

각자 개인이나 인생마다 다른 깨달음이 있는가요. 제 인생에맞는 깨달음이 따로 있는 건가요. 그런게 궁금하네요..

양 선생님 안녕하세요. 반갑네요. 명상이란게 여러가지로 다양한데 제 경험을 토대로 두서없이 말씀 드려볼께요.

저도 말을 많이 듣지만 불교와 인도 힌두교의 궁극의 경지는 다 똑 같은것 같아요. 이렇게 보는 분들도 많아요. 다 똑같이 참나,진아를 찾는 거예요. 대승 불교와 참선 그리고 힌두교 다 공히 우리의 참나가 결국 우주의 절대자인 부처, 브라만 등등과 같다는 거예요. 그래서 수행의 목적은 이 참나, 진아를 찾는 거예요. 이렇게 하기 위해서는 크게 두가지로 나눠져요. 하나는 수행을 해서 참나, 진아를 직접 봐버리는 것이고요. 이런 예는 참선 수행에서 그렇고요. 두번째는 얕은 공을 체험하고 그 수련을 계속하면 깊은공, 즉 참나를 깨닫게 되는 것이지요. 얼마전 문경 봉암사 적명 큰 스님을 친견하고 왔어요. 한국 최고 도인 중의 한분이시라고 하죠. 이 분에게서 얕은 공을 체험했다고 인가를 받았어요.별건 아니지만 나름대로 뿌듯해요. 이 얘기 좀 해드릴께요. 이십 몇년전에 신묘장구대 다라니라는 긴 진언을 수행했어요. 마음 속에서 이 진언을 계속 염송하는 것이지요. 가나 오나 앉으나 서나 등등 말이죠. 그리고 3년이 될때 쯤 공에 들어갔어요. 이론으로 분분하게 말씀도 많이들 많이하시지만, 사실 그대로 공이에요. 세상이 텅비어 있어요. 이 공에 들면 마음이 아주 편인하고 자유롭고 평화롭고 희열이 넘쳐요. 마음이 극락에 온거예요. 이것이 끝이 아니지만 말이죠.

오늘은 이만 할께요. 다시 뵈요. 의견을 남겨주세요.

네... 용어가 어려워서. 얕은공이 뭔지 3년수행하고 들어가셨다는건가요. 명상을 통해들어갈수있나요. 평화로워진다고하니 궁금하네요..

예 오늘은 제가 좀 피곤해서요. 수행을 해서 공에 들어갈 수 있어요. 진짜 이 우주가 텅텅 비어있어요. 그리고 그 텅빈 줄을 아는 것이 있고요. 하옇튼 이 속에서는 마음이 그렇게 편하고 평화롭고 자유롭고 희열이 넘쳐요. 시간도 이런 속에 있으면 몇시간 금방 지나가요. 하옇튼 수행하면 제일 좋은게 마음이 편해지고 평화로와져요.

네 쉬시고 다음에 또 알려주시고싶으신거있음 알려주세요. 감사합니다

2019.09.08.

<페친님2>

안녕하세요. 푹 자고 났더니 개운하군요. 신묘장구대다라니 라는 것이 있어요. 불교 경전 천수경이라는 경전 속에 나오는 진언(만트라, 주문, 다라니)이에요. 좀 긴 진언인데 고대 인도어로 되어 있어서 외우기에 약간 힘이 들어요. 이 속에 신묘한 힘이 들어 있다고 해서 신묘장구라고 하고 긴 진언이라고 해서 대다라니라고해요. 이것을 대비주라고도해요. 불교에서는 주력이라고도 하고 이것을 외워서 입밖으로 또는 마음속으로 계속 반복하는 것을 주력수행이라고도 하지요. 수행은 이런 거예요. 수행법을 배워서 계속 반복하는

것이 명상이고 수행이에요. 저는 이 진언을 계속해서 3년만에 공에 들었어요. 이게 궁극의 경지는 아니지만 이렇게 하는 것이 수행이고 진리의 길이에요. 이렇게 공에들면 무엇보다도 먼저 마음이 무지하게 평화스러워지고 말할 수없이 평화스러워져요. 이게 명상이고 수행이에요. 명상을 하면 마음이 평온해져요. 이게 수행이에요. 이 신묘장구대다라니는 이렇게 시작되요. 나모라 다나다 야야 나막알야..... 끝은 나막알약 바로기제 새바라야 사바하...

이것을 외워서 앉으나서나 오나가나 잠들때나 무엇을 할때나 계속하세요. 입으로 하다가 마음속으로 하다가 하시면 되는데 주로 마음속으로 하시는게 나아요. "신묘장구대다라니 나 대비주 또는 천수대비주"등으로 검색해 보시면 구할 수있을거예요. 천수다라니 공덕과 의미 라는 책이 좋은데 요새 나오는 줄 모르겠군요. 한번 찾아보세요.

그리고 명상할때 자세가 중요한데요. 먼저 다리는 우측 발은 밑으로 그위에 좌측 발을 올려 놓으세요. 이것을 반가부좌라 하는데 우리 동양인은 다리가 짧아서 가부좌가 안되서 이렇게 하는 거얘요. 그리고 손의 모양인데요. 발의 모양과 마찬가지로 오른쪽 손을 펴서 밑에 놓고 왼쪽 손을 펴서 위에 놓으시면 되고 그리고 두손의 엄지손가락이 둥글게 맞닿게 하면되요.

그리고 중요한데요. 허리를 반듯이 펴셔야되요. 땅과 거의 수직으로 편안하게 너무 무리하지않게 펴시면되요. 그리고 목도 구부러지면 안되요. 가능하면 곧게 똑바로 펴시면되요. 두눈의 모양인데요. 인도 나 다른 명상에서는 다 눈을 감고해요. 단지 참선 할 때만 눈을 뜨고해요. 그러니 이 다라니할때는 눈을 감고하는게나아요. 그리고 호흡을 좀하시고요. 호흡은 단전호흡을 하시면 좋고 검색해

보시면되요.

대충 말씀 드렸지만 이렇게 하시면 되요. 이게 명상수행이고 진리의 길이고 우주와 만나는것이고 신과 함께하는 길이랍니다.

부디 한번 시험해 보시고 연락주세요. 다른 수행법도 많이 있으니까. 또 얘기 해봅시다.

양 선생님 부디 행복하세요.

저는솔직히 요거 다 외울자신이없어요. 그리고 요거 외우면 엄마가 이상하게 볼거에요. 집안도 천주교라..그냥 마음을 다해 명상하면 언젠가 성과가 있을거라 믿어요. 친구 엄청많으시던데 가끔가서 게시물읽고 댓글달고해도되나요.

예 그러세요. 편하게 하세요. 자연스럽고 마음 편한게 최고라고 생각합니다. 건강한 모습 바라볼께요. 감사합니다.

2019.09.19

<영혼이 다른>

이렇게 고독이 익숙한 것을 보면 나는 고독을 타고난 영혼이 아닐까, 원래부터 고독한 영혼이 아닐까 그런 생각을 해보게 되는 것이다. 어쩌면 이번생은 고독할 것을 예정하고 태어난 것은 아닐까,

나는 전생에서도 고독했을까, 나는 이런 식으로 몇 번의 생을 거듭하고 있는 것일까, 그런 생각을 하는 것이다.

나는 많이 다른 걸까?

왜 그런지 모르겠지만 나는 어려서부터 말도 잘 하지 않고 사람들과 어울리기보다 내 안의 세계에 머무는 사람이었다. 어린 시절을 떠올리면 말없이 가만히 책상에 앉아 고개 숙이고 있는 내 모습과 내게 다가와 친근하게 말을 거는 아이들이 없었다는 것이 생각난다. 그런 고독한 습성이 타고난 것인지 아니면 환경적으로 영향을 받아 그렇게 된 건지는 잘 모르겠다.

그러나 내게 꼭 그런 한 가지 모습만 있는 건 아닌 거 같다. 개구쟁이 같이 짓궂은 장난도 많이 치던 한때의 내 모습도 분명히 있기 때문이다.

어쩌면 나는 고독한 영혼이 아니라 고독한 환경에 놓인 영혼인 건지도 모르겠다. 고독이 익숙하기도 하고 짓궂게 놀던 내가 익숙하기도 하다.

너무 오랜 고독의 시간에 고독이 이토록 익숙해진 것뿐.

그래서 나자체가 고독으로 느껴질 뿐.

삶이란 무언가를 배우고 성장하기 위해서라면 내가 이 삶을 통해 배워야 할 것은 무엇일까? 이 고독하고 답답한 삶을 통해 어떤 의미를 얻을 수 있을까

이렇게 세상과 부조화하고 갈등하며 영혼이 성장하기는 하는 걸까?

마치 길을 잃고 끝없는 사막을 헤매는 것만 같다.

또는 수영도 할 줄 모르는데 억지로 물속에 집어넣어져 허우적대고 있는 거 같다. 아무리 리허설 없는 인생이라지만 삶이 참 황

당하고 당황스럽다. 누구에게 이 의문을 제기해야하는 걸까.

너무 힘들어서 도저히 이 여행을 계속할 수 없을 것만 같은데 나는 이 삶을 통해 도대체 무엇을 해야 하는 것일까?

2019.09.19 (2)

<고장날 때>

노력하고 있다.

어떤 부정적 감정에도 동요되지 않고 도움이 안 되고 불필요한 생각들은 하지 않기로. 사람들 의식하는 것도 의도적으로 자제한다. 중요한 것은 나 자신이라고 스스로 설득하며.

무엇보다 명상에서 길을 찾고 있다.

명상을 한 시간쯤 하면 그제서야 마음이 고요해지면서 편안해진다. 생활을 하며 마구 헝클어져버린 내가 그 시간에는 내 안으로 단단히 뿌리를 내리는 느낌이다.

그래서 명상은 내게 꼭 필요하고 명상하는 시간은 제일 편안한 시간이다.

그래도 이 길을 혼자 걷기에는 외롭다는 생각이 든다. 현실에 누구 의지할 사람, 지도해줄 사람 한 사람쯤 있었으면 좋겠다. 스승이라든지.

열심히 해나가겠지만 외부의 환경에 구애받지 않고 오로지 내안에서 안정을 구하는 것이 가능한 일인지도 잘 모르겠다.

삶을 살며 때로 내가 고장이 나는 느낌이 들 때가 있다.
인간은 나약한 존재이기에 고장도 날 수 있는 거다.
마치, 어떤 상황에 대한 데이터가 입력되지 않아서 그 상황에서 어떻게 대처할지 몰라 오작동하는 로봇같이 나도 때때로 어떤 상황에서 스스로의 작동 원리를 몰라서 오작동하는 것 같다.
그러면 어떻게든 다시 통제력안의 나를 찾고 싶어진다. 하지만 뭐가 어떻게 고장이 났는지 스스로가 고치기는 어렵다.
그럴 때면 고요한 시간을 내서 가만히 앉아 명상을 한다.
우선 그렇게 마음을 평화로운 상태로 이끌고 앉아 있으면 다시 온전한 모습으로 회복하는 느낌이 든다.
곤란하고 어지러운 내 모습을 내가 알아서 정돈하기는 힘든 것이다. 어떻게든 자신을 고쳐보고 싶지만 그보다는 하나하나 반응하며 생각하지 않고 그냥 치워두는 게 낫다.
고요한 시간을 내서 가만히 앉아있으면 치워둔 것들이 어디로 가지 않는다. 다만 차분히 가라앉아 정리가 된다.
생각으로 파고들어봤자 혼란만 가중될 수 있다. 도리어 길을 잃을 수 있다. 스스로의 작동원리를 몰라 조치를 할 수 없는 것이다.
오히려 마음을 비우고 앉아있는 중에 본래의 나를 되찾을 수 있다.

지금 이 시기를 보내는데 명상을 꼭 붙들고 나아가야겠다는 생각이 든다. 매번 흔들리고 고장이 나고마는 인생, 명상의 도움을 받아 이 시기를 잘 극복할 수 있기를.

주위를 자꾸 두리번거리지 말고 나의 길을 가자. 남이 날 어떻게 생각하든 신경쓰지 않고 그저 내가 잘 살면 좋겠다. 마음은 다 마야라고 하지 않는가. 나의 길을 방해받지 말고 걸어갈 수 있었으면 좋겠다.

2019.09.25

<오늘만은>

오늘만은 저를 내버려두지 마세요
끝도 없는 암흑 속으로 빠져드는 저를 내버려 두시면 안되요
지금껏 내버려두셨죠.
오늘만은 오늘만은 이라고 했는데도 손잡아주지 않으셨죠.
그래서 늘 혼자 주저앉아있다 혼자 일어서곤 했죠.
하지만 지금은 달라요.
오늘만은 오늘만은 제 손을 잡아 주세요

2019.10.06

<신에게>

힘듭니다. 신은 나의 어디가 그렇게 맘에 안 드셨나요. 복잡한 생각. 계산하는 마음. 끈질김? 사람들이 나를 조롱하네요. 난 안된다고 밀어내네요. 당신의 뜻은 따로 있는 줄 알았는데 그게 당신의

뜻이었나요. 사람들의 뜻이 당신 뜻일까요?

아무 희망 없는 줄 알면서도 살고 싶으네요. 아직도요. 이제 포기한다고 말해놓고 또 살고 싶어져요. 죽는게 무섭거든요.

너무하지 않나요. 어떻게 내게 이런 힘든 삶을 주나요.

댓글

양선생님 지켜보는 나도 힘드네요. 낫살이나 더 먹었다고 그러는지... 이렇게 페북에서 만난 것도 인연이 있어서 그런건지... 하옇튼 조금이라도 도움이 됐으면 좋겠는데 능력은 안되고 안타깝네요. 우리 불교에서는 모든걸 마음에서 찾아요. 이 입장에서 보면 지금 양선생님은 마음이 아주 불편하신것 뿐이에요. 해답은 간단해요. 마음을 편인하게 하면되요. 그렇게하는 방법이 불교나 인도에서는 명상하는 것이죠. 하옇튼 마음을 좀 연구해보세요. 우리는 그래요. 마음이 부처라고요. . 하옇튼 행복하시길 바래요.

2019.10.24

<진통제같은 사람>

그 사람은 그냥 진통제 같은 사람이었습니다.

아픈 이 세상 살아가는 내게는 꼭 필요한 사람이었습니다.

그래서, 이제 생각 안해야지, 좋아하지 말아야지 하고도 또 생각하고 그랬습니다.

그렇다고 심심풀이로 좋아한 건 아닙니다.
진심이 아니었던 것도 아닙니다.
나같은 사람이 그 사람을 바라는 건 좀 그렇지만 좋아할 수는 있는 것이죠...
그래서 오늘도 나는 이러고 있습니다.
그 사람이 있어서 고맙습니다.
힘든 시간에 던져진 후, 빠져들 수 있는 당신의 세계가 있어서 좋았습니다.
거리는 있지만 근처에 있어줘서 좋았습니다.
좋아하고 잠시 미소 짓고 그럴 수 있게 해줘서 고맙습니다.
나는 또 눈물이 납니다.
참 이상합니다.
그냥 이유를 알기도 전에 눈물이 나네요.
많이 힘겹습니다.
나는 왜 이 세상에 와서 도대체 무얼 하고 이제 또 나는 어디로 가는 중일까요.
나는 두렵습니다.
그래도 고단한 내 인생길에서 당신을 만나게 되어 다행입니다.
고단한 내 인생을 잊고 잠시 당신을 생각할 수 있어 다행입니다.
내가 걷는 길에 계속 당신이 있어주었으면, 당신과 조금 더 동행할 수 있다면 참 좋겠습니다.

2019.10.25

<진통제 같은 사람2>

생각 안해야지. 좋아하지 말아야지 하는데 또 생각하고 있습니다. 이런 내가 어떠신지 모르겠습니다.

우리가 만나기 전에도 태어나기 전에 약속을 했을까요. 우리는 어떤 역할을 하기로 되어 있을까요. 어떤 역할이 더 남아있을까요. 그냥 지금의 이런 사이가 다일까요. 아니면 내가 바라는 대로 당신과 가까워질 수 있는 시간이 혹시라도 예정되어 있을까요.

미안합니다. 나는 그렇습니다. 이것이 너무 달콤하여서 당신을 놓치를 못하고 있네요. 세상은 너무 쓰고 그래서 달콤한 사탕을 손에서 놓지 못하고 있네요.

당신을 생각하면 불안감, 삶의 두려움, 죽음의 두려움, 다 잊을 수 있고 웃을 수도 있어서 난 자꾸 당신을 생각합니다. 당신은 내게 달콤한 사탕이고, 진통제입니다.

그래서 자꾸만 생각합니다. 나 계속 좋아해도 되는 겁니까?

어떤 때는 그냥 바라만 봐도 좋다가 어떤 때는 당신의 무관심에 마음이 아프기도 합니다.

나는 살면서 많은 사람을 좋아한 건 아닙니다. 지금 당신을 좋아할 수 있어서 기쁩니다.

댓글

그런 사랑을 해본 사람이라면 깊이 공감할 것 같습니다. 읽는 내내 마음이 먹먹했습니다.. 힘내시고요. 가끔은 신께서 침묵속에만 있지말고, 때로는 모습을 나타내어 눈물 닦아주고 이끌어주길 기도

할 때가 많았지요.. 늘 많이 웃고, 간절히 원하는 소망 이루어지길 저도 같이 기도드릴게요

감사합니다! 맘이 따뜻하신 분 같습니다!

2019.10.31
<구름>

그대 길을 가다 문득 하늘을 올려다보세요.
하얀 구름 한 조각이 손짓을 하거든
그것이 나의 마음입니다.
흘러가는 구름은
당신의 마음속으로 흘러들어가고 싶은
흔들거리는 나의 마음입니다.
나의 말하고 싶은 사연.
그리움, 설렘.
아픔. 혹은
말로 표현할 수 없는 것들
담아서
하늘에다가 그려낸
나의 마음입니다.
나의 마음을 하나하나 그려서
당신이 계신 그곳 하늘에 풀어놓았습니다.

문득 길을 가다가
하늘을 올려다보고 싶으시면
그것은 내가 당신을 부름입니다.
당신이 가는 길 따라가며 뒤쫓던 흰 구름
나의 하얀 사연을 입김을 뿜으며
당신을 부름입니다.
혹시라도
당신이 구름이 부르는 소리를 들을수있어서
나를 떠올리시기라도 할 수 있다면...
당신의 눈길, 구름의 흐름을 따라가며
당신의 마음 함께 움직이시기라도 한다면...
혹은,
가슴이 아리거나
그립거나
슬프거나
알 수 없는 어떤 것이라도
막연히 느끼실 수 있다면...

또 어떤 날은
나의 마음 회색빛이 되어
침울한 먹구름 되어서
빗물로 떨어지는 날도 있겠지요.
그리하여 당신의 가슴에 차갑게 닿는 날도 있겠지요.
오늘도 나는
하늘을 바라보며

나의 마음으로 하얀 구름을 만들어
당신에게 보냅니다.
하얗고 순수한
나의 마음을
잠시 올려다보세요.
당신에게 닿고픈 나의 마음입니다.

댓글
누군가에 대한 그리움과 신에 대한 갈망은 같은 차원이지요.
숨도 못 쉴 정도의 그리움과 사랑하는 님에 대한 몰입은, 마치 오매일여 화두를 잡고가는 선의 수행과 대상만 다를뿐 경지는 비슷한것 같습니다.
원하는대로 그 사랑이 이루어지든, 아니면 고통만 남기고 사라지든 우리의 영적 단계는 한차원 올라가는 것 같네요.
순수한 완전한 몰입속에...

어설픈글에 이렇게 댓글달아주셔서 넘 감사합니다

2019.11.29
<아프다>

몸이 아프다.
아침부터 지금 오후 6시 넘게. 밥도 안 먹고. 누워있다가 일어났

다가 반복하며...

마음이 아픈게 나은지 몸이 아픈게 나은지 어떤게 나은지 잘은 모르겠지만 몸이 아플 땐 마음이 아픈 거는 꼭 게으름같이 느껴진다. 왜 그럴까. 막상 마음 아플 땐 진짜로 많이 괴롭던데. 마음 아픔은 당시가 아니면 그 열기를 쉬이 잊는 거 같다.

빨리 개운하게 일어났으면 좋겠다.

나으면 열심히 살수 있을 것만 같다.

댓글

빨리 나아서 열심히 사셔야지요. 쾌유바랄게요^^

감사합니다. 지금은 많이 나았습니다!

다행이네요 몸의 건강은 굉장히 중요해요 앞으로는 아프지 마세요^^

넵. 걱정해주셔 넘고맙습니다

2019.12.13

<힘든날>

많이 힘든 날, 많이 흔들리는 날, 방향감각 상실하는 날.

오늘은 그런 날이다. 조금 엄살 피우면.

무엇보다 두려움에 많이 휘감긴 날이다.
그래도 요즘은 괜찮은 편이었는데..

신은 내가 나약하다는 것을 늘 꾸준히 일깨우시는 거 같다.
내 인생은 아무래도 자만심 가질 여유가 없다.
잠깐만 휴식을 취할라하면, 잠깐만 살만해져서 내 마음이 다시 어지러워지려 하면, 이제 파도타기를 하나 싶어서 좀 건방져지려고 하면, 신은 또다시 일깨워준다.
너는 그럴 여유가 없다고. 너는 나약한 존재라고. 건방지지 말라고.
신은 참으로 겸손한 나를 원하시는가 보다.
단정하고 겸손한 마음자세를 만드시려나보다.
그걸 왜 하필 나로 하셨는지는 모르겠지만.
왜 내게 이런 희한한 운명을 주셔서 왜 나를 이렇게 힘들게 살게 하시는 걸까... 무슨 목적으로..

어느 정도 각오를 하고 있으면 어느 정도 충격을 흡수할 수 있지 않을까 생각했지만 매 순간 방어를 하고 있을 수도 없고 그 무엇이 들어올 틈을 다 막고 있을 수도 없다. 부딪히면 아프다. 매번 마음을 다치고 이런저런 갈등과 번민을 하게 된다.
나는 정말 이것을 극복할 수 없는 것인가. 가슴이 아프다.
나는 그저 나로 서있고 싶을 뿐인데 왜 그것이 내게는 그리 어려울까. 나를 지키는 것이 왜 그리 힘이 드는 일일까.
나도 아는데, 나도 내가 처한 조건과 무력함, 내가 살아가는데 한계가 있다는 걸 잘 알고 있는데..

잘 알고 있어도, 계속해서 너는 안돼 하는 사람들에 끊임없이 마음을 다칠 수밖에 없다. 정말 눈물겹게 힘들다.

나는 말한다.

'나는 다르지 않다. 나도 같은 인간이다.

나는 문제없다. 사람들이 문제인거다. 겁먹지 말고 나아가자.

그들을 내 마음영역에 들이지 말자. 나를 잘 알지도 못하는 사람들 때문에 상처받지 말자.'

그러나 마음은 뜻과 같지 않게 자꾸 끄달린다. 이성적으로는 정리가 되는데 감정이 따라주지 않는다.

구겨져버린 내 감정이라는 종이를 그저 던져버리지 못하고 자꾸만 펴보고 있다.

그럴 때마다, 제발, 누가 날 좀 일으켜줬으면 좋겠다고 간절히 바란다. 내가 나를 혼자서 일으키는 노력은 너무나 외롭고 고단하기 때문이다. 누군가 손을 내밀어줄 때 보다 쉽게 일어날 수 있기 때문이다.

지쳐있는 내게 손 내밀어 혼자가 아니라고, 외톨이가 아니라고 그렇게 말해주는... 내가 옳다고 지지해주는, 나의 고독한 신념과 확신이 맞다고 고개 끄덕여주는.

지치고 고립되어 외롭고 마음은 자꾸만 나약해지고 있다.

2019.12.27

<인연>

나와는 어울리지 않는 세상
도저히 적응할 수 없는 세상
상처받고 고통받는 시간들 인고하고
낯설고 추운 길들 지나
마침내 당신을 만나게 되었습니다.
그리하여 당신을 사랑하게 되고
당신으로 인해 나는 절로 치유가 되고 있습니다.
당신 곁에서 나는 잠시 휴식도 취하고
조금 더 편하게 호흡할 수 있습니다
마침내 전환기를 거친 후
전생에서 예정된 대로
이 시간대와 공간대에서 마련된
당신과 나의 인연이여.
외롭고 고독한 영혼으로
낯선 길을 방랑하다가
드디어 집을 찾은 느낌에
인연이고 운명이라 여겼는데..
그러나 우리가 인연이라면
어째서 나는 당신을 바라보는데
당신은 나를 바라보지 않는 것일까요.
다른 곳은 보면서도 나는 돌아보지않고
그저 무심하게 지나치는 당신
당신의 뒷모습을 쓸쓸하게 바라보는 나
조급하고 안달하는 마음으로
당신을 바라기도 합니다만

인연의 실을 맞잡고 서로를 끌어
우리가 마주하는 일은 없네요
언젠가 그런 날이 올지도 모르지요.
인연이란 억지로 당긴다고 하여 되는 것이 아님을 알고 있기에
그저 조용히 당신을 소망할 뿐입니다.

2019.12.27(2)
<길>

어떤 정해진 길이 있어 그길로 가는 과정일까.
어떤 일도 우연히 일어나지 않고 어떤 사람도 우연히 교차하지 않는다던데.
15년 전에도 어떤 계기로 인해 음악으로 상처를 치유할 수 있었다. 그후 15년은 그저 대충 살은 것 같다. 뭐 할줄 아는 것도 없고 무얼 해야할지도 몰랐고 그저 어느정도 평화로운데 만족하며 그냥 살았다. (이제 와서 그 시간들이 참 아깝다.)그리고 지금 다시 전환기를 맞았고 또다시 글로 나의 인생을 치유하고 있다.
신은 이 시간들을 그냥 주시는 것일까.
지금 비록 히키지만 집 앞에 사람들이 많이 다니지 않는 산책길이 있어 산책을 할 수 있고. 멜친구가 있어 외로움을 덜 수 있어서 다행이다
그리고 좋아하는 작가님 글로 새롭게 인생을 배우는 길도 열렸고 또 깨달음도 추구하게 되었다.
어쩌면 신은 한쪽 문을 닫은 대신 또 다른 문을 열어주신 것 아

닐까.

그 문이 수많은 시간을 거쳐 나를 여기까지 데려온 목적일까.

지난 시간동안의 힘들던 고통과 괴로움은 어쩌면 신의 의도가 있고 신의 계획이 있던 것일까. 혹시라도 내가 쓰일 데가 있어서?

하지만 내 삶이 불안정하고 두려움이 지배하는 건 어쩔 수 없다.

나의 처지에서 어쩔 수 없이 마주하는 우울감과 두려움이 있다.

신의 계획이 있는 것이라면 부디 내 마음의 두려움 좀 덜어주셨으면 좋겠는데..

나를 어떻게 쓰실 목적이 있는 거라면 부디 알려주시고 내가 더 이상 방황하지 않고 방향을 잡아 나아가게 해주시면 좋을 텐데.

더는 내가 불안정속에서 떨지 않도록, 조금이라도 마음 편하게 해주셨으면 좋겠는데. 더는 흔들리지 않게 외롭지 않게 나를 인도해줄 이를 보내주셨으면 좋겠는데.

정말 내게 무언가 할 수 있는 사명이라도 있을까.

하지만 이렇게 현실의 고통과 두려움에 묶여있는데 내가 어떻게 초월을 꿈꾸고 진리를 깨닫고 그럴 수 있을까.

지금은 그저 세상에 내던져진 막막함과 하루하루 살아가는데 힘겨움, 무엇을 해야 할지도 모르겠는 방향상실, 날아오르는 듯 하다가도 다시 현실에 묶여버리고 마는 그런 속박...

이 속에서 나는 무엇을 할수있을까?

2019.12.30

<나의 세계>

나의 세계라는 것...

예전에도 힘들었던 그때, 사람들한테 치이고 세상에 치이던 그때는 나의 세계라는 것이 있을 수 없었다.

나는 쉽게 허물어지고 뿌리째 흔들리는 존재였다.

굳건히 서있을 수 없었고 어떤 모습으로 서있어야 할지도 몰랐고 내가 누구인지조차 희미하게만 여겨졌다. 그래서 그때부터 배운 것이 인간은 나약하다였던 거다.

지금도 물론 힘들지만 적어도 평화와 고요를 얻어내어서 어느 정도 안정적으로 나의 세계를 쌓으려 노력하고 있다.

고요한 시간과 명상의 시간을 가져서 나 자신을 만나고 내안에 탄탄히 뿌리 내리는 것도 매일 연습하고 있다.

그러나 가끔 그런 순간들이 다시 돌아온다.

지금껏 쌓은 나의 세계가 또다시 허술한 것이 아니었나 하는.

내 존재가 모래성처럼 파도 한 번에 휩쓸려 가버릴 듯한 때가..

그러면 혼란스럽고 거북한 마음이 된다.

그동안 마음을 닦고 수행한 것들, 나를 알아가는 노력 등 내 세계 안에서 착실히 해온 모든 것들이 다 날아가 버리는 듯해서.

나는 아무래도 사회부적격자이기 때문에 이러는 것일까.

주로 혼자 있는 나는 나만을 상대하며 나만의 세계를 쌓으며 지낸다. 스스로와 갈등할 때도 있지만 결국엔 스스로를 이해해주는 방향으로 나아가고 나 자신을 알아가며 나름의 질서 안에서 문제없이 지낸다. 그 세계에서 나름 평안했는데 그 세계 밖을 나가 외부세계와 부딪히면 종종 마찰이 느껴지는 것이다.

그것은 나의 나와 타인의 나가 조화를 못 이루기 때문일까.

혼자 있을땐 괜찮았던 것이 세상과 부딪히면서 나를 잃고 나의 세계를 잃는 경험을 반복한다.

애써 쌓은 나의 세계가 깨어지고 내 존재가 온통 어지러워지고 헝클어지면 불분명한 혼란에 머리가 아파오지만 할 수 있는게 없다.

혼자 있는 시간을 통해서 다시 나의 세계를 회복할 뿐이다. 나도 세상 속에서 나를 펼쳐 보이고 싶은데, 지금은 세상 속에서 나를 잃기만 하는 거 같다.

언제쯤 세상과 조화를 이룰 수 있을까? 언제쯤 세상 속에서 내 모습 그대로 굳건하게 서있을 수 있을까

2019.12.31

<겨울에 피는 꽃>

겨울을 이겨내고 피는 꽃도 있지만
겨울에 피는 꽃도 있다네
겨울과 함께 피는 꽃
추위와 매서운 바람에 꽃봉오리를 여는 꽃도 있다네
추위와 매서운 바람이 삶의 전부인 꽃
그 고독과 추위를 열정적으로 노래하는 꽃도 있다네
“이봐, 겨울에 피는 꽃도 있어.”
라고, 내가 지나갈 때마다
그 꽃이 온몸으로 내게 말을 건다네.

2020.01.24

<나의 별>

왜 내 세상은 나를 몰아세우는지
왜 내 마음은 이다지도 연약한지
이런 노래가 있다.
그 노래 지은 사람은
어떤 아픔이 있어서
그런 가사를 썼을까.
나만큼 혼란스러웠을까.
나만큼 나약함과 무력감을 절실히 느꼈을까.
엄살 수준 아닐까
나만큼 찐한 고통을 맛보았을까.
뭐, 그래.. 그렇게 고통스러우면 죽으면 되는 거 아닌가.
어째서 나는 죽지못해 사는 인간이 되었을까.
노래 제목처럼 '손을 잡아줘' 내 손을 좀 잡아줘.
내가 세상에 굴복당하지 않도록 한편에서
누가 내 손을 좀 잡아줘.
어느 행성으로 가던 길이었을까.
어쩌다 이 지구별에 불시착해
이 세상의 낯설음에 이토록 멀미를 하게 되었을까.
나 이 세상이 너무 낯설고 어지러워 가끔 눈을 감고
내가 떠나온 나의 별을 그리곤 해.

막연히 그 별을 그리워해.

눈을 감고 잠시라도 다녀오고 싶어.

따뜻하고 포근한 그곳을 잠시라도 느끼고 싶어.

어쩌다 그렇게 되었는지 이 행성에서 내가 맡은 배역이 너무나 어지러워.

사람들의 말소리가, 스쳐가는 모습이, 시선이, 행동이 너무나 싫어.

탈출하고 싶어.

나 혼자 이 행성에서 격하게 외로워.

어지러워 멀미가 나.

나 이 지구별에서 대책없이 힘들어.

나의 별로 돌아가고 싶어.

2020.02.26

<안되는 글쓰기>

나는 이 지구별에서 무엇을 하고 있나.

이번이 벌써 10번은 된 거 같다. 브런치작가신청.

글 실력이 없다는 걸 알면서도 혹시나 혹시나 다른 사람 눈엔 다르게 보일수도 있다 스스로 위로하며 이번엔 정말 정성껏 적었는데. 그래서 또 떨어지고 나서 이번엔 눈물까지 날려고 했다.

히키가 되고나서 내가 할수 있는 게 아무것도 없었다.

그래서 안 읽히는 책도 열심히 읽어보고 되도 않는 시도 지어보고..

막연히 뭔가 표현하고 싶다는 욕망에, 이것이 어쩌면 내 사명이라 생각하고 글쓰는 걸 추구해봤는데

역시 안되는 거였구나. 역시 재능이 없구나.

막막하다. 앞으로 무엇을 하고 살아야하나.

막연한 꿈이라도 품고 있어서 견딜 수 있었는데.

아무리 생각해도 달리 내가 할수있는게 없는데

글쓰기 외에 다른 선택지는 내게 없는거 같은데.

나는 이렇게밖에 쓸줄 모르는데.

다가갈수록 멀어지는 꿈이구나.

안되는 글쓰기. 그리고 안되는 인생.

막막하다. 나 무얼하면 되는지 누가 알려줬으면 좋겠다

2020.03.02

<아침, 괴로움>

아침에 눈뜰 때마다 내게 파고드는 이 고통에 마음이 괴로워 죽을 거 같아요. 이 괴로운 순간이 마치 영원처럼 느껴지고 나는 뒤척이면서도 일어나지 못합니다.

그 괴로움과 씨름하며 한참을 누워있습니다.

뛰어내리고 싶지만, 이 고통이 너무 괴로워 죽고만 싶지만 그러지 못하고 살아있어서 맛보는 고통이 죽을맛입니다.

아침마다 느끼는 이 고통은 똑같으면서 왜 매번 새롭고 더 괴롭게 느껴지는 것인가요.

이 세상에서 아무것도 내가 할일이 없어요.
할일이 있다해도 이 영원같은 순간들을 얼마나 더 견뎌야하는지 생각하면 끔찍해서 하고 싶지도 않아요.
더 이상 묻고 싶지도 않아요. 날 왜 이렇게 만들었는지, 내 삶의 의미가 무엇인지에 대해서.
그냥 괴로울 뿐이에요.
시간이 흘러도 아무것도 변하지 않을 거라는 생각이 들어요.
그리고 나는 서서히 시들어 말라 죽을 거 같아요.
도망이라도 치고 싶지만 이 세상에 내가 갈 곳이 아무데도 없어요.
그냥 두손 들고 패배를 인정하고 싶어요.
이제 그만, 제발 그만.
네, 실패한 인생이라도 불러도 좋으니
날 그만 거둬가 주세요.
이 고통으로부터 제발 나를 구해주세요

댓글
나의 댓글:
나 자꾸 흔들려요.
나자꾸 마음이 약해져요
나자꾸 압력을 느껴요
나자꾸 자신이 없어져요.
마음을 어떻게 먹으면 편해질까요.
우울을 덮어버리지만 또 찾아오고 또 찾아오고..
정면대결을 시도해봐야할거같아요.

내가 질것같지만 결국나를 삼켜버릴것만 같지만 정면대결을 해야할거같아요.
끝이있을까요.
절벽앞에 서있는 느낌이에요.
무슨 결정이든 내려야할거같아요.
이대로는 더이상 안될거같아요.

모든건 결국은 끝이 있어요
힘내세요..

2020.03.23(2)
<명상>

명상을 잘 할 줄은 모른다.
그냥 언젠가부터 했다. 첨엔 10분도 제대로 못 앉아 있었다. 그러다 점차 시간을 늘려서 지금은 1시간씩 하고 있다.
그냥 잡생각만 하다 끝날 때도 많지만 어떤 날은 마음의 평화를 느낀다. 하루 중 명상을 하는 시간은 나 자신을 만나는 정말 좋은 시간이고 편안한 시간이다.

나는 그래서 명상을 하게 된 것 같다.
세상 속에서 힘들고 어지럽고 나를 잃고하는 일들. 그런 것들로 인해 바깥에서 길이 막혀버려 나아갈 수가 없게 되자 내면으로 눈을 돌려 내면에서 뭔가를 파보고 추구하고 싶어진 거 같다.

세상이 아니라 내면에서 답을 찾게 된 것 같다.

명상을 하게 되면서, 혼란스러운 중에도 내면의 안정을 추구할 수 있었고 밖에서 잃었던 내 자신을 되찾을 수 있었고 점점 나를 다스려가며 힘겹고 무거운 마음은 내려놓을 수 있었다. 나를 마주하는 것이 중요할 뿐 무의미하고 불필요한 것들은 내려 놓을 수 있었다.

나는 나 자신에 대해 생각하면서 어떤 것이 진정한 나이고 어떤 것이 내가 아닌가 하는 생각을 많이 했었다. 사람은 누구나 살면서 약간은 고장 나는 것이 있지 않을까. 나도 특히나 혼란한 삶을 살아오면서 내가 가진 성격이나 행동패턴 같은 것에 고장난 부분이 많은 거 같았다. 그런 것을 보면서 이건 어쩐지 내가 아니고 고장난 부분이라고 생각했다.

내가 가진 특성 중 어떤 것이 진정한 나이고 어떤 것이 내가 아닌가. 어디까지가 본래의 나이고 어디부터가 만들어진 것인가?

솔직히, 자신이 마음에 안 들기도 했고 살아온 불리했던 환경이 변화시킨 내가 아닌 온전한 나는 과연 어떤 모습일까, 하며 궁금한 마음도 있었다.

명상을 하며 앉아있으면 온전한 나로 회복하는 느낌이 들었다.

내게 있는, 마음에 안 들거나 어지러운 모습도 그저 포용하면서 나를 이해하고 나다움을 찾아 갔다. 그렇게 조용히 앉아 오직 나와 마주대하고 있으면 점점 나를 알아가고 나와 친밀해지는 느낌이었다.

그런 느낌이 좋았다.

실제로 나는 조금 변화된 거 같다. 그것이 명상 때문인지는 확실치 않지만.

지금까지 힘들게 살았기 때문에 나답게 산적이 한 번도 없는 거 같다. 세상 속에서 나는 늘 나를 잃고 살았고 내 참모습을 많이 모르고 살았다는 생각도 든다. 그런데 명상을 하며 나의 본모습을 찾아가고 가식 없는 그대로의 나를 마주하는 기분이 좋았다.

그래서 명상은 내게 퀘렌시아의 순간이다.

명상하는 시간만큼은 아파트 내에서 못질하는 소리가 안 들렸으면 좋겠다. 고요했으면 좋겠다. 이런 시간조차 없어서, 내 삶을 관조할 순간조차 없이 세상에 휩쓸려 나를 잃던 그런 세월도 있었지 않은가. 지금은 적어도 명상을 할 여유가 있다는 것이 감사하다.

덜 흔들려서 좋다. 조용한 순간에 나를 마주하고 있으면 그때까지의 불쾌한 일이나 감당 못하던 감정들, 흔들리던 것이 가라앉는다. 머리가 비워지고 상쾌해지기도 한다.

명상이 한 4~5번은 허탕치고 1번 정도 잘되는 정도다.

명상을 제대로 하는건지는 모르지만 어쨌든 효과는 괜찮다.

열심히 하면 명상이 내 인생의 열쇠가 될 수 있다고 생각한다. 더욱 열심히 해야겠다고 결심한다.

<댓글>

안녕하세요. 오랫만이네요. 죽기전에 나를 알려고 노력하다보니까, 세상과 좀 떨어져있었네요. 잘 하고 계신것같네요. 밖의 것들 허상이라고 하네요. 안으로 찾는게 진실이고요. 안으로 들어가면

진정한 고요함, 평화가 있다고 하네요. 인도의 성자 스와미 묵타난다의 책, "명상"과 "당신은 어디로 가고 있는가" 보시면 좋을 것 같네요. 신은 우리가 돌뿌리에 걸려 넘어졌을때 찾아오신다고 누가 그러시더군요.

행운을...

오랫만이네요. 다시 찾아와주셔서 고맙습니다. 좋은말씀도 감사합니다.

2020.04.05.

<가슴이 아파>

스스로를 위로하고 다독이는 것도 이젠 지긋지긋해.

희망으로 기울어지기 위해, 마음을 가볍고 편안하게하기 위해 관념과 희망의 말들로 스스로를 설득하고 있는.

문득 이런 노력이 쓸쓸하게 느껴져.

이건 정말 내가 원하던 삶이 아니야.

나는 누구인가. 그저 거친 물결에 휩쓸려가고 있는...

이 세상에 나를 구원해 줄수 있는 것이 정녕 아무것도 없는가.

지치고 피곤해 끝없이 잠만 자고 싶다.

<댓글>

내댓글: 넋두리 보다도, 허접하나마 창작을 하면 기분이 나아진다. 중얼중얼한데 불과하더라도...

-여보게-

여보게
지치면 잠시 쉬었다 가게
햇살도 좋고
새소리도 좋아
여기 누워 하늘에 떠가는 구름 바라보며 그냥 있는거야.
여보게.
무에 그리 바빠. 잠시 쉬었다 가래두.
가슴속 답답한 그 마음,
저 하늘 구름에게 얘기해.
구름이가 다 들어줄게.
님에게 하고싶은 말도 모두 말해.
구름이가 그 사연안고 둥실둥실 님에게로 흘러갈게

댓글: 새소리가 들리는 듯 하네요..

감사합니다. 가끔 들러주시고 오늘은 댓글도 남겨주셔서요

2020.04.26
<더 이상>

더 이상 견딜 수 없다는 생각이 들 정도로 우울함이 강해졌다.

가벼웠던 걸 손에 들고 있어도 시간이 지나면 점차 무거워지듯이 우울함이 시간의 흐름에 따라 정도가 점차 심해진다.

지금까지 그저 외면하고 덮어버렸던 감정이 더는 외면할 수 없게 점차 강하게 모습을 드러낸다. 이걸 해결하지 않으면 내가 위험할 거 같다는 생각이 든다.

처음엔 나쁜 생각 같은 건 그래도 하지 않았는데 갈수록 나쁜 생각이 든다. 결코 하지 말아야지 했던 것도 생각하고. 그러나 그 생각대로 할 수도 없고 그 생각이 들지 않게도 할 수 없어 괴롭다.

모든 게 마음의 문제 같은데 나를 괴롭히는 이 '마음'을 없애버려야겠는데...

영혼이 말한다. 정말 지치고 쉬고 싶다고... 그런데 그 영혼에게 해줄 수 있는게 아무것도 없고 그저 어떻게든 살아내야 한다고 견뎌내자고 다독일 수밖에 없다.

내가 무슨 업이 그리 많아서 이렇게 힘들어해야 하는지.

신이여, 제발 더는 힘들지 않길..

<댓글>

양선생님, 잠이 안와서 페북 들어 왔다가 선생님 글 보게 됐네요.

양 선생님 말씀이 옳아요.

우린 마음 때문에 지치고 힘들어요. 마음이란 다름아닌 생각들이 모여서 이루어진 것이랍니다.

즉, 생각의 다발이 마음이랍니다. 그래서 생각이 없어지면 마음이 없어지지요. 그러면 그 생각이 없는 상태, 즉 마음이 없는 상태가 바로 도이며 불교나 인도의 힌두교에서 말하는 진리이지요. 삼매라든가 깨닫는것이 이런 것이랍니다.

공이란것도 이 생각없는 상태일때 나타나는 거지요.
달마대사의 말씀이 이 말이지요.
하옇튼, 마음이 위로 뻗치면 신경성, 노이로제등등이 되고 반대로 밑으로, 내면으로 내려가면 마음이 고요해져서 명상이 깊어진 상태가 되지요.
마음도 편안하고 평화롭고 고요해지지요.
그 상태가 더 깊어지면 생각이 없어져요. 그곳에서는 이 세상에서 느낄수없는 말할 수없는 편안함과 평화,행복,자유,희열등등을 느낀답니다. 그것이 곧 열반의 세계라고하지요.
고통과 고뇌, 슬픔과 불행이 없는 아름다운 곳이지요.
양선생님은 서양종교를 믿는 분이라서 감이 덜 오실 수도 있지만요. 불행인가, 다행인가?
하옇튼, 우리 수행을 하는 사람은 신보다는 마음을 없애려고 내면으로 들어가지요. 거기서 우리는 신도 발견하고 부처도 발견하지요. 명상하시면 되요. 양선생님 문제는 마음이 위로 너무 올라가서 그런것 같군요.
명상을해서 생각을 자꾸없애면 해결 될것같네요.
오빠같고 아빠같은 늙은이 잠시 참견 좀 했네요.
부디 행복하고 의미있는 인생이 되시기를...

권해주신책들 포함해서 구입했는데 천천히 읽으려구요. 그리구 전에 말씀하신 신묘장구대다라니가 멜론에 있더라구요. 다운받아서 며칠째 듣고있는데 마음 편안해지고 좋은거 같아요. 책이랑 신묘~랑 소개해주셔 감사해요~

어두운 쪽으로 따라가던 습관을 접고 공중에 떠다니는 기쁨의 실마리를 잡아라..

아침에 발견한 문구입니다

[시] 생략

시가 좋으네요. 말씀해주신 문구도 새겨들을게요. 관심기울여주셔 진심으로 감사드려요.~

예, 행운을 빕니다.

2020.05.10

<우울의 구덩이>

어쩔 수 없다.

한 번씩 이렇게 우울의 구덩이 속에 빠졌다가 나오곤 한다.

내 마음작용을 알 수 없어서 어떻게 하면 그 구덩이에 안 빠지는가 그건 모른다.

얼마간 잘 지내고 있었는데..

나도 모르는 사이 무의식의 틈새로 슬그머니 등장해서

어느새 보면 또다시 그곳에 빠져 괴로움에 허우적대고 있다.

온갖 부정적인 생각들에서 빠져나오려면 꽤 많은 노력이 필요하다. 벌써 오래전부터 내 인생은 뭔가가 간절히 필요로 하는데... 채워지지가 않는다.

오랜만에 듣는 김현식 노래

<댓글>
간만에 잘 들었습니다. 밤에 들으니까 더 좋네요

들려주셔 감사드려요.~글들 잘읽고있답니다.

자주 소통해요. 오늘 하루도 수고하세요.
들러 주셔서 흔적이라도 남겨 주시면 고맙겠습니다

네 관심가져주셔감사해요. 앞으로부담없이들려 글남길게요

감사합니다. 꾸벅

저두꾸벅

2020.06.02
<룰루랄라>

룰루랄라 아무 생각 없이 길을 걷다가 돌부리에 걸려 넘어집니다.
앞을 잘보지 않은게 한심했습니다. 벌써 몇번째냐고 스스로를 탓하다가 괜히 슬퍼져서 한참 앉아있습니다.
다시 일어나서 걷습니다. 우울해져서 앞을 잘 살피지 않다가 구덩이에 빠집니다.

구덩이에 빠지던 경험에 주의하고 주의했는데도 우울해서 차마 잘 살피지 못했습니다.

기운이 안 납니다. 한참을 구덩이 안에 있습니다. 빠져나갈 의욕이 들지 않고 눌러놓았던 아픔도 고개를 듭니다.

가슴이 아파서 가슴을 어루만지며 혼자 앓고 있습니다.

어둠이 지겨워서 구덩이에서 나갑니다.

구덩이에서 친구가 나를 따라옵니다. 고독과 우울이라는 오래된 친구가.

어디로 가야할지 모릅니다. 구덩이에 빠지느라 길을 잃은지 오래입니다.

쓸쓸해서 나무둥치에 기대어 쉽니다.

내가 왜 여기 있는지 뭐하고 있는지 도무지 알수 없어 고개를 저어봅니다.

주위를 두리번거리다 하늘도 한번 올려다봅니다.

나 어디로 가죠? 하고 한번 물어봅니다.

가만히 앉아 세상의 소리에 귀를 기울여봅니다.

조용한 가운데 우울과 고독이 옆에 앉아 말을 건넵니다. 다정하게 말을 하는 그 친구가 무척 익숙합니다.

마음속에서 의문이 자꾸만 고개를 듭니다.

지난 돌부리에 넘어지고 구덩이에 빠지는 경험들을 자꾸만 되새기다가 그 친구에게 묻습니다.

그 친구가 되게 아는 척하고 잘란 척을 합니다.

그건 아무 의미 없는 거라고 무질서한 현상일 뿐이라고. .너는 아무 사명도 없다고.

슬퍼져서 나는 도대체 누군가고도 물어봅니다.

그 친구는 너는 그저 버림받은 존재라고 말을 합니다.
그래 우울하게 고개 숙이고 있으니 또 토닥이면서 그래도 노력하면 뭔가 할 수 있을지 모른다고 합니다.
그래 뭘할 수 있냐했더니 난처해하더니 희망은 있지 않겠냐 합니다.
그렇게 울렸다가 달랬다가 합니다.
이랬다저랬다하는 친구가 지겨워서 나무에 기대어 있다가 스르륵 잠이 들었나봅니다.
열심히 길을 가고 있습니다.
조급해서 걸음을 빨리하고 있습니다. 어서 빨리 거길 가야하는데.
그러나 미로라서 어디가 출구인지 분간하지 못합니다.
때로는 안개낀 곳에서 뭔가가 쫓아오는 것 같아 두리번거립니다.
그렇게 방황하다가 문득 눈을 떴습니다.
새벽별이 반짝이고 있습니다.
새벽별과 함께 깨닫습니다.
모든 것은 꿈이었음을. 환상이었음을.

2020.06.26
<어찌할 수 없는>

어찌할 수 없는 가로막힌 벽.
소통되지도 않음, 나의 고통을 모르는 세상
누구도 나를 이해해주지 못하는 답답함
단순하고 냉담한 타인, 나 혼자 앓는 고독

모른척할 수 없고 다룰 수도 없는 아픔들
언제까지나 가슴에 머물러있는 상처들
아무도 만져주지 않아 썩어가는 가슴
원치 않는, 마음속에 침투한 이물질들의 끈적임
나를 놓아주지 않는 내 삶의 굴레와 구속
무지로 인한 혼란, 아픔
분별과 집착
내 발목을 잡는 삶의 장애, 제약들
세상 속에서 끊임없이 나를 잃음, 나일 수 없음
어지럽게 얽혀 풀 수 없는 실타래 같은 삶의 모습
미로에 갇힘, 길 잃음, 방향상실
보이지 않는 것들과의 외로운 싸움,
끝이 나지 않는 고단한 투쟁
상처와 회복의 반복되는 순환
어쨌든 다시 일어나기위한 외로운 다독임,
스스로를 달래고 설득하는 말들.
다른 어딘가에서라도 제발 위안 받고 싶은 마음
제발 나를 좀 봐달라고 누군가에게 외치고 싶음.
평온을 추구하는 마음
행복하고 싶음. 자유롭고 싶음.
간절히 바라는 구원과 기도

<댓글>
"새는 알을 깨고 나오려고 투쟁을 한다.
그 알은 세계이다. 태어나려고 하는 자는 누구나 하나의 세계를

깨뜨리지 않으면 안 된다. 새는 신을 향해 날아간다. 그 신의 이름은 아브락사스다."

데미안 소설에 나오는 구절입니다.

누구나 고통은 안고 살고 있습니다.

꼭 싸워서 이기길 간절히 바랍니다.

들려주셔 감사하고 격려말씀에 힘내보렵니다. 감사합니다

오늘 아침 산책 중에 찍은 무궁화 사진이 참 선명하네요. 무궁화처럼 좋은 날 되세요.

꼭 바람개비 같았지요. ㅎ

선풍기같네요. 바람시원하게부네요. 감사해요

바람개비, 선풍기 비슷하네요. ㅎ

2020.07.05

<끝이 있는>

언젠가는 끝이 있는 여행 같은 거 아니겠느냐, 이렇게 마음 먹자고해도 여전히 삶이 부담스럽다.

오래전에도 힘들었던 때가 있었다. 그때 죽음에 대해 생각해본 적이 있다. 교실에서 수업은 안 듣고 죽음은 어떤 것일까 생각했었다.

그때 난 죽으면 그냥 사라지는 걸로 막연히 생각했었다.

영혼이고 뭐고 몰랐고 그냥 육체가 죽는 동시에 나 자체가 아예 없어져버리는 건 아닐까 생각했다. 그냥 사라져버리고 싶은 마음에 한번 뛰어내려볼까 생각한 적도 있었지만 진지하게 생각했던 건 아니었다.

영혼이란 것이 남고 다음생도 있다는 걸 알았을 땐 왠지 실망을 했다. 그냥 흔적 없이 완전히 사라져버리는 거면 좋을 텐데... 완전한 소멸이면 좋을 텐데.

생각해보니 죽음 말고 그 시절 내가 했던 또 다른 생각이 있다.

사람은 왜 사는 걸까. 뻔한 일들하고 뻔한 말들, 뻔한 행동들 하고 무슨 의미로 사는 걸까...

스스로를 이방인으로 느끼던 시절, 세상 사는게 너무 뻔하고 재미없어 보이는 시절이었다.

사람들이 하는 짓들이 너무나 다 뻔하게 느껴졌다. 나무들도 꽃들도 다 뻔하게 자라는 것 같았다. 도무지 그것들이 의미 있어 보이지 않았다. 세상은 재미없는 연극 같았고 스스로를 염세주의자라 여겼다.

그때는 늘 그런 생각에 사로잡혀 살았는데 지금은 그렇게 생각하지 않는다. 여전히 꽃들이나 나무들이 뻔하게 자란다고 할 수 있지만 그것들이 재미없게 사는 것 같지 않다.

사람들도 어제오늘 무의미한 행동 반복한다고 할 수 있지만 다들 나름대로 잘 사는 것 같다. 삶은 존재자체로 행복한 거란 생각이 든다. 저기 존재의 환희를 표현하는 꽃들을 보면 알수 있다.

나는 이제 더 이상 염세주의가 아니다. 진심으로 행복하고 싶다. 나도 열심히 삶이라는 무대에 뛰어들고 싶다.

그러나 행복을 바라지만 행복하지 못한 순간이 너무 많다. 삶이 고통스럽고 그래서 사라지기를 간절히 바라는.

라마나 마하리쉬의 나는 누구인가를 우연히 읽게 되었다.

그렇게 마음이 끌렸던 건, 진아를 깨달으면 고통이 없고 지복을 느끼게 된다고 한다. 에고는 일시적인 것이고 진아가 영원한 것이라고 한다. 이 고통스러운 현상계가 실체가 아닌, 마음이 만들어낸 것이라 한다. 또 깨달은 사람은 다시 태어나지 않는다고 한다.

이 아픈 에고가 일시적인 것이라면! 진짜 나가 따로 있다면!

—그 진짜 나는 도대체 어떤 것일까?

나를 괴롭히는 이 고통스러운 현상계가 단지 환상이라고!

—아, 그렇다면 이 환상에서 깨어나게 되면.

완전히 소멸하여 다시 태어나지 않는다면!

—아! 다시 태어나지 않는다면.

무엇보다, 지금 이렇게 어지럽고 삶이 괴로운 나는 평화로운 그 경지가 간절하다.

진아가 무엇인지 잘 모르겠지만 지금의 이 고통스러운 나를 소멸하고 새로운 존재로 거듭나고 싶다.

깨달은 후의 시야는 과연 어떤 걸까. 깨달음의 상태는 어떤 걸까. 모든 고통이 소멸하는 것이 정말일까.

그런데 이렇게 속세에 살면서 이런저런 어지러운 일들 겪는데 마

음을 모아 진아를 추구하는 것이 쉬워보이지 않는다

자꾸 바깥으로만 뛰어노는 마음을 안으로 들어가게 하는 방법도 모르겠다. 명상을 하는 시간이 좋지만 잘 되지는 않는다.

진아란 것이 과연 어떤 것인지 눈을 감고 앉아있어 봐도 감이 잘 안 온다. 그래도 이것이 내가 추구해야하는 것이란 확신은 든다.

깨달음을 추구하는 게 나의 인생길이라는 생각이 든다.

어쩌면 완전히 사라져버린다는 게 더 끌리는 지점인지 모른다.

진아를 깨달아서 나는 완전히 사라져버리고 싶으니까.

그런데 모르겠다. 깨달으면 지금과는 시야가 달라질텐데 그때는 세상이 또 어떻게 보일지.

우선 진아를 찾아 지복부터 느껴보고 싶다.

그 희열이, 무엇과도 비교할 수 없을 그 희열이 어떤 것인지 정말 궁금하다..

<댓글>

글들이 굉장히 매끄럽습니다. 글 쓰는 걸로 답답함을 풀어내면 좋을 텐데요

저가 글실력이 없어 한번쓰고 한참 짜집기하고올립니다. 안그래도 답답함풀고 생각 정리하기위해 한번씩글쓰는데 저를위한글이지만 좋아요나 댓글감사합니다. 좋은하루되시길.

우린 태어나기 전의 죽음을 기억할 수 없다~(생략)

네 써주신 말씀 감사히 잘 읽어보았습니다. 부산은 날씨가 시원한데 그곳에서도 좋은하루맞으시길..

2020.07.05(2)

<내 삶이 그렇다>

내 삶이 그렇다.

내 마음은 여유로워질 듯 하다가도 늘 또다시 무언가에 침범 당한다. 고통, 불안, 두려움, 외로움, 짜증, 질투, 불쾌, 혼란 참으로 여러가지 이물질들이 번갈아가며 침범한다.

주기적으로 만나는 것들임에도 늘 당황해서 맞아들여서는 대체로 같은 과정을 거친다.

당황한다. 통제력을 잃어 불유쾌하다. 무기력이 느껴진다.

거부도 해보지만 소용없다. 원치않는 생각의 늪에 빠진다. 늪에서 한동안 마음이 방황한다. 어쩔수 없는 혼란함과 답답함도 올라온다. 또다시 걸려든 스스로가 한심하다. 마음을 다스리려 노력하고 애를 쓴다. 문제를 받아들이고 초월하자고 다독인다.

그렇게 방황하며 얼마간 시간이 지나면 나는 또다시 같은 결론에 도달한다. 다시 나로 돌아오는 것.

매번 이 과정을 거치면서, 그전에, 걸려 넘어지기 전에, 미리 막으면 좋을 텐데. 그러면 매번 이렇게 똑같이 힘들어 하지 않을 수 있을텐데. 시간낭비하지 않을 텐데.

왜 매번 걸려넘어질 수밖에 없을까. 걸려넘어지지 않으리라는 지난번의 결심도 소용없이 말이다. 언제까지 나는 이렇게 통제력을 잃고 마음을 다치고 힘들어하고 혼란을 느껴야할까. 나는 이 똑같은 문제를 과연 극복할 수 없는 것일까. 매번 이렇게 무기력하게 맞이하고 회복하는데 시간에 맡기는 것 밖에 할수 있는게 없는 것일까. 정말 현명한 방법을 생각해낼 수는 없는 것일까.

<댓글>

시(생략)

2020.07.22

<빗소리>

아침에 아직 잠이 덜 깨었을 때 빗소리가 잠 속으로 파고드는 것을 좋아한다.

그런 날의 아침은 우울하지 않다.

오늘도 빗속에서 아침산책 마치고 돌아왔다.

빗소리도, 시원하게 부는 바람도 상쾌하고 좋다.

머릿속에 복잡하게 엉킨 실타래를 풀어주는 느낌이다.

근심과 걱정도 잠시 내려놓게 된다.

그래, 다 내려놓고 빗소리에 취하자. 그래도 돼.
다 잘될 거야.

2020.07.25
<우울함>

마음을 알고 싶다.
이렇게 마음에 끌려다니며 힘들어 하고 싶지 않다.
어떤 때는 견딜만하고 여유도 있는데 어떤 때는 너무 고통스럽다. 고통스러운 마음에 압도당해 아무것도 할 수 없어 일어나지도 못하고 그저 널부러져 있다. 기운이 하나도 없어서 누워있지만 누워있으면 더 우울한 생각들이 파고들어 결국 더 힘들어질 뿐이다.
신은 있을까?
왜 나를 이렇게 만들어놓았을까?
나 어떻게 헤쳐나가나? 도무지 이 현실을 감당할 수 없는데.
왜 하필 나에게 이런 역할을 주셨나요.
나는 오류인가요? 아니면 나도 뜻이 있는 존재인지 뭐라고 말씀해주세요. 그렇게 오랫동안 기도를 했는데 왜 신은 내게 아무응답도 안해주시는가요.
이 지구별에서 대책없이 견디게 하는 건 너무 잔인한 일입니다.
이렇게 내버려두는 건 너무 잔인한 일입니다.
전능하시니 내 괴로움을 없애주실 수 있지 않습니까.
아니면 내가 이런 삶을 살아야하는 이유라도 말해주세요. 납득할 수 있도록. 아무능력도 없는 내가 이 괴로운 삶을 버텨서 해낼 사명이라도 있는가요. 내가 언제까지 견딜 수 있을까요.
눈뜨는 것이 괴로운 아침이 벌써 수천번 쌓이고 쌓여
더 이상은 견딜수 없을 것 같다는 순간이 수천번 쌓이고 쌓여
이제는 지칠대로 지치고 피폐해져버린 나의 모습.
내일은 이렇게 괴롭지 않기 위해 뭔가를 해야만 할 것 같은데
내 삶을 변화시키기 위해 뭔가를 해야만 할 것 같은데
그저 무기력할뿐 내가 할수있는 것이 아무것도 없어.
할 수 있는것이라곤 기도하는 것뿐인데..
그저 이렇게 견디며 살다보면 나아진 내일이 오지는 않을까 그저 그런 마음가짐으로 살지만,
그러나 아침마다, 흔들릴 때마다, 힘들 때마다
더는 견디고 싶지 않다는, 더는 살고 싶지 않다는
이제는 정말 포기하고 싶다는 순간이 오는데...
나 이대로 정말 괜찮을까요. 계속 이렇게 나아갈 수 있을까요.
이 고통을 참고, 살아서 추구해야할 진리가 있는 걸까요.
이제는 우울한 글 안 적으려 했는데 매번 이번이 마지막 우울한 글이라 하고는 또 쓰고 있어요.

댓글

저는 힘들때마다 걷습니다. 산속 둘레길을 걷다보면 천불나던 속이 쫌 가라안더라구요

저는쓰고노래듣곤합니다. 편한밤되세요

산과 들을 찾아 음지에서 몸부림치는 들꽃의 살 냄새를 맡아보세요. 그게 감로수가 될 지도 몰라요. 기저 속으로 빠져들어가면 블랙홀입니다. 잠시 빠져 나오세요.

네!명심합니다

부탁드립니다.
꼭 그렇게 하세요. 약속했습니다.

네노력할게요 걱정해주셔 감사감사여

2020.08.08
<꽃들처럼>

저 나무나 꽃들처럼
그저 존재하는 것만으로
행복할 수 있다면

저 꽃들은 아마도 생각이나 두려움 그런 게 없겠지
저 꽃들처럼 살고 싶어
생의 환희를 표현하고 있는
저 꽃들처럼 활짝 피어나고 싶어

저기 저 새들이 부러워
단지 지금 이 순간 생의 행복을
노래하고 있는 새들이
새들도 내가 모르는 뭔가를 알고 있는 듯해.
그저 이 순간을 노래할 줄 알잖아
혹시 저 새들은 내게 말을 걸고 있는 것은 아닐까.
행복에 대해 무언가 가르쳐주려는 게 아닐까.

저기 저 구름이 되고 싶어
아무런 목적 없이 흘러 다니는.
나도 유유자적 흘러 다니고 싶어

저기 저 개미들처럼 열심히
살 수 있다면 얼마나 좋을까.
생의 사명을 띠고 부지런히 움직이는.

2020.08.21
<경품>

나의 취미는 경품이벤트 응모다. 경품 응모를 시작한지 10여년 된다. 처음에 심심풀이로 한두 번 해봤다가 당첨되는 것이 스릴있고 재밌어서 경품이벤트를 찾아다니면서 하게 되었다.
처음 걸린 것은 아마 잠옷이었던 거 같다. 부부용 남자 여자 잠옷이었는데 분홍색은 엄마주고 파란색은 내가 입었다.

그 외 화장품, 간식, 믹서기 같은 것도 걸리고,

조금 큰 것도 걸려봤는데 노트북, 청소기, 흑삼 등.

편의점 기프티콘도 자주 걸린다. 요즘은 예전보다 시들해져서 가끔씩만 응모를 하는데 그래도 되는게 정말 신기하다.

당첨자 명단에 내이름을 발견하거나 룰렛이 돌다가 치킨이나 피자에 멈춰서 당첨되는 스릴이 바로 경품응모하는 맛인거같다.

하나라도 당첨이 되면 그날은 기분이 내내 좋다.

어쩌면 소소한 행복이랄수있는데 나는 도박이나 내기보다 경품이벤트가 재미있는거 같다.

sns이벤트도 있고 즉석당첨이벤트도 있고 글쓰기, 행시 이벤트 여러 가지가 있는데 결과 기다리는 걸 귀찮아해서 요즘은 거의 즉석당첨 이벤트만 하는 편이다. 어제는 오레오씬즈 기프트팩이 걸렸고, 오늘은 배스킨라빈스 아이스크림.

뭐 큰건 아니지만 내 인생에 경품운이 있다는 것이 중요하다.

마치 누가 나의 삶을 위로해주는 의미에서 그렇게 당첨시켜주는 느낌이 드는 것이다. 요즘은 그렇게 경품을 찾아다니면서 하진 않고 카페에서 올려주는 정보로만 하고 있다. 예전엔 종일 들어갔다 나갔다하며 햇지만 요즘은 아침에 일어났을때만 10분정도 폰으로 응모한다.

오늘은 외래가는 날이었다. 외래가는 날은 늘 스트레스를 받는다.

일어나자마자 오늘은 또 어떻게 다녀오나, 그런 생각을 하며 폰을 열었다. 그리고 매일 아침 하는 걸 했다. 즉석당첨이벤트 응모.

건성으로 휴대폰 만지며 응모를 해봤는데, 배스킨라빈스, 스타벅스커피, 비타500이 당첨경품이었던 거 같다.

며칠 해도 안 된거라 그냥 건성으로 하는데 빨간 칸이 왔다갔다 하다가 배스킨라빈스에 딱 멈추는 게 아닌가.

오잉, 감격이었다. 마치 내가 이렇게 스트레스를 느끼고 힘들어하는 걸 위로해주는 느낌이었다. 누구에겐가 모르게 고마운 마음이 들었다. 밖에 나가기에 앞서 기운이 났다.

버스를 타고 가서 진료를 받고 약을 타고 집으로 오는데 문득 버스 안에서 그저께 읽은 혜민스님 글이 생각났다. '삶의 신비함과 마주하는 순간'이라는 글이었는데 돌아가신 분과 소통할 수 있다는 글이었다.

문득 '아, 나도 아버지께 신호를 보내달라고 해보면 어떨까' 하는 생각이 들었다. (사실 살아 계실 적에 아버지와 그리 친하지는 않았지만) 그런데 무엇으로 하지? 마땅히 생각나는 신호가 없었다.

그러다가 '아, 아버지 이름 석 자가 거리 간판에서 한 자씩 보이게 해달라고 해보자.' 하는 생각이 들었다. '그러면 아버지가 나를 격려하고 계시다는 뜻으로 받아들이고 힘을 낼게요', 하며.

버스 창밖으로 간판들을 유심히 살피며 아버지 이름 석 자 중에 한 자씩 확인해 들어갔는데 아버지 이름 중 '안'자가 아직 나오지를 않았다.

그러다 '음, 맞다, 안과가 있군. 가는 길에 안과를 보면 되겠군, 안과는 흔하니깐', 했는데 막상 찾아보니 안과가 통 안 나오는 거다. 그러다 이제 포기할까 할 때 쯤 이런 간판이 나왔다. '통안에서' –(맥주집인듯.)

그리고 그 바로 옆엔' 대궐안집' –(식당인듯.)

오잉, 감격이었다. 두 개나 같이 나오다니. 완벽한 신호다. 잘 안

나오던 '안'을 포함해서 나머지 글자들을 모두 찾았다.

그러다가 집에 다와갈 무렵. 괜히 이런 생각이 들었다.

sun자가 왠지 보고 싶네요. 집에 도착하기 전까지 sun자 한번만 보여주세요. 그럼 확실하게 믿을게요.

그러나 창밖을 열심히 살폈지만 도무지 sun자가 안 나왔다.

'음, 포기해야하나. 이것까지 나왔으면 정말 좋았을 텐데..'

버스를 내려 집까지 걸으면서도 거리의 간판들을 세심하게 살폈지만 주유소, 편의점, 식당, 아무리 살펴도 sun은 나오지 않았다.

문득 samsung을 지나치며 왜 저런 거만 나오나 중얼거렸다.

'집에 도착하기 전까지로' 내가 스스로 정했는데 집에 도착할 때까지 sun이 안 나오길래 '괜히 했군. 그냥 이름 석 자로 만족할 걸', 했다.

집에 신발을 벗고 들어와서 이리저리 돌아다니다 냉장고를 보는데 samsung이 보였다. 그런데 오잉, samsung에 sun이 들어가 있네... 아깐 왜 몰랐지. 그럼 밖에서 분명 samsung를 봤으니 집에 도착하기 전에 본 것이 맞다. ㅋㅋ

아, 아버지. 지켜주고 계시는 거 맞군요. 그렇게 믿을게요

댓글

참 재미있게 보내고 계시네요. ㅎ, 무척 다행입니다. 자기만의 독특한 놀이를 개발하는 것이 창조이겠네요. 그 속에서 새로운 희망이 생기길 바랍니다. 좋은 노래도 잘 들었습니다. 오늘 글, 참 재미있게 봤습니다.

혜민스님한테 배운 놀이에요. 님도 돌아가신분과 소통하고싶으시면 한번해보세요.

부럽네요.
즉석당첨이라니..
복 많으심..
혹시 못느끼고 있지는 않은지..

당첨창뜨면 금방기분좋아집니다. ㅎ

2020.09.04
<옛일기를 보며>

지난날의 나의 일기를 보며.
믿을 수 없어. 내가 이렇게 힘들었다는 것이.
새삼스레 굳이 그 일기들을 끄집어내어 읽으려했던 것은 아니었는데..
읽고 나서 이런 마음이 될 줄 미처 모르고 읽었어.
힘들게 이 세상에서 존재를 이어오던 나.
버림받은... 그 외의 말로는 표현할 수 없는.
세상에 버림받은 존재의 나. 마음이 아프다.
그때의 혼란이 전해져 머리에도 통증이 온다.
그렇게 힘들게 존재를 이어와서 지금의 나의 모습 고작 이것인가?

거부감이 들어서 지워버리려 했지만

그때의 아픈 나를 나 스스로가 버리는 것 같은 기분에 지우지 못했다.

난 왜 그리 힘들게 살아야 했을까.

길고 오랜 그 시절, 마음속으로는 다 잊었던 그 날을 다시 되돌아가서 보고 새삼 다시 느낀 그 시절의 힘듦은 지금의 나도 감당하기 어려울 정도다.

하지만 이제 다시는 들여다보지 않을게.

언젠가 나중에, 아주 나중에 그때는 아무렇지 않게 읽히는 날이 있기를.

지금은 잊을게. 그 힘들던 날과 그 시절의 나를 잊을게.

지금만 열심히 살아갈게. 지금도 힘들어서 그 시절의 무거운 나까지 안고서는 도저히 갈 수 없을 것 같다.

미안해. 그 시절의 나여. 잊을게. 니가 너무 아파해서 너를 다시 생각할 수가 없어.

잘 살아내서 그때 니가 찾던 삶의 의미 한번 찾아볼게. 신이 인도해주실 테니까.

언젠가 너의 혼란을 풀어주고 삶의 진리 깨달아서 너의 아픔을 담담하게 바라볼 수 있는 날이 올 거야.

지금도 힘들지만 내 삶이 헛되지 않도록 누가 뭐래도 흔들리지 않고 삶의 의미 찾아볼게.

그렇게 다짐해.

2020.09.13

<다음 단계>

(구질구질한 옛날애기 쓰고 말았습니다. 칙칙해지기 싫으면 읽지 마세요.)

내 인생에 예감이 들 때가 있었다.

고등학교를 입학할 무렵, 이유 없이 왠지 기분이 나빴다.

실제로 학교를 처음 방문한 날, 학교 근처 어느 지점에 온 순간부터 이상하게 머리가 아팠다. 풍수지리적으로 나한테 안 맞구나하는 걸 느끼고 고등학교 생활을 예감했다.

내가 특별히 먼저 부정적인 생각을 해서 두통이 왔나 생각해봤으나 그런 것 같진 않았다.

그렇게 힘든 시절이 시작되었다.

다른 세상으로 건너간 것만 같이 나의 세상이 갑자기 뒤바껴 버린 것이다. 도무지 세상이 낯설었다. 비오는 날을 좋아했었는데 비날이 칙칙해졌고 나무들과 사람들 세상 모두 어둡침침하게 느껴졌다. 두통과 가위눌림에 시달렸고 그리고 무엇보다 아이들이 너무 낯설었다. 마치 딴세계사람들 같아 도저히 적응할 수가 없었다.

그애들이 웃는 모습을 보면 '저애들은 저게 재미있는 걸까? 저게 우스운 걸까. 나는 하나도 공감할 수가 없는데.' 하며 거부감이 들었다. 나는 스스로를 완벽한 이방인으로 느꼈다.

늘 인상을 찌뿌리게 되었고 그런 나를 싫어하는 아이들도 있는게 보였지만 오해를 풀 어떤것도 할수없었다. 세상과 나 사이에 이해할 수 없는 벽이 느껴졌다.

나는 점점 이상하게 변해가서 거리에서 사람들 눈을 마주보기도 힘들었고 버스를 타기도 힘이 들었다. 친구가 없어 늘 혼자 하교를 했는데 나는 깜깜한 저녁에 그 혼자 걷는 길이 무서웠다.

집에서도 밖에서도 치였다. 집에서나 밖에서나 나를 이해해주는 사람은 아무도 없었다. 그때는 내 곁에 있어주는 사람이 아무도 없었다. 내가 있는 곳은 깊은 고독의 늪이었다.

그 후로도 꽤 오랜 시간 힘들었지만 그 후의 내 인생은 너무 구차해서 쓰고 싶지 않다.

그 힘든 세월이 너무 길었다.

그러다 어느 순간 또 예감이 왔다. 이제 그 힘든 시간이 거의 끝났다는 것이. 많이 힘들었던 그 시간이 눈물로 쏟아지는 것이 회복되고 있다는 조짐이었다.

그동안 눈물이 흐르지도 않을 만큼 힘들었으니까. 나의 마음을 느낄 여유가 비로소 생긴 것이다.

그리고 정신과병동에 입원한 후에 낮병원에 다닌 건 좋은 방향으로의 전환이었던 거 같다.

다시 인간관계를 시작할 수 있었고 사람들을 마주대하는 것도 조심스러웠지만 좋았다.

그렇게 조심스럽게 다시 세상에 적응할 수 있는 시간이 왔는데

하지만 그것이 완전히 좋아진 건 아니었다.

얼마간 잔잔해진 물살을 타고 그저 한구석에서 소리 없이 사는데 만족했는데 또다시 갑작스럽게 힘든 시간이 닥쳐온 것이다.

마치 내 인생은 그리 간단하지 않다고 말하는 것 같이.

그렇게 해서 지금까지 그 시간이 2년이 넘었다.

내 인생은 어째서 나를 여기로 데려다 놓았을까. 나는 대체 누구

이며 왜 이런일이 내게 일어나는 것인가.

그 옛적에는 또 왜 그리 힘들어야 했던 걸까.

그리고 지금 나는 또 어디로 향해가고 있는가.

지금 와서 돌아보니 지금 현재도 힘들지만 그 2년의 시간을 어떻게 견뎌왔나 싶다. 어둠의 시간이었고 시간이 필요하다고 생각했고 견뎌야한다고 생각하면서 절망의 시간을 이겨냈다. 아니 그냥 절망과 함께 산거 같다. 아무것도 할 수 없는 때가 있지 않나. 나의 경우가 그랬다. 그래서 그저 급류에 휩쓸려 떠내려가기만 했다.

그래도 그 시간동안, 책도 읽고 생각도 많이 하고 명상도 하게 되었다.

혹시 이런 것들을 추구하기 위해서 내 인생이 나를 여기로 데려온 걸까.

혹시라도 지금까지 이 길을 걸을 수밖에 없던 필연성이 있는 것일까? 멈춰 서서 그런 생각을 해본다.

이제 힘들던 것들이 다 끝났다는 것이 아니다. 여전히 삶은 고달프고 나는 매순간 확신 없이 희망과 절망을 저울질하곤 한다.

그러나 내 안에 약간의 달라진 뭔가를 느끼고 또 예감을 한다.

이제 또 내 인생의 다음 단계로 넘어가는 순간이 아닌가하고.

아마 내일도 변함없이 흔들리겠지만, 아직 세상이 여전히 무섭고 두렵지만.. 어쩌면 조금씩 나다운 모습을 찾아가는 여정으로 들어가는 것은 아닐까.

어쩌면 서툰 생각인지도 모른다. 자기체면을 거는 것뿐인지 모른다. 아직 길은 뚜렷하게 보이지 않고 아마 장기전일 것이다.

하늘은 스스로 돕는 자를 돕는다. 이 말 한마디 의지하고 싶다.

댓글

Great! I'm sure you will make it. That's the life! You are not the only one. The whole universe is connected with you. And all are your friends! CHEER UP!

저가 전에도 비슷한글 올리고 또 올렸네요. 구질구질한애기인데도 읽어주셔 감사하고 저한테 든든한 페북친구님이십니다.

좋은시간보내세요

양 선생님, 가족과 함께 즐거운 추석 보내시고 지독한 바이러스 멀리 보내시고 행복하시기를 바랍니다.

선생님두요. 인사감사합니다. 저는신묘장구대다라니 맨날듣습니다. 산책할때도듣고 지금도듣고있어요. 맘이편해요

yes, great! 다시 또 뵈요

옛썰!

2020.10.19

<페친님>

(...)저도 한때는 코쟁이 나라에서 밤잠 못자고 햄버거 쌓아놓고 시간 아까워서 그렇게 얼굴이 노랗게 뜨도록 영어 원서 읽고 글

쓰고 ....한 몇년 그렇게 사람같지 않은 생활을 했었어요.

(...)

양선생님, 밝은 태양은 항상 저기 저 하늘에 떠있어요.

플라톤의 동굴의 우화라는 아주 유명한 이야기가 있지요.

이 이야기는 어느 분야에나 다 유명해요.

우리 인간은 누구나 어두운 동굴에 자신을 묶어 두고 있어요.

밝은 태양이 비추는 동굴밖의 아름다운 세상이 있다는 것을 모르죠.

아시겠죠. 이젠 양선생님 아시잖아요. 이젠 그 어둠의 동굴을 많이 빠져 나오셨잖아요. 이젠 조금만 더 나오시면 햇살이 쏴 비추는 동굴입구가 나올거예요. 그리고 어둠이여 안녕! 나는 광명의 세계에 영원히 머무릴것이다. 그럴 순간이 오실거예요.

그때를 기다리시면서 글을 쓰세요. 이렇게 아름답고 순수한 자기와의 싸움을 하는 진정 용기있는 한 인간의 아름다운 가슴을 세상사람들에게 들려주세요. 이런 아름다운 글을 일고 싶은 사람들이 많아요.

(...)양선생님의 말씀이 훨씬 진실하고 아름다워요.

멋진 아름다운 향기로운 글을 쓰는 아름다운 양 작가가 되세요.

전도가 양양해 보입니다.

꿈을 이루시길 바랍니다.

(...)

댓글

응원말씀넘감사합니다. 근데 제 본연의 모습 이상으로보셔서 저가 쩔쩔매고있어여. 저가 수준도 낮고 글잘못쓰는데 ;; 그냥답답해서 맘속에게 글로 털어놓는것뿐인데요.

그래도 책도많이읽고 열심히 노력하고있어요.

그리고 따님은정말어여쁘시네요. 성품도 좋아보이고 자랑스러워하셔두되시겠어요.

밥 많이 묵고 힘 내서 세상 다 때려 죽이세요~~~내가 최고지뭐~

2020.10.25

<사랑>

세상을 헤쳐나가는데 가장 힘이 되는 건 사랑..

생각하면 내 마음이 자꾸 흔들리고 흐트러지는 것도 든든한 사랑이 없기 때문이라는 생각이 든다.

사랑이 있으면 덜 흔들리고 어떤 역경에서도 꾸준히 나아갈수 있을 거라는 확신이 든다. 내게 가장 필요한 약이 무엇보다 사랑이라는 생각이 든다.

그리고 인생에서 깨달음을 추구하기도 하지만 그래도 인생에서 가장 필요한 것은 사랑이 아닐까라는 생각이 든다.

힘들던 시절에도 나는 항상 사랑에 목이 말랐다.

비가 오는 날이면 혼자 걷다가 누가 다가와 소리 없이 같이 우산을 씌워줬으면 하고 바라기도 했다.

부모님은 내게 그다지 관심을 기울이거나 내가 힘들던 것도 전혀 이해하지 못했고 도리어 외롭게만 했다.

오빠하고만 즐겁게 대화하고 내가 그때 어떤 처지에 놓여있나 전혀 알지 못하고 있는 부모님아래서 나는 참 외로웠고 답답했다. 그 시절 가장 필요한 것은 사랑이었다.

내 인생에서 유일하게 사랑받은 기억은 중학교 때 친구한테서 받은 사랑.

친구는 그랬다. 내 지저분한 신발끈도 고개 숙이고 매어주고, 편지지에는 사랑한다고 다정하게 말해주고.

우리가 같이 하교하던 길과 버스정류장에서 장난쳤던 기억들은 내가 힘들던 시절동안에 오래도록 추억되었다.

사랑이 필요한 그 시기에 사랑이 추억으로밖에 해소되지 못했던 거 같다.

세월이 많이 흘러 이젠 더 이상 그 친구를 추억하며 살지는 않지만 지금 다시 생각해보니 그때의 행복했던 기분이 생생하게 떠오르는 거 같기도 하다.

아마 죽을 때 내 삶을 되돌려보면 그 추억을 다시 생생하게 돌려볼 테고 아마 그 사랑의 감정만큼은 이 세상 떠날 때 가지고 가고 싶어할 것 같다.

오늘 다시 사랑에 목이 마른다.

내 인생에 사랑이 약이라는 생각이 들어서 간절히 사랑을 갈구한다.

그런데 어디서 사랑을 찾을까.

내가 좋아하는 그님이 나한테 와주면 좋겠지만 욕심인 거 같다.

순수하게 좋을 때도 있지만 때로는 사는 게 힘이 들어서 그저 욕심이기도 했다.

아무것도 가진 것 없는데 한 사람은 내가 소유했으면 싶기도 하고.

하지만 어디까지나 혼자 생각하고 또 혼자 마음 접곤 한다.

갑자기 그 친구가 다시 떠오른다.

친구에게서 사랑받았던 기억은 오늘 이렇게 외로운 이순간의 나에게 아직도 힘이 되는 거 같다.

내 인생에서도 사랑받은 기억이 있어서 다행이다.

삭막한 기억만 가진 인생이 아니라서 정말 다행이다.

우리들의 행복한 웃음꽃이 피어나던 순간이 지금 생생하게 떠오른다.

댓글

양 선생님, 바로 그것입니다. 영특? 하시니까 어린?나이에도 인생의 핵심을 찔렀네요. 오래 전에 Beatiful Mind 라는 영화를 받었요. 미국 사람들에게는 고전이나 마찬가지죠. 50년대 쯤이죠. 미국 명문 프린스톤 대학 이공대에 다니던 한 대학원생이 박사 논문을 제출했답니다. 근데 이 논문이 그쪽 서양에서 정통으로 내려오던 여러 분야의 이론들을 다 뒤집는 정말 굉장한 천재 조 내프 인가 모르겠어요.

그런데 이 분이 헤어나올 수 없는 정신적인 병을 얻었어요. 교수직에서도 쫓겨나고 세상을 다 등졌지만 그 분이 교수, MIT, 였을 때 제자였던 아내가 지켜주었죠.

생각해 보세요. 그 어마어마한 MIT 다닌 아내가 자기 인생 다 포기하고 이 남편을 돌바주었어요. 세상이 다 자기 남편을 조롱하고 돌아섰지만 이 아름다운 아내는 남편을 지켰어요. 그리고 세월이 흘러 이 부부도 황혼녘에 들어섰을 때 세상은 그 남편이 27살에 쓴 논문의 가치를 인정하고 노벨 경제학 상을 주었어요. 알다시피 원래 이 서양과학자들에게는 수학만이 진실이지요. 그들은 오직 수학으로서만 세상의 진실을 구할 수가 있다고 생각하는 사람들이죠. 멍청해요, 자기들은 엄청 똑똑한 줄 알고 있지만요.

하옇튼 이런 과학자가 노벨상 수상회에서오, 세상은 수학이 아니라 사랑이 움직인다고 그랬어요.아내의 사랑이죠. 그에게 수학이 진리가 아니라 사랑이었어요. 그러니까 제가 양선생님이 대 대 천재시라니까요. 그 서양 천재도 사랑의 위대함을 70다 되서야 알았어요. 와 양선생님,완전 최고 천재! 사랑은 누구에게나 있대요. 양선생님은 사랑은 아마 늦게 있는것 같아요. 늦을 수록 더 대박인게 인생의 일 아닌가요. 느긋이 기다리세요. 딱 보니까, 내년 봄쯤... 한 4~5개월 남았네요.

"내게도 사랑이" 이런 가사도 있잖아요. 보세요, 벌써 ***님과 ***이 양선생님 싸랑이시잖아요. 내년 봄에 진짜 내 가슴 만져줄 사랑님이 짠 오신다니께유~~~~

아름다운이야기네요. 잘들었습니다. 저가 아는것도없이 그저 혼자 중얼거리며 쓰는글인데 이렇게 공감해주시고 이야기도 들려주셔서 감사합니다. 저가 말주변이없어 무슨말해야할지모르겠는데 어쨌든 감사합니다..

싸랑~~싸랑이에요

네 사랑입니다. 사랑가득한 날되세요

저도 며칠전에 이석증을 앓았습니다. 세상이 빙글빙글 돌고 어지러워 눈을 뜰수가 없었지요. 다 토하고...

아플때마다 힘겨움이 있을때마다 일상이 얼마나 감사의 신비로 가득차 있는지 깨닫는답니다. 그리고 더 베풀고 더 친절하고 더 감사함을 느끼려 노력하지요. 이글을 볼수 있는 눈이 있음에 감사. 페친임에 감사. 이 시간에 감사!

네 먼저 건강하셔야죠. 돌아보면 감사할게 참 많네요

2020.11.22

<외로움>

사람이 혼자 사는 건 좋지 않다고 하는데.

내 인생이 힘든 인생이긴 하지만 그래도 가장 힘든 건 외로움이다. 다른 건 면역이 조금 들었다고 할 수 있을지 몰라도 외로움은 전혀, 여전히 감당할 수가 없다.

외로움이 그저 사람들이 말하는 잠시 쓸쓸하다는 느낌이 아니다. 잠깐의 감상이 아니다. 도저히 못 견딜 것 같기에 절망감과 함께 오는 감정이다.

평소엔 굳이 대면하고 싶지 않기에 가슴 한켠에 꾹꾹 눌러놓지만 한번씩 이렇게 존재를 호소해오는 날이면 삶을 도저히 감당할 수 없을 것 같고 살아남을 자신도 없다.

분명히 어딘가로 가는 중이라고 조금만 더 힘내자, 라는 결심과 위로도 이런 외로움이 쳐들어오는 날에는 아무 소용이 없다.

'혼자서 세상에서 뭘 하겠다고..' 그런 생각이 드는 것이다

그럴때면 나는 그저 납작 엎드린 채 패배를 인정한다. 외로움에는 나는 아예 전의를 상실하기 때문이다.

아침에 산책을 할 때마다 만나는 아저씨들이 있다.

산책 마치면 꼭 벤치에 앉아 쉬었다가곤 하는데 그 벤치 옆에서 배드민턴을 치는 걸 구경하곤 한다. 그러다 언젠부턴가 인사도 하고 산책길에 만나면 동행도 한다. 그런 작은 만남도 내겐 소중하다. 알게 모르게 내 삶에 안정감을 준다. 이런 버팀목들에라도 기대어 내가 목표지점에 닿을 때까지 잘 나아갈 수 있었으면 좋겠다.

혼자라는 느낌은 좋지 않다.

외로움은 정말 싫다.

11월 17일쯤

<배움>

요즘은 아침에 7시전에 일어난다.

오래 누워있으면 우울해서 힘들다. 그래서 눈뜨고 우울한 기분이 들려할 때 바로 일어나려고 한다.

우울도 습관인가보다. 내가 그곳에 발을 안 딛으려고 노력하니 찾아오는 것이 뜸해졌다. 예전보다 안정을 누릴 수 있게 되었다.

그래도 조금 나아진 것일 뿐 아직 아침이 힘들다.

잠이 문득 깨었을 때 적막 속에 올라오는 별로 반갑지 않은 감정들.

아예 그런 감정이 안 들게 할수있다면 좋겠지만 어쩔 수 없다. 무의식의 틈새로 쳐들어오니. 할 수 있는 건 시달리는 시간을 줄이는 것. 그래서 밀려오는 괴로움 애써 무시하고 일어난다. 감정을 무시하려는 게 쉽지는 않다.

주로 아침이 힘들지만 낮시간에도 우울이 연장되거나, 여러가지 힘든 기분에 끌려다닐 때가 있다.

그러면 책을 읽는다.

특히 *작가님 에세이나 명상서적을 읽으며 삶에 대해 뭔가 배우면 마음이 비로소 편안해진다. 이 힘든 삶도 뭔가 배우고 추구하기 위함이란 생각이 들고 다시 힘이 나곤 하는 것이다. 한순간 한순간 책을 읽으며 깨달음의 순간이 있고 그런 순간들이 즐겁다.

책을 읽으면 현재 압박을 느끼고 마음으로 쫓기고 있던 것들에서 잠시나마 거리를 떼어볼 수 있고 다른 각도로 볼 수 있는 여유도 생기고 때론 새록새록 희망도 품을 수 있게 된다.

숨통이 트이고 잠시나마 편안하게 숨쉴 수 있다.

어쩌면 '약'같다고 할까?

비록 내 삶을 근본적으로 해결해주지는 못하지만 당장은 효력을 발휘해 낫게 해 주곤 한다. 지금의 내게 책은 임시처방약인거 같다. 배움을 더 열심히 추구해서 삶의 의미도 찾고 언젠가 깨달음도 얻었으면 정말 좋겠다.

2020.11.30

< 어떤이가 신에게 보내는 편지>

신이여, 제가 할 말이 있습니다.

어째서 매번 당신을 부를 때마다 대답해주지 않으시는 겁니까?

혹은 말씀을 하시는데 제가 못 알아듣는 것입니까?

혹시나 당신이 존재하지 않는다고 하면 저의 인생은 그야말로 대책이 없는데..

당신은 어째서 제게 이런 삶을 주시고, 대책 없이 내버려두실 수 있습니까.

어디에다 말하면 당신이 들으시는 것입니까?

어떻게 하면 당신과 이야기를 나눌 수 있는 것입니까?

신이여, 제가 할 말이 있습니다. 할 말이 있습니다.

저의 삶을 보십시오. 온통 불안정하고 이 삶을 이끌어갈 자신감도 없으며 막막하기만 합니다.

삶이 숨 막히고 답답합니다.

모든 것이 엉망입니다

탈출구가 없습니다.

어떻게 살고 무엇을 하고 살아야할까요.

당신은 힘이 있지 않습니까?

이 모든 것 나아지게 할 수 있지 않습니까? 당신의 힘을 믿는데...

벌써 여러 번 당신을 부르고 기도도 하는데 어째서 응답하지 않으십니까.

거기 어디쯤에 당신이 계십니까?

어느 방향으로 불러야 당신께 닿는 겁니까?

당신이 내게 계획한 것은 도대체 무엇입니까

무엇이기에 응답도 해주지 않으면서 이렇게 막막한 곳에 저를 놓아 두셨나요?

저를 바짝 말려버리시려는 건 아니시겠죠?

당신의 뜻은 무엇입니까?

저를 과연 어디에 데려가려 하시나요.

그만, 저의 하소연에 귀를 기울여 주십시오.

저는 별로 삶을 헤쳐 나갈 의욕이 없으니까요.

당신이 제게 주신 삶을 헤쳐 나갈 힘이 별로 없으니까요.

저는 당신이 생각한 만큼 강하지 않은 것 같습니다.

저는 더는 견디기가 힘듭니다. 너무 힘듭니다.

부디 이제 그만 저를 이 막막한 바다에서 건져 주세요

댓글

<글 생략>

이글이 눈에 띄어 보냅니다.

좋은글옮겨주셔감사합니다.

'같은책을3번은읽어야이해하는지능지수'에서부터공감했습니다. ㅎ

이제2020년도한달남았네요.　저는마늘깐다고10시간소비해서손가락이다아팠습니다. 김장준비잘하시고2020년마무리도잘하시길 저도 새 과도로 마늘까다가 잔금이 손가락에 다 그어져 엄청 따가웠습니다.
맛있는 김장하세요~~

2020.12.11
<가끔>

가끔 이런 생각이 듭니다.
안 되는 걸 하고 있는게 아닌가.
한 차례씩 바람이 불고나면
기다렸다 다시 일어나곤 하지만
과연 이런 일이 끝이 있을지 모르겠습니다.
끝없는 세상과의 싸움.
물론 싸움이라 생각하지 않고 마음 쓰지 않으려 하지만
그렇다고 일이 풀리는 건 전혀 아닙니다.

나는 가끔 길 잃은 존재 같습니다.
지구별 한켠에 내던져진
대책 없고 막막한 존재인 것만 같습니다.
나는 왜 여기 이렇게 있는가.
삶이 온통 엉망이고 헝클어진 채로.
왜 내게 이런 일들이 일어나는 것인가.
무질서하고 이유 없어 보이는 이런 일들이.

나도 의미 있는 존재라고 누가 말해주었으면 좋겠습니다.
살아갈 수 있다고 말해주었으면 좋겠습니다.

가끔 나는 영혼이 감옥에 갇힌 기분입니다.
나를 한정짓는 이들로 말미암아.
아무도 진정으로 나를 알지 못하면서
내 영혼을 침범하고
누구도 나의 고통을 알지도 이해하지도 못함에 대하여.
나는 종종 숨이 막힙니다
나는 왜 자유로울 수 없는가.
나는 왜 내 삶을 통제할 수 없는가.
도대체 무엇 때문에 내가 무얼 잘못해서
이런 삶을 살고 있는가.
이 삶의 의미가 도대체 무엇인가
포기할 용기가 없어 이 끝나지 않는 싸움을 계속할 뿐입니다
언제쯤 이 영혼이 자유롭게 숨을 쉴 수 있을까요.

가끔 나는 외롭습니다.
쓸쓸합니다. 못 견딜 것 같습니다. 아픕니다.
울고 싶습니다.
포기하고 싶습니다.
나는...

댓글
이렇게 마음을 표현할 수 있는 것에 부러움을 표합니다.

저는 표현이 잘 안되어 가끔씩 답답하지만 다른 장점이 있을거라 믿으며 내가 가지지 못한것 보다는 가진것에 집중하니 한~없이 감사하더군요.

날씨가 푸근해서 다행입니다.

저두 가진게 뭐있나 생각해봐야겠어여. 댓글감사하고 평안한날들 되세요..

2020.12.31

<좋은 사람들>

내게 '혼자'라는 건, 어릴 적부터 참 익숙한 거 같습니다.

초등학교 3학년 때였나?

새 학년 첫날이 끝나고 마칠 무렵에 단짝으로 보이는 두 명이 다가와서 내게 말을 건넸습니다. 무슨 말을 했는지는 기억나지 않지만 난 그때 그 다정함을 받고 너무나 설레었던 겁니다. 사실 다른 건 잘 생각나지는 않는데 그 뒤에 내가 한 행동만 기억납니다. 수업을 마치고 아이들이 다 빠져나가고 마지막으로 그 두 친구랑 나만 남았는데 나는 차마 교실을 떠나지 못하고 있던 겁니다.

그 두 친구가 내게 다가와 집에 같이 가자고 말해주기를 바랐기 때문이죠. 먼저 다가갈 용기는 없기에 그냥 기다렸던 겁니다.

그 애들은 서로 이야기하다가 나를 흘낏 보고 '왜 안가지?'이런 식으로 수근거렸습니다.

그 애들이 이상하게 보는걸 알면서도, 그리고 그애들이 정말로 내게 다가와 말을 해주지 않을 것을 알고 있으면서도 나는 차마 발이 떨어지지가 않았습니다.

그애들이 다시 '누구 기다리지? 우리뿐인데' 하며 서로 갸우뚱했고 시간이 지날수록 나는 그 어색한 상황에 더는 용기를 내지 못하고 교실을 떠났습니다. 그 기억을 떠올리면 아직도 씁쓸합니다.

내게 다가와주길 바라던 나의 그 어정쩡한 기다림이.

그리고 다시 그 학년은 혼자였던가 봅니다.

또 하나 기억이 나는 게 있습니다.

몇 학년 때인지 모르겠는데, 수두에 걸려서 선생님이 집에서 며칠 쉬라고 했습니다.

며칠 후 수두가 다 낫자 엄마가 학교에 가라고 해서 오후쯤에 수업을 한참 하고 있는 교실 문을 열고 들어갔습니다.

그때 자리를 바꿔 내 자리에 앉아있던 애가 투덜거리며 일어나 자기자리로 가고 반 분위기가 나로 인해 싸늘하게 식었던 그 기분 왠지 아직도 잊히지 않네요.

나는 왜 그때나 지금이나 이렇게 환영받지 못하는 존재일까요

중학교 땐 그래도 친구가 많았습니다.

내게 '많다'는 것은 다른 사람들 기준으로 말고 내 기준으로 많다는 겁니다. 단짝친구도 있었고 그 뿐 아니라 다른, 친하게 얘기하는 친구들도 몇몇 있었기에. 그 정도면 내게는 많다고 할 수 있습니다.

그리고 참 행복했습니다. 그 시절은.

내 고독한 인생에도 꽃이 활짝 피는 계절이 있었다면 바로 그 시절이었던거 같습니다.

'행복'도 내 기준으로 행복입니다만.

남들에겐 자그마한 것일지라도 나는 큰 행복을 느꼈으니까요

사소한 인사, 농담, 수업 중에 돌리는 쪽지, 손들고 복도에 벌서던 기억, 여러 가지 장난들. 하굣길.. 그런 것들이 나는 행복했습니다.

아침에 일어나면 오늘 하루는 친구들과 무엇을 할까 설렜고 잠들기 전에는 하루동안 있었던 즐거운 일들이 필름처럼 돌아갔죠.

매점에 쉬는 시간마다 달려가 하루에 우동을 몇 번씩 사먹었죠.

그때 많이 먹어서 키가 많이 자라서 168은 됩니다.

친구랑 장난을 쳐서 복도에 나가 벌을 서면서도 마냥 행복했습니다.

낮병원 다닐 때는 또 회원들이랑 같이 카페도 극장도 찜질방도 가고 놀러도 많이 가고 했는데 그때도 행복했습니다. (못가본 데도 많이 가봤죠.) 거기 사람들 정말 재밌고 좋은 사람들이었죠. 사회 어디에서 이런 괜찮은 사람들이 숨어 있었나 신기했고, 다시 사람들 만날 수 있게 해주셔서 신에게 감사했습니다. 한 회원은, 읽지도 않는데 맨날 나한테 만화책 떠안겨주며 읽어 보라고 했습니다. 어디서 모임한다고 꼭 오라고 교통편이랑 약도도 그려주고. 어떤 회원은 언니, 말 좀 하라고, 말하면서 진심 걱정해주기도 했습니다.

낮병원은 마치 사막 가운데 오아시스를 발견한 그런 것 같았습니다. 힘든 시간 뒤라서 더 그런 느낌이었는지도 모릅니다.

지금은 다시 아주 적은 인간관계만 맺고 살고 있습니다.

내가 어느 별에서 왔는지 몰라도 내게 주어진 인간관계는 아주 적게 한정되어 있나 봅니다.

중학생 때와 낮병원 때 내 인생에 드문드문 사람들이 있긴 했지만 내 인생은 대체로 사람이 없네요.

언젠가 다시 사람으로 인해 행복할 수 있는 시간이 올까요

내가 사람을 믿지 못하는 병이 있고 사람과 잘 소통할 수 없는 벽이 있긴 합지만 또 사람들한테 시달리고 아프기도 하지만, 그래도 나를 위로해주고 응원해주는 것도 또한 사람들이기에. 나를 기쁘게하고 행복하게 해주는 것도 바로 사람들과의 관계이기에.

새해에는 좋은 사람들 많이 만나고 사귀고 싶습니다.

댓글

새해에 먼저 손 내밀어 더 따뜻한 친구들 많이 만드시길 기도합니다~~

잘할수 있을거에요

네 노력할게요 새해 좋은 일 많이 생기세요. (글구 댓글에 제이름지우시면 알림이 안와서 모를수있어요

양 샌님, 안뇽~또 새해네요. (...)^^. 양 샌님 덕분에 이상한 노래 잘 들었어요.

근디 요시 야들은 좀 보바같어~

지가 외로울땐, 아따 요때가 진짜 찬스다하고 자기안에있는 진짜나, 참나를 찾아야제~~뭘 이상하고 지저분한 동물을 찾고 있다냐 하는 쓸데없는 소리도 해 봅니다...

하옇튼 봄이면 해마다 꽃이 피잖어유~~우리 인생도 그런거 아니겠어유~~늦긴해도 꽃은 피겠지유...반드시~~봄이 착 착 오듯이요!

안뇽~~다시 뵈요~!!

Sir께서는항상 재밌습니다. 저두글케재밌는사람이면좋겠네요. 마눌님과는 백년해로하시기바랍니다.

저는올해 열심히도를 닦는데 집중하도록 결심하였습니다. 방구석에서라도.

Sir께서도 추구하시는거 잘되시길..양양이었습니다.

2021.01.21

<여전히>

여전히 인생이 힘이 들고

그래서 기도도 하고 허공에 대고 막연히 신의 이름을 부르기도 한다. "제발 이제 길을 좀 보여주세요."

"계시라도 주실 수 있지 않나요"

그런데 명상을 하다 문득 이런 생각이.

나는 외부에서 구원을 요청하고 있는데 사실은 내 안에서 구원을 찾아야 하는 것은 아닌지.

그런 얘기가 있지 않은가.

인간도 원래 신성이 있었는데 신들이 그걸 숨기기 위해

산 꼭대기, 바다 깊은 곳, 땅 깊은 곳에 숨기려 했지만

인간은 어디든 찾아내기 때문에 누구도 생각 못할 곳에 숨기기로 했는데 그곳이 인간 자신의 깊은 곳이라고.

충분히 오랜 시간 이곳저곳 기웃거리다가 이제 내안에 숨겨진 힘이 있는 게 아닌가 하는 요상한 생각까지 하게 되었다.

과연 내 안의 그 힘을 찾으면 삶의 불안도 괴로움도 해결할 수 있을까. 진정한 평화와 내면의 기쁨을 맛볼 수 있을까.

혹시 초능력이라도 생길 수 있을까.

그렇다면 그 힘을 발견하는 방법은 뭘까.

내 안의 신성을 끄집어내는 방법은?

우선 나 자신을 믿고 내 안의 목소리에 귀 기울여 볼까

명상을 하면서 침묵 속에 기다려봐야 하는가.

아, 막연하고 감이 잘 안 온다.

내 삶은 이미 내 손아귀에서 벗어난 것 같고 꼬이고 뒤틀려 결코 내가 바로잡을 수 없을 것만 같은데. 그래서 신이 나서주거나 누가 해결사처럼 나타나서 모든 걸 바로잡아줬으면 좋겠는데.

아무리 내면에서 길을 찾아야한다 해도, 모르겠다, 구도의 여정이 이렇게 외로워야하는지. 힘들어야하는지.

나혼자 걷기엔 너무 힘들지 않나.

댓글

양 선생님, 맞아요. 신은 내 안에 있어요. 예수님의 진짜 말씀인 "도마복음"에도 "천국은 너의 마음안에 있다"라고 말씀하셨죠! 사실은요, 예수님은 13살 부터 29살까지 인도에서 힌두교하고 불교를 공부하고 수행하셨어요. 이건 오히려 신학자들이 밝혀낸 사실이에요! 검색해보세요. 명상을 깊게 하시면 내면의 참나,부처,신을 보게 되요. 그러면 모든 정신적 문제가 해결되요. 저를 믿으세요~저는 그걸 예전에 체험하고, 그것을 더 깊게 하려고 수행을 더 하고 있어요. 사실 우리나라 선 불교에서도 지금 살아계신 깨달은 분들은 세분 밖에 없어요. 다들 80을 넘어셔서 얼마 후에는 깨달은 사람도 없겠지요. 양 선생님, 이젠 저를 아시잖아요. 지금은 제 수행을 더 해야 되고요. 나중에는 정신적 고통을 받는 분들이 만잖아요.

그런 분들 도와 드리고 싶어요. 지금은 제 문제에 치중하고 있어요. 지금 미국이나 유럽등지에서는 명상을해서 정신적인 문제를 해결하려는 유행이 굉장해요. * 박사 아시죠? 국내 정신학계의 최고어른 아니십니까?

그 분이 지금 명상 정신 치료를 시도하고 있어요.하옇튼 저를 믿으시고 명상 열심히 하세요, 반드시 좋은 결과가 있을거예요. 제 글은 장난이고요. 제 유튜브 보시면 많은 도움이 되실거예요. 그리고 궁금하신게 있으면 제게 물어보세요.

E-mail: ***@gmail.com.

힘 내시고 홧팅!!

도움주시려는거감사합니다.
스승이필요한데대인관계가지금은 어렵네요.
담에저가 도움필요하거나궁금한것이있으면 물어봐도되나요? 무엇보다 페북글올리시면참고많이하고 배울게요

<글생략>

저는 힘들때 자신을 다독이는 글을 읽습니다..
행여 되움될까 싶어서..

이것만으로 의미있어. 만트라 외듯할게요. 의미찾게 의미있는글주셔감사해요. 맘써주셔 감사해여. 좋은시간되세요

2021.01.28
<감정들>

어떤 감정들이 있다. 가끔씩 찾아오는.
예전보다는 덜 찾아오지만, 찾아와서는 내 마음의 방을 막무가내로 어지럽히는 것이 있다.
힘들다고 말한다. 괴롭다고 말한다.
정상적인 상황이 아니다. 이성이 즉시 나서서 감정과 대화를 시

도한다. 구체적으로 뭐가 그리 힘드니? 말해봐.

분명하게 그 이유를 댈 때도 있지만 감정 그 자신조차 그저 막연하고 추상적으로 느낄 뿐 이유를 잘 모를 때가 많다.

힘들다. 죽고 싶다. 감정은 그 말만을 반복한다. 막무가내로.

곤란한 상황이다. 그대로 두면 이 감정들이 나를 압도해서 삼켜버릴 것만 같다. 이성이 감정을 설득해보려고 이것저것 시도를 해보지만 별 소용이 없다. 이유를 모르기 때문에..

뭔가 근본적이고 심층적인 원인이 있을테지만 그것이 무엇인지, 어떻게 하면 이 감정을 설득하고 회복시킬 수 있을지 이성은 모르는 것이다.

그럴 땐 할 수 있는 것이 없다. 그저 납작 엎드려 패배감을 느끼며 그 감정이 식기를 기다릴 뿐이다.

특히 아침에 무의식중에 깨어났을 때, 혹은 낮에도 때때로, 찾아오는 감정이다. 그 감정과 대면하고 대화를 시도해보지만 대체로 아무 소용없이 끌려가고 만다. 수없이 만났지만 아직도 다스릴 수 없는 불편한 감정.

어떻게 하면 이 마음을 다스릴 수 있을까? 깨달으면 다스릴 수 있을까? 그것은 무의식적으로 일어나는 기분인데 그런 것을 인간이 다스릴 수 있는걸까? 그것은 과연 인간이 알고 통제할 수 있는 영역일까. 한낱 인간이.

어떤때는 또 별일 없이 기분이 좋아지거나 들뜰 때도 있다. 나쁜 기분보다야 다행으로 여기지만 그런 기분조차 이유를 모른채 그저 끌려갈 뿐이다. 이제는 좋든 나쁘든 마음을 통제하고 싶다는 생각을 한다. 중간에 서서 어디로도 기울어지지 않고 싶다는.

언젠가 그렇게 마음에 끌려가는 대신 조금이나마 마음을 이해해서 마음과 편하게 있을 수 있는 날이 올까. 깨달음을 얻어서 내 삶과 마음을 통제할 수 있는 날이 올까?

잘 살아가는 중에도 언제든 예고도 없이 찾아와 느닷없이 힘들다고 죽고 싶다고 외쳐대는 연약한 나의 마음아.

토닥토닥.

2021.02.17

<나만의 방식, 나만의 속도>

어릴 때부터 시간이 오래 걸렸다.

시험을 치면 앞 뒷장 중 앞장밖에 못 풀었다.

그래서 잘해봐야 50점밖에 못 받아서 엄마가 주산학원에 보내줬다.

한두 달 정도 다녔는데 제법 잘해서 진도가 빨리빨리 나갔다.

선생님들은 감탄을 하며 나보고 "전생에 주산을 했니?"이런 말까지 할 정도였다. 그때 칭찬을 받고 뿌듯하던 게 아직도 기억이 난다. (사실 칭찬을 받은 기억이 별로 없어서.)

다음 단계로 넘어가려면 시험을 치는데 나는 그래서 자주자주 시험을 치곤했다. 거의 매주 시험을 친 거 같은데 확실히는 기억나지 않는다.

문득 시험을 치다가 주위를 둘러본 기억이 난다.

그때도 다른 학생들이 빠릿빠릿하게 주판알을 튕기는걸 보며 나는 속도가 느린 것에 위기감 같은 걸 느꼈던 게 기억난다.

어렸을 때부터 나는 뭐든 그렇게 오래 걸리고, 진득하게 바라보고, 오래 생각하는 편이었던 거 같다.

그런데 왜 그때는 그런 스스로가 잘못된 것인 양 느끼고 조급해 했을까.

한때는 그렇게 내가 무엇인가 잘못된 것만 같고 다른 사람들과 많이 다른 것만 같이 느껴져 조급하던 때가 있었다.

그래서 다른 사람과 비교해 '내가 뭔가 다른 것 같다' 라거나 '내게 문제가 있는 것 같다' 고 느껴지는 부분이 있으면 일부러 고쳐서 다른 사람들 흉내를 내보기도 했었다. 그러니까 억지로 다른 내가 되보려 해봤던 것이다.

그때는 다른 내가 될 수 있는 줄 알았다. 내 고유한 개성은 인정하지 않은 채.

그래서 어릴 때 한번은 다른 사람들처럼 속도를 빨리하기 위해 시험지를 대충 대충 훑는 방식으로 넘어가본 적도 있었다.

하지만 그렇게 하니 질문이 다 이해가 되지도 않았을 뿐더러 다음 문제로 그저 기계적으로 넘어가고 있는 나를 발견했다. 다른 사람 흉내 내는 것은 결국 이것도 저것도 아닌 일이었다. 나에게서 멀어지는 일이었다.

살아오면서 차츰 나는 나를 있는 그대로 인정해야하는 걸 알게 되었다. 원래의 나대로, 내 본성대로 살면 된다는 걸.

그때는 뭘 몰랐기 때문에 나 자신이 잘못 됐다는 느낌을 어떻게든 해결하고 싶어서 어긋난 시도들을 해보았던 거 같다.

지금도, 나는 왜 이런 걸까 싶은 경우가 있다. 내가 바라는 나의 모습에 못 미치는 부분들이 답답하고 불안하기도 하다.

하지만 이제는 그런 특징들을 있는 그대로 받아들여야 한다는 걸 안다. 나에 대해 다 만족하지 않아도 스스로와 부조화하기보단 나의 부족한 부분들을 포함해 나를 받아들이고 인정해줘야한다는 걸.

다른 사람들과 다른 고유한 나를 인정한 채, 정 고쳐야하는 것이 있다면 나를 잃지 않는 한도 내에서 노력해서 고치고 내가 잘하는 것이 있다면 나의 방식대로 밀고나가면서 능력 계발해야 하지 않을까.

지금 나는 하고 싶은 것이 있고 그걸 하기위한 능력과 역량이 부족해서 내가 과연 할 수 있을까 싶을 때가 많다. 또 다른 사람들에 비해 늦고 뒤쳐진 듯 느껴져 초조함이 느껴질 때도 있다.

하지만 중요한 것은, 자신의 속도대로, 자신의 방식대로 나아가면 되는 것이라고 나 자신에게 응원을 보낸다.

주산학원 때처럼, 주판알 튕기고 문제 푸는 속도는 느려도 오히려 전체 진도는 다른 사람들보다 훨씬 빨리 나갔었던 것을 기억하며.

2021.02.21.

2년전에 쓴. 허접하긴 하지만 그때도 지금처럼 믿음이 필요해서 저렇게 적었나 보다.

<응원>

당신이 어떤 절망의 나락에 떨어져봤든
당신이 어떤 고통의 터널을 통과해봤든
당신이 어떤 상처를 입고 마음의 문을 닫았든
당신이 어떤 두려움에 한발 내딛길 주저하든
당신이 어떤 추운 겨울을 거치고 있든
우리는 모두 인생수업을 받으러 온 학생들입니다
깨달음을 얻기 위해 이 지구별에 온 여행자들입니다
지금 당신이 받고 있는 수업이 고단할 수도 있고
혹은 당장은 무의미해보일지도 모릅니다.
하지만 다 나름의 깨달음을 얻기 위한 과정입니다.
다른이들에 비해 느린 것 같이 느껴지고 뒤쳐진 듯 느껴질 수도 있습니다.
그렇다고 조급해하거나 두려워할 것은 없습니다.
결국엔 깨달음이라는 최종목적지에 다가가고 있으니까요.
분명히 말할 수 있는 건 이것이 전부가 아닙니다.
이 과정을 수료하고 다음 과정을 준비할 수 있도록
당신을 응원합니다.

2021.03.14

<나의 삶을 보면>

나의 삶을 돌아보며 느끼는 것은 하루하루가 갈등의 연속으로 이루어져 있다는 것.

우울하다가 언제 그랬냐는 듯 괜히 기분이 좋아지고

절망스럽다가 희망에 마음이 들뜨기도 하고

힘들어하다가도 어느 순간 나태에 빠져 자만하기도 한다.

이 감정들은 서로 끄트머리에 있는 듯한 감정들이지만 잘 보면 종이 한 장의 차이밖에 없는 듯이 느껴진다.

조금만 생각을 삐끗하면 부정적인 감정에 떨어져서 괴로움에 헤엄을 치지만 또 조그만 계기로 인해 희망에 마음이 벅차오르기도 하니까.

결국 이럴 수도 있고 저럴 수도 있는 것 같다.

내가 행복하거나 불행을 느끼고 있을 때 언제나 그 반대 감정이 바로 옆에서 대기하고 있는 것 아닐까

실제로 그런 거 같다.

오늘은 한껏 절망을 헤엄치다가 그 다음날은 또 자만에 빠지고 주체못하게 붕뜨는 스스로를 가라앉히려 애를 쓰는 자신을 수없이 경험했다

그렇게 변덕을 부린다.

그 종이 한 장의 차이를 만드는 변수는 무엇일까. 나도 출처를 모르는 그저 막연한 기분이거나 외부환경에서 입력되는 어떤 데이

터가 작용한 것이거나.

그 요인을 잘 알아서 내가 통제를 하고 좋은 쪽으로만 느끼며 살고 싶지만 누구도 그렇게 하는 것이 쉬운 일이 아니니, 전능하지 않은 존재로서 어쩔 수 없으니 그저 좋은 쪽 나쁜 쪽 다 경험해가며 결국 어디론가 향해가는 게 인생 아닌가 싶다.

어차피 이럴 수도 있고 저럴 수도 있는 삶이라면 기쁘거나 슬픈 순간이 올 때 그렇게 힘들어하거나 마음을 내어줄 필요 없지 않을까? 그저 파도가 왔다갔다하는 걸 지켜보듯 그런 가벼운 마음으로 바라볼 수 있다면...

그리고, 내 삶은 이랬다 저랬다 변덕으로 채워지지만 곰곰히 생각해보면 확실히 한 가지만 있는 경우는 없는 거 같다.

절망 속에서도 한줄기 희망의 빛은 언제나 있는 거 같다. 빽빽한 숲속에도 햇살이 들어올 조그만 틈이 있듯.

못 견딜 것 같은 순간에도 조금 거리를 떼어보거나 각도를 틀어서 볼 틈이 있다. 그러면 다른 게 보이기도 한다.

아무리 그 틈이 작아도 그 틈을 무시할 수 없다. 빽빽한 숲속에서 그 조그만 틈으로 들어온 햇살이 순식간에 어둠을 몰아내고 어느새 찬란히 퍼져나가는 것을 보면.

중요한 것은 긍정적인 쪽으로 향하는 방향성 아닐까.

긍정적인 쪽과 부정적인 쪽 두 갈래의 길이 앞에 펼쳐졌을 때 긍정적인 쪽으로 나아가고자 하는 방향성.

절망과 희망 중 희망을 선택하고

두려움과 신뢰 중 신뢰를 선택하고

믿음과 의심 중 믿음을 선택하기.

오락가락하지만 결국은 긍정적인 쪽으로 향하는 방향성이 있다면 긍정적인 노력이 쌓여 결국 긍정적인 결과물이 만들어지지 않을까.

삶이 힘들다고 매일 투정부리지만 때로는 내 삶에 대해 근거 없는 확신이 들곤 한다. 신을 믿을 수 있을 것 같고 모든 것이 잘되어나갈 거라는 믿음이 생긴다. 신이 이유가 있어 나를 이렇게 만들었을 것이다. 지금은 그 뜻을 알 수 없지만 믿고 따라가다 보면 어딘가에 다다를 것이라고. 나에게 필요한 과정이기 때문에 내게 일어난 일이라는 생각이 든다.

긍정적인 쪽으로 향하려는 방향성으로, 웬만하면 긍정적인 감정들을 느끼고 살고 싶다. 절망감 고통 괴로움 두려움 그런 것보다 긍정적인 감정을 느낄 때 더 살만하다고 느끼니까

댓글

진솔하신 글 잘 읽고 갑니다.

그렇게 그렇게 흔들리고 때로는 방황하면서도 조금씩 조금씩 나아가는 것이겠지요

저의 이상한글 읽어주시고 댓글도남겨주셔서 감사합니다. 참 머리 복잡하게 살고있죠? 단순하게 사는게 젤좋은거같아요. 평온한 하루되시길요. 막 산책다녀왔는데 오늘 날씨 참 좋아요.

2021.03.22

<지구별 심부름>

나를 이 세상에 내놓을 때
이 지구별에 여행을 오기로 했을 때
신이 내게 단단히 일렀다.
너는 힘든 인생을 살 것이라고.
그러니 인내해야만 한다고.
그리고 또 그 힘든 시간이 오래 걸릴 것이라고 하셨다.
그래서 특히 그런 내게 어울릴 참을성과 인내심 같은 것을 주시며 세상에 내보내셨다.
어느 정도 단단한 마음과 깊이 생각하는 버릇 같은 것도 주셨다.
재능 같은 것도 주었으면 더 좋았을 것을.
또 존재가 많이 아플 거라고 하셨다.
많은 갈등을 하고 외로울 거라고도 하셨다.
그것이 염려돼 조금이나 도움이 되라고 나와 같은 시공간에 많지 않은 몇몇 인연을 뿌려놓으셨다.
나 그래서 얼떨결에 이 지구별에 여행을 와서
내게 주어진 길 걷으면서
내가 누구인지 자문하기도 하고
타인과의 사이에서 갈등도 하고
인생의 숨겨진 의미를 찾으려고도 하는데
때로는 이 사막 같은 여행길이 못 견디겠어 가끔 하늘을 올려다보며 절규도 한다.
도대체 나는 누구이고

이 삶에서 무엇을 해야하는 건가요
잡힐 듯 잡히지 않는 희망으로 간신히 목을 축이고
신과 대화하려고도 한다.
나의 목적지는 어디이고 당신의 계획은 무엇인가요
때로는 의지할 곳이 아무데도 없는 것 같다.
나 이 세상에 내놓으실 때 또 하신 말씀은 없으셨을까?
나를 이 혹독한 세상에 내보내며 내게 맡기신 심부름은 무엇이었을까.
나 이 세상을 살며 무엇을 추구하라고 하신 것일까.
분명히 있었을 것 같은데 까먹고 기억이 나지 않아
오늘도 나는 방황하고 있습니다.
나 힘들고 지치면 어떻게 하라고도 분명 말씀 하셨을 거 같은데
기억이 나지 않아서 오늘도 나는 아파하고 있습니다

댓글

저도 비슷한 생각을 할 때가 많습니다.
때로는 지나고 나서야 신의 뜻을 알 게 되곤 하지요..
옛말에 가고 가고 또 가다보면 알게 되고, 행하고 행하고 또 행하다보면 이루게 된다는 말이 있습니다.
*님의 방황과 모색이 결코 헛되지 않을 것입니다.
좋은 글 오늘도 잘 읽고 갑니다^^

이제 날도 따뜻하고 사람들 옷차림도 가벼워지고 완연한 봄인가봐요. 올봄에 좋은일 많이 생기시길..

(...)

일본 젊은 세대의 노래는 처음 듣는것같아요. 감사합니다. 근데요,

이 가수가 "당신같은 사람이 사는 세상"을 동경한다고 했는데요,

이게 무슨 뜻인가요? 이 사람들의 문화, 특히 젊은 사람들의 심리는, 잘 모르니까요.하여튼 좋은 노래 들려 주셔서 감사해요!!

농담 잼께 잘하시네요. 잘보면 이리저리 짜집기한 조잡한글이에요.

저는 선생님처럼 글이 줄줄 안나와서 이리저리 이어붙입니다..

저는 명상을 2년넘게 했는데 진전이없네요.

스트레스풀리고 차분해지는 효과는 있는데 그 이상은 안되네요. 저두 참 희열을 느껴보고싶거든요..

글구 노래요? 저가 뭘알겠습니까. 그냥 좋으니까 들을뿐이죠. ㅋㅋ

저두 아무것도 몰라요,사실은...보조국사 지눌스님이 쓰신 수심결이란 책에 "보물 창고를 앞에 놓고서 왜 포기하는냐?"란 말이 나와요.명상하는 사람이 지금 잘 안된다고 포기하면 안된다는 말씀이시죠. 사실 그래요. 언제 그 보물창고를 발견하게 될지는 자기의 업이나 전생의 수행경력등 여러가지가 작용하기 때문에, 보물창고 목전에서 포기하는 수행자도 많겠죠.

저는 잘 모르지만 삼매의 순간은 우연하게 갑자기 온대요.

그래서 꾸준히 하다보면 밥?이 된대요. 요새 큰 스님들 수행담

보세요. 깨닫는 것도 운 같아요. 비록 전생의 공부와 수행이 많이 좌우하지만요~~

일본 노래도 저는 이제 노짱이라서 구슬픈 엔까가 좋네요. 우리 세대쯤되는 *님 노래를 좋아하는데, 요새는 * 선생님 노래를 많이 들어요, 역시 가요는 *여~~~날씨가 따뜻하네요.잘 지내시고 또 뵈요~~

네 꾸준히 해야겠네요. 감사해요. 담에또뵈여

2021.04.16

<수행하는 삶>

나의 인생 자체가 고행이라 본의 아니게 혹독한 정신수행을 하며 살고 있다.

나름대로 잔잔하게 유지해오던 마음의 호수에 또 한번씩 돌멩이가 던져지고, 그러면 또다시 평정이 깨어지고 마음을 다스릴 수가 없다. 겨우 유지해오던 달콤한 맛의 고요가 깨어지고 무기력한 자신을 느끼면 쓴웃음을 짓게 된다.

내 마음에 침투한 그 이물질들을 떨쳐내려 하지만 잘되지 않고 오히려 점점 흙탕물 범벅이 되어버린다. 그 흙탕물을 헤집으며 어느새 나 자신을 잃어버리고 세상에 휩쓸려버리고 만다. 내가 그렇게 싫어하는 '세상에의 얽매임'.

그러면 다시 마음을 다잡고 다스리려 노력한다.

마음을 평화롭게 가진다, 잡다한 세상 일에 마음쓰지 않는다, 두려움을 없애고 나 자신을 믿는다, 내려놓는다, 마음을 비운다...

그러다가 생각한다.

이제는 조금 진전되었는 줄 알았는데 아직 수행이 부족하구나. 아직도 이렇게 세상에 시달리고 구속을 받고 있구나...

나의 혹독한 인생이 나를 이 길로 인도했다.

고통을 벗어나기 위해 깨달음을 추구하고 명상을 하게 되었다.

나름 고요와 평화를 유지하려 노력하며 수행을 해나가다가, 이제 차츰 나아지고 이제 차차 자유로워지는 듯 하다 할때마다 현실이 또다시 나를 치고 지나가면서 제자리에 묶어놓는다.,

아직도 상황을 감당하지 못하고 아직도 마음을 다스리지 못하는 모습의 나로. 늘 제자리걸음만 하고 있는 것 같다.

그럴 때마다 한계를 느낀다.

나는 그저 여리고 평범한 존재일 뿐이란 것을 느낀다. 안되는가 싶어진다. 이런 식으로 진아를 깨달을 수 있을지 모르겠다.

진정 깨달아서 업을 소멸하고 희열을 느끼고 싶은데.

그저 범속한 인간으로써 내가 깨달음과 초월을 꿈꾼다는 게 가능한지 모르겠다.

산으로 들어가서 살고 싶다.

댓글

가끔씩 찾아와 *님의 글을 여러번 읽곤 합니다.

치열하게 그것도 숨이 막힐 정도로 치열하게 살아오신거 알고 있습니다.

그리고 어느덧 *님의 다음 글을 기다리고 있는 저를 발견하곤 합니다.

누구인들 불완전한 모습일 겁니다.

크고 작음의 차이만 있을 것이고요.

푸르디 푸른 봄날이네요^^

저, 글 이상하게쓰잖아요.

저두 쓰고나서 다시 읽는거 안좋아하는데 찾아와 읽어주셔서 감사합니다.

어설픈글읽는재미일까요. 브런치작가신청 절대안뽑아주거든요. 페북에글쓴지2년넘었네요. 갑갑해서 여기서 소통하고나면 마음이 많이 가벼워지곤해요. 좋은봄날되세요.

제가 계속 찾게되는것은, 그건 아마 *님 글 속에서 느껴지는 진솔함때문이겠지요^^

계속 지금처럼 써내려가세요.

누군가로부터 인정을 받는다는게 물론 중요한 일이겠지만, 그렇다고해서 그것이 우리가 하는 일의 목적 자체가 될수는 없을겁니다..

*님이 꾸준히 글을 쓰는 것 그 하나만으로도 지극히 훌륭한 일이라고 생각합니다.

그러다보면 우리를 둘러싼 현실도 조금씩 바뀌어가겠지요.

용기잃지말고 항상 건강하세요.

응원말씀감사합니다.

저가글을쓰고싶어서요.

잘써서인정도받고싶은데

다른사람글보고 책읽으면 저가많이부족한게느껴져요.

많은노력이필요한거아는데

그래도 노력하면서살고싶어요

그냥사는거보다꿈이있는게좋잖아여 ㅎㅎ

좋은하루되시길요

2021.05.24

<이불을>

이불을 덮어쓰고 누워서 천장을 바라보고 있었고 청승맞게 눈물도 한줄기 흘리고 있었다.

고등학교를 졸업하고 난 어떤 날이었다.

힘들던 고등학교시절이 끝나고 이제 본격적인 인생이 시작되는 그런 때에 나는 왜 그러고 있었을까. 공부할 정신도 없이 힘들어만 하면서 보낸 고등학교 3년이 끝난시점에 나는 누워서 천장을 바라보며 그 시간들을 돌아보고 있었다.

힘들었던 시간이 끝났지만 기쁘지도 않은 복잡한 심정을 느끼고 있었다. 내 인생 중 3년이란 짧지 않은 시간을 되돌아보는데 그 엉망으로 보낸 시간이 뭐랄까. ...어휘가 부족한지 표현할 말을 찾을 수가 없다.

그리고 그때 내 손에 쥐어진 건 겨우 전문대 합격증 하나였고 웬지 앞으로의 내 인생도 불안하게 느껴졌다. 내가 맞이할 앞으로의 시간은 다른 사람들처럼 인생의 절정기, 그런 게 아닌 거 같다는 느낌이 들었다.

거대한 힘이 내 인생에 휘몰아쳐서 거기에 무기력하게 휩쓸려 간 3년이었다. 그 힘이 나를 보통 사람들이 걷는 일반적인 길에서 벗어나게 했고 그 시간동안 나는 내 의지대로 삶을 살지 못하는 무기력밖에 배우지 못했다. 내 삶이 이미 내 삶이 아니었으며 그 힘이 또 나를 어디로 데려갈지 알지 못하고 있었다.

그때, 누워서 천장을 바라보며 했던 생각들이 떠오른다.

'나는 정말 노력할 수 없었을까.'

나를 휩쓴 거대한 힘을 거스르는 노력은 못해도 그 속에서 조금은 미래에 대해 준비하고 노력 할 여유조차 없었을까

힘들다는 이유로 앞으로의 인생까지 이렇게 미끄러지게 내버려둬야만 했을까.

다른 아이들이 열심히 미래를 위해 공부할 때 나는 그렇게 살수밖에 없었을까. 그렇게 무의미하게, 되돌아보면 아무것도 남는 것 없게...

나는 그때 아마, 지난 시간들을 돌아보면서, 과연 누구의 책임인지를 물어본 것 같다. 과연 나는 최선을 다했는지, 내게 책임이 없는지 스스로를 추궁해보고 싶었던 거 같다.

하지만 고개를 저었었다.

지금 생각하면 그때 상황을 바꾸기 위해 노력을 해볼 수도 있지 않았을까 라는 아쉬움도 들지만, 그때의 생각으로는 아무것도 할수 없었다고 느낀 것이고 아마도 그게 맞을 것이다.

나는 그때 거대한 힘 앞에 무릎을 꿇었던 것이다.

누가 내게 네 태도가 글러 먹었다, 니가 그러니까 그렇게 산다 할지 모르지만 나는 정말로 내 인생이 내게 달려있지 않은 거 같다. 더 큰 힘이 나를 움직이는 것 같다.

나를 비난하지도 않는다.

그 시절, 아무것도 하지 못했지만 나는 최선을 다해 그 시간들을 버텨냈으니. 그것으로 이미 벅찼다.

그리고, 그때의 그 패배감이 잘못된 것임을 이제는 안다.

지금의 나는 대학, 직업, 배우자 등 무엇 하나 제대로 갖추지 못했지만 그런 이유로 내 인생이 패배라고 생각하지는 않는다.

보통사람들의 길에서 벗어났다고 해서 패배는 아닌 것이다.

모두에겐 자신의 길이 있고 각자의 삶의 의미가 있는 것이니까.

타인의 눈같은 건 무시한다.

그렇다고 내가 지금 나의 인생을 받아들이거나 나의 운명을 사랑하고 있지는 못하지만, 타인과는 다른 나만의 인생의 목적이 있을 것이라고 믿고 그 삶을 인내심을 가지고 살아가기로 한다.

댓글

아름다운 독백이시네요. 문제는 마음의 레벨을 낮추는 겁니다.명상을 해서 위로 들뜬 마음을 가라안치 시면 되는 겁니다. 마음을 고요히 만들 수록 좋은 결과가 생기죠.

문제는 마음을 고요히해서 본래 마음이 있는 곳으로가면 되요. 간단하죠. 진언 염송도 좋죠.

옴 마니 반 메훔 같은것도 좋구요.

하옇튼 돌파구를 찾아보세요. 출구, 문은 반드시 있어요.

마음의레벨요. 저두 명상하면서 산만한마음많이가라앉혔어요. 명상의힘으로 재충전해서 매일다시살아볼힘이생긴거같아요.

하루한시간이상해요. 생각을 거리를두고보고여 차분해지고요.

자세잡기가 좀어려워서그렇지 몸이 더이상쑤시고하지도않는데

명상이깊이들어가지지가않아서고민이에요.

하다보면나아지겠죠.

출구가반드시있다고하시니 참좋으네요

양선생님, 너무 조급하게 생각하지 마세요. 꾸준히 하다보면 비약적으로 잘 될때가 있어요. 그때 부터 진정한 도道 닦는것이 시작되어요.힘들더라도 꾸준히 하십시오.양 선생님 홧팅!!

네 그쵸. 맘편하게. 영적으로진화된사람도아니고 천천히나아가야죠. 하다보면 또 신의은총으로..ㅎㅎ

이미지 생략

오늘을 살겠습니다. 감사합니다.좋은하루되세요

2021.05.25

<경품>

매일 아침 시작하기 전 두근두근 타임.

경품응모.

오늘은 한 개 걸리지 않을까.

작은 거라도 걸리면 기분상승!

매일 20~30분 투자해서 안 걸리는 날도 많은데 이것이 효용이있느냐. 그래도 두근두근 시간이 좋다. 소소한 거 몇 개라도 좋다. 이제 큰 것도 하나 터질 때가 되긴 했는데..

무심코 손가락을 놀리는데 당첨 창에 떡하니 흑삼이라든지 가구라든지 떴을 때의 기분을 잊지 못한다.

다른 거는 기다림이 지루해서 안하고 즉석당첨 이벤트만. 그리고 머리 쥐어짜서 행시 응모하는 것도 좋고.

이번 달엔 치킨이 두개나 걸렸다. 와우. 빨리 깁콘이 날아오기를..

댓글

신기하기도 하고 놀랍기도 하네요..

경품을 통해 만나는 *님의 동시성 체험이네요

읽을때마다 항상 흥미롭습니다^^

감사합니다. 경품은 저의 힐링입니다

2021.06.04

<브런치 신청>

어제 오후에 신청했는데 오늘 오전 10시에 일찍이도 결과메일이 왔네

<안타깝게도 이번에는 모시지 못하게 되었습니다.>

이번만인가요. 지금이 벌써 몇번째인가요?

신청할 만한 글이 없어서 전에 쓴 걸 다시 조금 고쳐서 신청했는데, 역시나 불합격.

'이게 뭐야, 전에 꺼 고쳐서 또 신청했네' 하면서 바로 넘겨버렸을 담당자의 모습이 그려집니다. 적어도 전에는 이렇게 빨리 불합격메일이 오진 않은 거 같은데.

브런치 작가신청에 말 그대로 칠전팔기했다는 사람은 봤지만 나처럼 열번넘게 떨어진 사람은 있을까요?

하. 한숨 푹푹. 나도 내가 글을 못 쓰는 것은 아는데

그래도 이번은 저번보다 나은 거 같아 하고 혹시나 하고 신청하면 어김없이 불합격 메일.

"보내주신 신청 내용만으로는 브런치에서 좋은 활동을 보여주시리라 판단하기 어려워 부득이하게 모시지 못하게 된 점 양해 부탁드립니다."

이런 똑같은 말 말고 뭐가 문제인지, 뭘 어떻게 고쳐야할지 조언

을 해주면 좋을 텐데.

자기소개서에 칙칙하게 히키코모리라는 소개가 마음에 안 드는지, 아니면 글이 영 수준미달인지, 글의 성격이 브런치와 어울리지 않는 건지. 글을 술술 써야하는데 내 글이 이리저리 끼워 맞춘 조잡한 글이기 때문일까. 내가 봐도 브런치에서 활동하는 사람들을 보면 글을 자연스럽게 술술 쓰지 나처럼 조잡하지는 않는 거 같다.

그래서 그럴까? 글쓰는 스타일을 고쳐야 할까. 내가 고칠 수 있을까.

심사하는 사람은 참 귀신같네. 내 글이 그렇게 조잡한 것을 용케도 느끼는가 보다. 하긴 하루에 수십 수백 심사할 테니 가능성 있는 글과 허접한 글을 가려낼 줄 아는가 보다.

글 잘 쓰는 법을 누가 가르쳐주면 좋겠다.

어떻게 하면 글 실력을 늘릴 수 있는지 가르쳐주면 좋겠다.

난 아예 작가가 될 자질은, 역량은 없는 걸까. 노력해도 안되는 걸까?

사실 책도 잘 안 읽히지 않는가.

청소년들도 다 읽는 '데미안' '독일인의 사랑'

그런 책도 나는 안 읽혀서 읽다보면 머리를 때리고 있다.

이 정도는 읽어줘야 나도 글을 쓸 수 있을 거 같아서 읽기는 하는데 독해력이 떨어져 읽는 내내 '머리가 나쁘구나. 머리가 나쁘구나' 라는 생각이 든다. 책이나 글과는 아무래도 인연이 없는 걸까.

하지만 나는 달리 할수 있는게 없는데

글쓰기 외 내가 세상에 달리 할수 있는게 없는데.

글도, 안되는 걸 하고 있는거 같고 인생도, 안되는 걸 살고 있는 거 같고. 아아, 실의에 빠진다.

브런치, 저 좀 뽑아달라구요. 저한테 너무하는 거 아니에요?

댓글

*님 글을 읽으며 마음이 아팠습니다
절대 포기하지 마세요
항상 힘내세요 응원할게요~

중용에 관한 글을 읽다가, 좋은 글 같아 올려봅니다
건강 잘 챙기시고요 다시 힘내어 뛰어봐요^^

항상 관심으로 읽어주시고 응원도 해주셔서 감사 감사합니다

2021.06.08
<그럴 때가>

그럴 때가 있습니다.
그만 다 포기하고 싶은.
힘이 다 빠지고 의욕이 하나도 없고 갑자기 내 앞에 놓인 삶이 너무나 못 견딜 듯 느껴지는 순간이 있습니다.
내가 살고 있는 이 생이 내게는 너무나 피곤해 이제 그만 쉬고 싶을 때가 있습니다.

살기위한 노력과 투쟁들이 지치고 이제 그만 휴식하고 싶은 생각밖에 없을 때가 있습니다.

무의미하게 생을 마감하지는 않으리라고 의지를 다지곤 했지만 또 어떤 때는 너무나 지쳐서 지금 이대로 나를 데려간대도 저항 없이 따라가리란 생각이 들 때가 있습니다.

아니 제발 나를 데려가줬으면 할 때가 있습니다.

다만 나 스스로 포기할 용기가 없어 그저 어쩌지 못하고 있습니다.

헝클어진 것들, 인생의 난제들을 감당하기 벅차 그만 달아나고 싶을 때가 있습니다.

도무지 내 인생에 출구는 보이지 않고 하루하루는 버티는데 불과하니 이것을 삶이라 할 수 있을까요

삶을 의미 있게 살아보려 하고 신념을 가지려 노력도 하지만 때로는 내가 걷는 길에 확신이 없습니다.

다른 사람들처럼 살지 못하는 내가 답답합니다.

때로는 삶은 본래 무의미한 것이 아닌가 하는 의심이 듭니다.

모든 게 다 호의적이지 않은데 변함없이 긍정적인 마음을 먹기란 쉽지 않습니다.

그만 기권하고 싶은 때가 있습니다.

그냥 다 집어치우고 싶을 때가 있습니다.

그냥 다 포기해버리고 싶을 때가 있습니다.

댓글

양선생님, 결코 포기한다는 말도 하지 마세요. 분명 인생에는 각

자 나름대로의 목적이 있습니다. 남들 돌아보지 마시고 양선생님의 인생길을 걸어 가세요. 그러다 보면 남들보다 더 높은 산봉우리에 도달 할 수있어요.

비록 종교는 다르지만, 명상 수행하세요! 겸손하고 겸허한 수행자가 되세요. 이보다 좋은 인생길은 없어요! 조금 있으면 오로봉 정상에서 짐 다 내려놓고 편히 쉬실 날이 있을거예요.

명상 방법을 하나 정해서 꾸준히 노력하시면 Liberation,moksha

자유와 해탈이 양선생님 옆에 와 있을 거예요. 명상에 대해서 궁금하시면 저한테 물어보세요. 조금은 도움이 되실 거예요.

***@gmail.com 으로 연락해도 되요.

힘 내시고 홧팅하세요!!

감사해요. 오늘은 자꾸 눈물이 날라 그랬어요.

저가 명상을 잘 못하고 있는거 같긴한데 그냥 혼자 나름대로 하고있어요.

마음을 정화하고 치유하는 느낌으로 하는데요

명상센터가서 배우라는데 저가 갈수가없거든요.

명상을 깊게하기위해 저가 뭘 알아야할까요?

저가 겁이나서 다가가지못해요.

제 멜주소는*@naver.com인데요.

글로 설명해주시든지 그냥페북친구로서 이렇게 조언 만해주셔도 감사해요

글생략

잘읽어보았습니다. 감사해요

2021.06.15

<중환자>

중환자입니다.

시름시름 앓고 있습니다.

치유법을 알 수 없는 병에 걸렸습니다.

갈수록 병은 깊어져 가고 있습니다.

이제는 병이 전이되어 여러 가지로 앓고 있습니다.

자신 없음, 두려움, 불안, 외로움, 소외감..

병이 참 여러가지로 뻗어나갔습니다.

몸으로 치면 중환자실에 누워 있어야 할 아픈 마음으로 돌아다니고 있습니다.

아무도 돌봐주지 않습니다.

나아질 듯 하다가는 다시 심각해지곤 합니다.

치유법을 알 수 없습니다.

저 여기서 앓고 있습니다.

시름시름 앓고 있습니다.

댓글

죽을 힘은 다해 1시간 산책하며 걷기를 추천합니다.

자연이 도와줄거에요..

강산에 넌 할수 있어..
등 힘을 주는 노래를 들으세요

댓글 달다가 한 정거장 지나쳤네요..힝
청소하기 요리하기 등 몸을 움직여보세요~

엄살부려서 죄송해요.
저가왜그랬으까요..외로워서그랬나봐요.
저한번씩그러니까 이해해줘요. 일케 응원해주시니 이제 마음 괜찮아요. 노래도 잘들었어요. 강산에한테 에너지많이받고 좋은데 저땜에 한정거장더가서 어떡한대유..

원래 건강 하셨잖아요. 지금은 잠시 콧물 감기에 걸렸을 뿐이에요. 이까짓 콧물감기~하면서 이겨내세요. 그럭하다 보며는 감기와의 전쟁에서 이긴 용감한 전사가 되어있을 거예요. 달마대사님이 도와 주실 거예요~노력하시다보면 구원의 그날이 요기 바로 앞에 있을거예요. 양선생님, 지금부터 콧물 감기와의 전쟁을 시작하세요. 그리고 머지않은 훗날 승리자가 되세요. 인도에서는 승리자를 마하비라(mahavira)라고 한데요. 양 mahavira!!

엄살부려 죄송해요.
늘 좋은말씀 감사하고 힘많이 얻어요.
저가무슨 마하비라?까지 되겠나싶지만 그래도 진심으로 해주시는 응원이시죠?

달마님말씀잘읽고 모르는건질문할게요.

감사합니다

진심으로 마하비라가 되시길 바래요. 명상 공부도 같이하면 님도 좋고 나도 좋겠죠.

이런걸 두고 윈 윈한다고 하죠!

양 선생님 홧팅!!

네 선생님두 홧팅입니다

서영은 노래 혼자가 아닌 나 추천합니다

노래잘들었습니다. 씩씩하게하루시작합니다

2021.07.26

<되도 않는 시>

되도 않는 시를 가끔 짓곤 했는데

뭐 무조건 시도해 보는게 나쁜 거는 아니지만

까페에 올리면 "이건 시가 아니다. 당신은 관념으로 시를 쓴다"고 마구 비판하는 사람이 있었는데, 이 책을 읽고 보니 그동안 내가 얼마나 되도 않고 기초공사도 안 된 시를 썼는지 알겠다.

시는 이렇게 마음의 여유도 느낄 수 있고 느낌도 있고... 그래야 하는데 말이다. 나는 그냥 관념을, 생각들을 줄줄 쓰고 그런 거 같다. 그게, 잘 고쳐질지는 모르겠다. 글을 그렇게 쓰는 게 버릇이 되나서.

이제 마음의 여유가 조금 느껴지는 것인가.

그동안은 하루 종일 생각하고 또 생각하고, 나를 일으키기 위해 스스로를 설득해야 했기에 관념들을 머릿속에 많이 쌓아둔 거 같다. 생각이 없을 때의 편안함을 최근 조금씩 느끼게 되었다.

그냥 언덕에 올라 시원한 바람을 맞는 것처럼 아무 생각이 없어지는 순간.

언젠가부터 나는 마음이 예민해져서 사람들의 눈빛 하나 목소리 하나에도 불쾌를 느끼고 마음을 다치고 아파하곤 한다.

그냥 넘기지 못하고 끄달리며 집착을 한다.

그것이 그럴만한 일이고 마음 아파할 일이라고 생각한다.

내가 힘든 것이 이 지점이다. 마음 먹기 달렸다지만 나는 내 의지로 불쾌를 막지 못한다. 수행을 더해도 마찬가지다. 그러나 그래봤자 소용없다는 것도 잘 안다.

늘 생각으로 마음을 고쳐먹으려 노력했던 것 같다. 스스로를 설득하는 말들. 단순하게 생각하라. 개인적으로 받아들이지 마라. 그런 식의 관념들. 하지만 생각으로 감정을 조절하려는 것은 잘 되지 않았던 거 같다.

그러다 어떤 날은 그냥 이렇게 아무렇지 않게 넘길 수 있게 된 것이다. 복잡한 관념의 세계로 들어가기보다 그냥 시원한 바람만 느끼며 무심히 지나쳐버리는 식의..

그래서 내 주위에 일어나는 일들에 아예 관심을 주지않는. 한번씩 연습해보는 단계다. 도무지 그렇게 안 되는 날도 있지만.

마음이 비워지고 그 빈 공간에 바람이 살랑살랑 분다.

그런 날이 조금씩 늘어났으면 좋겠다.

내가 조금은 가벼워진 거 같고, 이렇게 마음이 가벼워지니 얼마나 좋은지...

마음을 조금만 바꾼 것으로 이렇게 할 수 있는데..

아직 구덩이에서 나오지는 못한 사람으로써 성급히 이제 나아졌다고 말할 수는 없지만 앞으로 관념보다 마음의 여유를 갖고 풀어나갈 수 있었으면 좋겠다.

나날이 나아져 가면 좋겠다.

댓글

양선생님, 그렇죠. 빈 마음이 편하죠. 마음을 비우고 비우세요. 그럴수록 평화롭고 행복해진답니다. 인생의 비밀은 마음에 있대요. 절학무위 한도인(絶學無爲 閑道人)이라는 말이 있죠. 배움도 끊고 아무것도 하지않는 한가한 도인 이라는 말이죠. 즉 마음비운 한가하게 사는 사람이죠. 조주선사 아시죠. 가장 위대한 선사(禪師)이시죠. 이런 재미있는 일화들이 있죠. 어느날 조주선사께 어느 스님이 도(道)를 물으러 찾아왔어요. 그 스님이 조주선사 앞에 오니까 조주 선사께서 말했어요. "내려 놓아라"고 말이죠. 그러니까 이 스님이 이해를 못하고 말했어요. "저는 아무것도 매고 있는 것이 없습니다." 그랬죠. 그러니끼 조주선사께서 "다시 메고 가거라"라고 했답니다. 이 일화에서 조주 선사는 무엇을 내려 놓으라고 했을까요? 바로 탐,진,치 같은 마음이죠. 욕심내고, 화내고, 어리석은 마음을 내려 놓아라, 비워버려라 하신 것이죠. 이 스님이 못알아 들을 만도 하죠. 이 밖에도 조주 선사의 마음 비우는 일화가 많이 있죠. 끽다거(喫茶去), 차나 마셔라!하는 선문답도 있고요. 마음을 비우고 비우면, 봄에는 꽃이 피고, 여름에는 시원한 바람이 불고, 가을에는 달빛이 아름답고, 겨울에는 눈이내리는 아름다운 세계를 살게 된다고 하는 조주 선사의 시가 있죠. 조주선사(趙州禪師)를 검색해 보세요. 양 선생님은 (....) 자기의 고민을 애기하는 것보다 남들의 마음을 편하게 해 주는 시와 글들을 쓰시면 친구들도 많이 생기실 것 같아요. 하옇튼 마음공부 열심히 하셔서 마음 비운 도인되 되시고 아름다운 시인도 되세요. 기도 드릴께요! 화이팅!!

마음을 비우는게 정답이네요. 말씀감사합니다. 선생님 이야기는 참 재미있는거같아요.다음에 또 잼난 이야기 들려주세요..

여름이라 산책하고오니 땀을 한바가지 흘렸네요. 그래두 숲길걷고 자연을보고오니 좋습니다. 우야둥둥 더위조심하시고 건강한하루 보내세요.

홧팅!!

옛써!! 홧팅반사

2021.08.03

<거센 물살을 거스르는 삶>

나는 왜 이렇게 사는지도 모른 채 아침에 눈을 뜨면 고통의 한복판에 있는 나를 발견한다. 말로 표현할 수 없는 괴로움과 누구의 도움도 지켜주심도 느껴지지 않는다. 그저 새까만 우주에 누구도 신경쓰지 않는 한 점으로 존재하고 이대로 천년의 고독을 느껴야 할 것만 같달까. 견딜 수 없는 우울과 외로움에 고통이 밀려오고 간절히 사라지고 싶다.

인생은 고통이라는데, 그래도 사람들은 나름의 평화와 기쁨 속에서 살아가는듯한데 나는 아무데서도 안식을 찾을 수가 없다. 눈을 뜨고 날이 밝아오는 것을 보며 또 살아있음의 고통을 느낀다...

매번 그런 아침이 반복된다.

그러다 아침이 지나면 나아지는데 그건 나아지는 게 아니라 그냥 덮어놓고 눌러두기일 뿐인지 모른다.

다시 다음날 아침이 오면 돌아오니까.

이 기분을 마주 보고 끝장을 내고 싶지만 그저 무기력하게 끌려갈 뿐이다. 고통스러워할 뿐이다.

이 기분에 시달린지가 얼마나 오래되었나.

내가 아무리 조금씩 나아진 것처럼 느껴도 여전히 한계를 느끼는 게 이 부분인 거 같다. 나아지고 있다고 생각을 해도 몸은, 그렇지 않다고 여전히 힘들다고, 호소를 해대니까.

힘들다고, 어렵다고, 아무것도 해결되지 않았다고, 어떻게 좀 해달라고, 아침마다 마음이 말한다. 하지만 그 힘들어하는 내게 해줄 수 있는 것이 아무것도 없다. 그래서 더 고통스럽다.

지금의 내 삶은 순조롭게 흘러가는 인생이 아니다.
마치 거센 물살을 거스르고 있는 것 같다.
내 의지와 다르게 자꾸만 부딪혀오는 물살을 거스르기 위해서 억지로 억지로. 힘을 내고 있다.
이유도 모른 채, 어쨌든 살아가기 위해, 있는 힘을 다해 물살을 거스른다. 하지만 아무런 보상이 없다. 계속 그러고 있을 뿐이다.
한고비 넘기면 또 한고비, 벽을 마주하고 나서 또 다시 벽.
"내가 이렇게 노력하면 너도 어떻게 좀 해줘야지... 도무지 말도 안 통하는 사람같이.." 세상에게 이렇게 중얼거린다.

언제까지 이래야 할지 알 수 없다.
어쩌다보니 이렇게 거센 물살을 거스르며 사는 인생이 되었다. 이건 정말로 내가 원하던 인생이 아니다. 고단하다. 황당하다. 나쁜 꿈을 꾸고 있는 것만 같다. 어떻게 하면 깨어날 수 있을 것도 같은데.

댓글
저는 살아있음에 감사 드립니다.
무기력할때 병원 응급실과 시장 노점상인들을 생각하면 감사하는 맘이 절로 생깁니다

시장노점두 병원응급실두 마음이 편안하구 받아들이면 행복하죠. 저는 사치부리는게 아니에요. 노점상과 기꺼이 자리바꾸고싶어요. 정상적으로 사회에받아들여지기만한다면요.
저가부정적인생각만하는게아닌데어쨌든 주기적으로 글로털어내야

다음단계로넘어갈수있어요.
괜찮을거에요.
읽어주심 관심가져주심에 감사합니다

2021.08.16

<새싹이>
2월달에 우리집에 온 '새싹이'
생명력이 강하다는게 마음에 들어 샀는데
생명력은 강한지 몰라도 통 크지를 않고 8월까지 그 크기 그대로 정체되있었다.
그리고 얼마 전에야 가운데에 잎이 커져서 벌어지고 있는게 발견되었다. 아이구 이제 크는구나. 생명력은 강해도 통 크지 않는 게 꼭 나 같아서 참 답답하고 서글프더만.
햇빛비치는 곳에 놓아둘테니 햇빛 많이 먹구
앞으로 쑥쑥 커야한다. 새싹아.
나두 한뼘씩 성장할 테니.
아이구 우리 새싹이 이뻐라.

댓글
양선생님, 기분 좋으시네~~항상 그러꼬롬 사시유잉~~고게 극락

이라는 거구마잉~

네 그러꼬롬 살아보죠잉. 극락이 가까이있었네용 늘 감사합니당

2021.08.22

<간밤꿈>

간밤 꿈에 간만에 행복했다.
예전에 한때 좋아했던 이름도 잊혀진 사람이 나왔는데
그 사람과 같은 공간에 함께 있으면서
내가 좋아하는 줄도 모르고 스스럼없이 대해주는 모습을 보며
좋아하는 마음 숨긴 채 바라보는데
마음이 어찌나 달콤하고 설레는지
그 순간, 살아있음이 오랜만에 행복했다.
맨날 이런 꿈을 꾸면 얼마나 좋을까.
오늘하루 꿈속의 그 기분이 옅게 깔린 채 보냈다.
꿈의 후반부는 별로다.
그 사람 사는 동네 떠나서 집으로 가려는데
버스정류장에서 노선도를 보며
몇번 버스를 타야하나, 집으로 바로 가는 것도 없고, 어디서 갈아타지, 다른 버스정류장에 가볼까, 다른 정류장은 어디 있지. 그곳엔 집에 가는 버스가 있을까..그랬다.

이렇게 어느 버스를 타야할지 곤란해 하는 꿈은 종종 꾸는 꿈이다. 혹은 어디로 가야 할지 몰라서 어쩔 줄 몰라하는 동안에 순식간에 낮과 밤이 여러 번 바뀌어 버리는 꿈도 가끔 꾼다.

2021.08.26

<성자>

아마 초등학교 3~4학년때 쯤.

그때는 요즘과는 다르게 점심시간이면 교실이 텅 비었었다.

다들 운동장에 나가서 논다고.

친구가 없던 나는 교실에 혼자 남는 것이 어쩔 줄 모르게 부끄러운 일이었다. 그래서 나도 운동장에 나가서 걸어 다녔다. 노는 아이들 옆을 지나 어디 목적지나 있는 것처럼.

그래도 어차피 내가 친구가 하나도 없는 외톨이라는 건 숨길 필요 없이 누구나 다 아는 사실이었을 텐데. 그때는 그것을 그렇게나 의식했었다.

혼자 있는 초라함을 어떻게든 숨기고 싶어 운동장에서 애매하게 걸어다녔던 그때의 내 마음. 그때가 떠오른 건 지금의 내 모습이 그 시절과 그다지 다르지 않게 느껴져서일까.

가끔 그런 생각이 든다. 나는 외로움을 타고난 운명일까, 나는 자유롭지 못함을 타고난 건 아닐까. 그런 운명이 울타리처럼 나를 감싸고 있는 건 아닐까. 그래서 이렇게 번뇌하고 고뇌하면서 구속을

느끼는가. 아무리 노력해도 나는 이 괴로움을 벗어날 수 없는 것 아닐까. 이 부자유 무기력 외로움

아마도 많은 사람들이 나와 같은 이유로 구도의 길을 가는 걸까. 나도 자연히 깨달음을 추구하게 되었다. 내 인생의 답은 깨달음이라는 걸 알았다. 그러나 정말 그 답이 깨달음인지 과연 내가 깨달음을 얻을 수 있을지 확신 없는 나날을 살고 있다.

삶의 구속으로 힘들 때마다 이 공부로 마음이 편안해질 때가 있다. 그러면 확신도 든다. 역시 이게 내 길이 맞는 것 같아. 지금까지의 내 고달픔은 이 길로 오기위한 과정이었어.

그러며 현실에 무심한 태도를 취하며 성자흉내를 내본다.

그러나 흉내에 불과했는지 다시 경계에 끄달리고 만다. 그러면 또다시 마음이 괴롭고 번뇌에 시달린다.

삶이란 과연 만만치 않다고 느낀다. 나를 가두는 울타리같은 운명을 과연 극복할 수 있을까 싶다. 하지만 그럴수록 다시 수행을 열심히 하기로 다짐하곤 한다.

언젠가부터 성자, 혹은 도인의 경지를 꿈꾼다.

우스운 일인지 모른다. 꿈을 적어내라고 할 때 성자, 도인을 적어내는 사람도 있을까?

모두들 사회적으로 성공하고 싶어하지 않나. 하지만 이제 사회생활을 할 수 없는 인생이 된 나에게 사람들의 일반적 시각은 무의미해져 버렸다. 무엇보다 마음의 평화가 중요해졌고 깨달음이 인생에서 가장 이루고 싶은 목표가 되었다.

내 삶에 달리 방법이 없기도 하지만.

사실 아직 이 길을 가는 것이 확고한 의지로 하는 것은 아니다. 이 공부에 슬그머니 한발 들여놓은 입장이기에 뭘 잘 모르기도 하거니와, 아직도 사회에서 잘나가는 사람들을 보면 부럽기도 하고, 내가 과연 이 길에서 무엇을 이루기나 할지 자신이 없는 것이다. 혹은 속세의 행복을 누린 후 늙으막에 이 공부를 해도 좋았을텐데 하는 아쉬운 마음도 든다. 그래도 이 길이 내 길이 맞다는 확신은 갖고 있다.

때로는 외롭게 여겨진다. 동지도 없이 이 길을 걷는 것이.

하지만 세상에는 구도자들이 많이 있지 않나. 그들을 생각하며 동지의식을 느끼기도 한다.

과연 나의 힘든 삶을 극복하고 깨달음을 얻는 것이 내게도 가능할까 하는 생각이 들기도 한다. 어울려 살아갈 수밖에 없는 세상 속에서 독불장군도 아니고 내 삶의 모든 불리한 환경 헤치고나가 깨닫는게 과연 가능한지. 또 그걸 내가 할수있는지.

내 삶의 울타리들, 나를 구속하고 제약하는 것들을 다시 또다시 마주할 때마다 과연 내가 이 답답한 울타리를 넘어설 수 있을지 의심을 하게되고 동시에 그 울타리가 아프고 답답하게 느껴질수록 더욱 그 울타리를 넘어서서 마침내 깨달음을 얻고 싶다는 생각을 한다.

나는 과연 내 인생에 쳐진 울타리를 넘어서 깨달은 자가 될 수 있을까?

2021.08.30

<번뇌가>

번뇌가 소멸하지 않는다.
아무리 새롭게 마음을 다지고 노력을 해도.
평화롭게 살고 싶어도 세상이 날 가만 놔두지를 않으니
참 얄궂은 운명을 타고났다.
내가 아는 건 이제는 내 삶에 무언가 변화가 필요한 때라는 것.
지금까지는 이렇게 참고 살았지만 더는 이런 삶을 살 수는 없을 것만 같다.
눈에 보이지는 않지만 질서가 있다 믿으며
무언가 날 이끌어 줄 거라고 그렇게 혼자서 토닥이고 위로하며 견뎌왔지만,
진심으로 의문이 든다. 내가 어디로 가고 있는 건지...
나를 이끌어주는 존재가 과연 있는지.
희망고문에 불과한 게 아닌지.
신에게 기도하고 애원도 했지만 신은 무심하십니다.
내가 무너져 내려 주저앉아 있어도 일으켜주지 않았고.
내가 외로워해도 아무도 보내주지 않았고.
내가 갈 길을 잃고 헤매고 있을 때도 아무 표지를 주지 않았습니다
그래도 나는 다만 묵묵히 살아냈습니다. 무슨 뜻이 있을 거라고

믿으며.
목이 마르고 몸이 바짝바짝 마르고 숨도 잘 쉬어지지 않는 시간 동안에도 그저 견뎌냈습니다.
그 시간 속에서도 의미를 찾으려 애쓰며.
이제 나는 차츰 할 말을 잃어가고 있습니다.
당신의 뜻을 짐작하지 못하는,
이제는 뜻이 있는지조차 의심하고있는
나는 어리석은 것인가요.
더는 이렇게는 나아갈수없을 것만 같습니다.
웬만하면 나를 지탱해주고 토닥여 주어
힘을 내라 해주실수도 있을 텐데
왜 그렇게 나를 고독하게 내버려 두시나요
이런 제게 무얼 기대하시나요
제 앞가림조차 제대로 못하고 있지 않습니까?
나는 대체 무엇인가 하는 생각이 듭니다.
오늘은 당신의 한마디가 간절합니다.

2021.09.08
<프로필>
심심해서 자기소개를 적어봄.

이름: 양*

닉네임: 구름위를걷는

꿈: 1. 해탈, 깨달음 2. 글을 쓰고 싶음.

좋아하던 음악: 이상은 a path, Jim Chappell의 lullaby, 정원영 별을세던아이는 (무한 반복으로 듣곤했는데 요즘은 잘 안들음) 한 때는 김현식노래만 엄청 들음.

요즘은 신묘장구대다라니를 산책할 때마다 듣는데 마음이 편해지고 좋음.

취미: 경품응모, 신세한탄 글쓰기

특기: 신세한탄 글쓰기

성격: 말을 잘 안 해서 얌전하다는 말도 듣는데 그럴 때도 있고 시끄러울 때도 있음. 만나는 사람따라 다름.

장점: 마음이 넓다(자타인정, 카페에서 깁콘 몇번 나눔했더니 그렇게 말함. 내가 인정하는 점은 이해심이 좀 있는 거 같다. 아마 동병상련인지 특히 불리한 입장이나 소외되어 이해를 못받는 사람이나 편견을 받는 이들에게 이해심이 있음. 그런 반면 잘나가는 이들에게는 왠지 거부감이 들곤한다.)

단점: 말주변이 없음. 대화기술도 없음. 개인적인 성향이라 타인에게 맞춰주는 걸 잘 못함. 맞장구를 치거나 동의해주는 제스쳐 같은 것에 거부감이 있음. 사람들과 조화를 잘 못 함. 망상, 잡념에 잘 빠짐.

힘들어하는 일: 사람한테 치이는 일, 우울감.

추구하는 일: 깨달음

좋아하는 일: 경품에 걸리는 일.(당첨창을 보는 것은 아주 효과가 좋은 약이다.)

소원: 고통 없이 사라지는 일.

하루일과: 기도, 산책, 명상, 독서, 경품응모

======

페북에 글쓰는 소회:

페북에서 신세한탄을 한지도 3년정도.

아무도 안 읽어 주던 때도 꾸준히 썼다.

지금도 아무도 안 읽어줄 수 있다는 가정은 하고 쓰고 있다.

(타인의 신세한탄을 뭐하러 읽어줄까 싶은데 그래도 읽어주니 고맙습니다. 글을 잘 못쓰는 것도 알고 있습니다. 그래도 한 단계 한 단계 성장하기위해서 계속 쓰고 있습니다. 또 속상한일이 있거나 힘들면 글을 써야 했습니다. 그건 내 삶에 균형을 찾는 일이기 때문에.)

그런데 쓰고 나서 올리고나면 내 글을 다시 보기가 겁이 난다.

한 일 주일쯤 지나서 읽어봐야 글이 이상한지 아닌지가 느껴진다. 이상하게 썼으면 민망해지곤 하지만 내버려둔다. 이게 나니깐.

좀 다른 글을 써볼까 시도해본적도 있지만 나는 아무래도 신세한탄글 밖에 못 적는 거 같다.

언젠가 신세한탄을 그칠 날이 있었으면 좋은날이 왔으면 하는 바람으로 살고 있습니다.

그때까지 청승맞지만

신세한탄 to be continued

댓글

자비 송을 좋아하시는거 보니까, 불교 신자 다 됐네요. 사실 불교가 진리에요. 예수님이 2000년 전에 인도에 가서 불교 공부한거

아세요.

하옇튼 귀중한 이번 생을 낭비하지 마시고 수행해서 영원한 생을 위해서 투자 하세요. 양 선생님, 진리와 인연이 많네요. 옴 마니 반메훔 진언 염송 하세요. 만트라 챈팅이 사실 가장 좋은 수행이에요. 옴 마니 반메훔, 연꽃속의 보석이여..

가나 오나 앉으나 서나 입으로 마음으로 염송하세요. 우주의 진리를 찾을 수 있어요. 보물 창고를 찾으세요. 해탈은 자유에요. 그래서 대 자유라고 해요. 이 세상의 모든것으로 부터의 자유 great Liberation. 해탈과 대 자유를 찾아서 갑시다. 저 부처님이 가신 열반, 니르바나로요. 불교 신자가 될 필요는 없고 만트라 챈팅만 열심히 하시면 되요. 모든 것으로 부터의 해방, 자유 Liberation... 이게 최고의 진리에요.

잘 주무세요, 고뇌하는 천사, 양 선생님!

저 노래는 네이버 지식인에 질문 올렸더니 어떤분이 추천해주신거에요. 뭐 귀신도 감화한 곡이라고 귀신에게도 좋으니 사람한테 얼마나 좋겠냐고 하시데요.

저도 들어보니 좋네요. 옴마니반메훔이 연꽃속의 보석이란뜻이었군요.

저는 이제 신묘장구대다라니 한번 외워보려구요.

한두어줄외웠다가 까먹고그러네요.

감사하고 좋은하루되세요

마음을 잘 표현하시네요.

대부분의 사람들이 못하는 부분을 이렇게 드러내고 표현하시니 부럽습니다.

세상만사가 마음먹기에 달려있지만 그게 제대로 안되어 늘 천당과 지옥을 오락가락하면서 생활하고 있습니다.

그래도 요새 날씨가 좋고 하늘도 너~무 예쁘고 이렇게 좋은날들이 지나가고 있으니 기쁘게 보내야겠다는 생각입니다..

즐거운 일 만드시길..

네 날씨도 너무좋구 하늘에 뭉개구름 둥실둥실 떠다니니 기분도 좋은거 같아요. 실비아님 마음에도 늘 평화가 깃들기를요

2021.09.20

<아 괴롭다>

"아, 싫다. 괴롭고 불안하구나"

"선남자여, 그대는 무엇이 그토록 싫고 괴롭단 말인가?

이곳에는 싫은 것도 괴로운 것도 없나니

정녕 평화롭고 안온하도다.

선남자여, 여기 와서 앉아라. 내 그대를 위해 법을 설하리라."

부처님, 저도 여기가 싫고 괴롭기가 야사 못지않습니다.

업장의 때가 잔뜩 끼어 혼돈스럽고 번뇌에 사로잡혀 괴롭기가 말로 표현할 수 없습니다.

저도 불러주십시오. 고달픈 이쪽 언덕에서 부처님 계신 그쪽 언덕으로 건너가고 싶습니다.

너무나 오랫동안 길을 잃고 헤매고 있습니다.
부처님 계신 그 안온하고 평화로운 곳으로 저를 인도해 주십시오.
부처님이 살아서 내 앞에 계시다면
부처님은 고통 받는 나에게 무슨 말씀을 해주실까.
이렇게 세상 속에서 앓고 있는 나에게 어떤 처방을 내려주실까.
산 정상에서 내려다보시면 내가 어디서 어떻게 헤매고 있는 지가 보이는 걸까.
나의 괴로움의 원인을 밝혀주실까.
해탈과 깨달음에 이를 수 있도록 내게 방법을 제시해주실까.
부처님은 나를 이해해 주실까.
이 세상에서 이렇게 고독한 내 마음을 이해해 주실까.
아무도 이해 못해서 괴로운 내 이 짙은 고독을 과연 이해해 주실까.
부처님은 자비하시다는데 나의 이 울고 싶은 마음을 보듬어주고 어루만져 주실까.
부처님은 6년 고행을 하셨는데
부처님의 고행과 나의 고행은 다른 걸까.
부처님은 몸이 고달팠지만 나는 마음이 고달픈데
부처님은 이런 마음 겪어보지 않으셨을 텐데
과연 부처님법으로 나의 병도 치유할 수 있을까.
나는 진리 추구를 한다고 하면서
너무나 자주 의욕을 잃고 우울감에 빠집니다.
이 길을 가기로 했으면 흔들림 없이 가야하는데
부처님만큼 구도열정이 강하지 않아

열정의 자리는 종종 우울과 혼돈의 자리로 바뀌곤 합니다.

부처님도 그 길을 가시면서 삶에 회의를 느끼거나 갈등을 해보지 않으셨나요?

"니다이여, 내 손을 잡고 일어나거라"

너무나 오랫동안 혼돈 속에 헤매고 있습니다.

니다이 못지않게 세상오물을 뒤집어 쓴 제 손도 잡아주십시오.

제 손을 잡아주십시오.

댓글

양선생님, 불교 신자 다 됐네요. 그리고 어떻게 이렇게 자신의 감정을 명료하게 표현 하실 수가 있어요. 감탄탄! (...). 근디요, 양시인님의 고민은 불가촉 천민 니다보다 가벼운거 같아요. 양소설가님은 명상해서 마음만 좀 편안하게 만들면 되잖아요. 그디요. 인도에서 불가촉 천민은 3500년동안 그 질곡에서 벗어날 수가 없어요. 부처님께서 니다한테 보이신 자비는 잠시구요. 니다같은 하리잔들은 지금도 ㄸ통 속에 잠수해서 바닥의 ㄸ찌꺼기 치우면서 동물처럼 살아요. 구원의 길이 없어요. 양선생님은 마음이 조금 아프잖아요. 생각해보세요. 인간은 몸과 마음으로 이루어져 있잖아요. 몸에 걸린 병이 얼마나 많아요. 뾰로지부터 암까지요. 마찬가지로 마음의 병도 다양하고 또한 마음의 병이 없는 사람이 없죠. 깊고 얕은 차이만 있을 뿐이죠. 오히려 마음이 몸의 모든 것을 동작 시키기 때문에 마음이 더 피곤하고 병에 걸리기 쉬워요.

하옇든 마음을 잘 조절해 보세요. 항상 모든것을 긍정적이고 희망적으로 생각하시면되요. 마음 고치기가 오히려 더 간단해요. 잘 안되시면 명상기법들 중에서 골라보세요. 좋은놈?으로요.

누구나 다 자기 업에의한 자기 인생이 있어요. 이생에서 고롭게 업을 좀 받으시네요. 그런디 업도 자기의 의지로 좋은쪽으로 바꿀 수가 있어요.

불교 공부 조금한 칼 융 보다는 도사 주도사가 이 마음분야에서는 약 천배이상 나을 거에요. ㅋㅋ 웃음나오시죠.웃자고 한 얘기인대 여기에 마음치유의 비밀이 있어요. 모든것을 너무 심각하게 생각마시고 그저 유머스럽게 보세요.

다 환영이고 허상이에요. 공이죠. 요걸 체험한 사람이 바로 깨달은 자라고해요.사실은 별거 아니죠. 열심히 불교 공부하고 명상 수행하세요.

그리고(...)아고~하엿튼 웃고 삽시다요~~

저가말주변이없어서 논리를 잘펼수는없지만

제대로반박은 못하지만

저가 마음사치부리는거 아니구요.

선생님은 이렇게 아파본적 없어 모르시는거에요. 소설가라니 너무하셨어요.ㅠㅠ

마음만 잘먹으면 된다는거 맞지만이미

ㄸ통에 빠져있는사람에게 고도의 기술이필요한거에요.

나오려해도 자꾸 미끄러지는데

밖에있는사람은 빠져보지않았으니쉽게말하죠.

그런 ㄸ통에 빠진거 믿지도 않고 소설쓴다니 하시는거에요.

ㄸ통에빠져있다 비로소 나오면 그때는 마음을 충분히공부해서 '

마음만잘 먹으면 된다'고 진정으로 말할수있겟지만
마음 잘먹는거 쉬운거 아닌거 같습니다.
뒷간갈때마음 갔다와서마음도 다른데 하물며
다른사람 입장아는거 쉽지않은거같아요.
외로운데 어떻게 마음먹는다구 외롭지않을까요.
외로움의기운이 파고드는데..
쉽지않은거같습니다
하긴 니다이보단 나은거같네요.
저는 가끔 괴로움 중에도 잊고 망각할때도 있으니까요.
부처님 생애 책 잼께 읽었습니다.
친절한 말씀 감사합니다

아니요. 양선생님이 소설 쓴다는 것이 아니라 (...) 이 좋은 가을 날에 말이죠. 우리 마누라님도 꼬래? 요새 시인이 되시겠다고 설치시네요, 허긴 가을이니까...저도 책 내려고 준비하고 있어요. 조만간 작가 부부 탄생~~양선생님도 알아보세요. 정식 출판은 아니지만 그에 근사한 출판이고 나중에 정식 출판으로 연결되기 쉬워요. 부크크. 유튜브 검색해 보세요. Bookk.co.kr. 하옇튼 이 가을엔 좋은 글 많이 쓰시기를...

꼬래 가 근데 모에요? 글구 저 글 못 써요. 농담으로라도 시인이라고 할 수없어요. 저가 글쓰고싶다고 말하긴해도 저두 잘알아요 글 쓸 실력 아닌거요. 선생님 책 내시면 사볼게요. 추석잘보내세요.

2021.09.22

<미로찾기>

오늘도 문제를 풀어보려고 머리 싸매고 끙끙 앓고 있는 내 모습이 문득 애처롭다.

복잡한 미로 속에 던져져 있으니 일단은 출구를 찾을 수밖에.

이리저리 왔다갔다 헤매고 있는 내 모습.

어디 줄이 있어서 그걸 잡고 따라가며 출구를 찾을 수 있다면

아니면 힌트가 미로 여기저기에 배치되 있으면.

아니면 위에서 누가 내려다보고 왼쪽 오른쪽 이렇게 안내해주면 좋을 텐데

문득 이런 짓이 다 허무해 보인다.

마치 학창시절 수학문제 푸는 것처럼.

사회 나가면 다 쓸 일도 없을 수학문제.

내 수준에 너무 어렵고 그리고 나중에 별 필요도 없겠지.

내 지금 상황이 모든 사람이 겪는 정상적인 상황이 아니니까.

혼자 심각해 가지고 머리 싸매고 공부한다고 스트레스와 병에 걸리고.

이렇게 해서 보내는 시간들 남는 게 뭘까.

과연 이 시간들이 가치가 있고 의미가 있는걸까

어쩌겠는가. 이미 던져졌으니.

당장은 이 미로에서 탈출하는 것이 급한데.

한번 왔다 막힌 길은 벽에 표시를 하면서 다시 반복하지 않도록 하면서 길을 찾아나가야겠지.

미로 속에서 헤매는 내 심정은 어지럽고 머리가 터질 것 같다.
혹은 문에 맞는 열쇠 하나 찾기 위해 수십개나 되는 열쇠들을 대조해보면서 안 맞으면 조급해하고 답답해하는 듯.
사람이 이러다 미쳐버리는 게 아닌가하는 생각까지 든다.
어차피 나중에 깨어보면 다 한바탕 꿈일진데
머리아파하며 사고하고 심각하게 갈등하며 사는 것이
그때 가서는 얼마나 허무해질까.
그리고 어쩌면 미로는 생각보다 간단할지도 모른다.
복잡한 생각 때문에 길을 잃는 것인지도.
또 어려워 보이는 수학문제도 공식을 잘 대입해서 풀어보면 풀릴 수 있듯 무언가 참고할 만한 것이 있을수 있을텐데.
혹은 잘 찍는 기술을 개발 할수도 있을 텐데.

댓글

양 선생님, 겨울 바다 잘 들었어요. 우리 같이 가요. 과연 미로의 출구가 어딜까요. 2년 전인가, 양 선생님 글을 처음 본 순간부터 몇 번 울었어요, 영감이요. 미로인데요. 출구가 어딜까요? 맞아요. 똑똑하세요. 뷰티풀 마인드(Beatiful mind) 보셨어요? 이 영화에서도 미로에 갇힌 노벨상 수상자가 한 평생동안 출구를 찾았지만 조그만 단서를 찾았지만 결국 마지막 출구는 찾지 못했어요. 블랙스완(Black Swan)이나 솔로이스트(the soloist)같은 영화에서도 천재급 실제 인물들이 출구를 찾는데 모두 실패했어요. 왜 그런지 아세요? 환(幻),환영(幻影)에 갖혀서 그래요. 불교에서는 지금 우리가 사는 세상을, 현실을 꿈이고 환영이라고 해요. 금강경이나 능가경, 원각경...대승경전이 다 그런말만 해요. 이 세상이 꿈이고 환일줄 아는게 그게 바로 깨달음이죠. 그 꿈이란 것이 공(空)을 보면 깬다고 하네요. 지금 양선생님은 미로에 갖힌게 아니에요. 꿈속에 꿈, 환(幻)속의 환(幻)에 갖힌 거예요. 이건 누구도 풀고 나올 수 없어요. 오직 불교의 공(空)으로서만 거기서 탈출할 수 있어요. 어렵죠. 양선생님은 지금 세상사람들이 보아도 꿈,환영(幻影)속에 갖혀있어요. 거기서 빠져 나오시면 세상사람들과 같이 편안한 현실을 살게 되요. 일단 잠을 푹 주무실려고 생각하시고 모든 것을 꿈이고 환영이고 물속의 달이다라고 부정해 버리세요. 그리고 천천히 저하고 얘기해요. 반드시 출구가 있어요. 인간은 희망이 있으면 어떤 경우라도 살아날 수 있어요. 부처님은 안 믿으셔도 좋아요. 하지만 불교의 법, 즉 불법(佛法)은 하나의 법칙이니까, 믿으세요. 물론 다른 방법도 있겠지만, 불교의 "마음"과 "공"이라는 법칙을 공부해 보세요. 지금 양선생님의 마음속에서 일어나는 모든 것을 부정하고 단지 이것이 터무니 없는 나의 환상일 뿐이라고 생각하세요. 그리고 이성적으로 합리적으로 그 상황을 분석해 보세요. 서양에서는 정신분석학, 분석 심리학같은 치료법이 있지요. 물론 좋지요. 그러나 우리의 불법도 또한 좋은 방법이 될 수도 있겠죠. 일단은 주무실려고 하세요. 저도 막 잘려다가 양선생님 글을 보고 이런 글을 쓰고 있네요. 자고 나서 또 뵈요. 태양은 다시 떠오른다는 말이 있잖아요. 진리인것 같아요. 그럼 새로운 태양이 떨때 다시 뵈요. 굿 나잇~~~

말씀 감사합니다
미로에 갇혔다 생각했는데 환상에 갇힌거네요..
저두 환상에서 정말 깨고싶긴한데 너무 어렵네요.

마음어지러운일들 생기면 저건 다 환상이다 하면되나요. 앉아서 명상을 해서 공을 깨달아야 될까요.

깨달음의 상태가 어떤건지 참 궁금하네요. 고통이 없으까요. 고통이 있어도 평화로우까요..

안녕하세요. 태양이 새로 떠올랐군요. 불교 공부를 하다 보니까 서양 과학 공부도 하게 되요. 물리학이나 뇌 신경과학...이런 거죠, 초보적이긴 하지만요. 우리의 뇌는 1000억개나 되는 신경세포가 있데요. 이 신경세포간의 신경세포망의 작용이 우리가 울고 웃고 하는 모든 감정과 생각을 만들어 낸다고 하네요. 이렇게 신경 세포간을 연결 시켜주는 것이 신경 화학 전달 물질이고요. 이 신경전달 화학물질중 도파민과 세로토닌 이라는 호르몬이 우리가 행복을 느끼고 편안하고 평화로운 감정을 가지게 한다는 군요. 명상을 해도 이런 호르몬의 분비가 상승된다는 연구도 많아요. 그러니까 병원약 먹는것도 참 중요해요. 약을 꼭 드세요. 그래요. 선생님은 다른 사람들이 못 느끼는 자기만의 환영에 빠져 있어요. 지독한 고통의 환(幻)속에요. 다른 사람들은 그런 환속에서 살지 않아요. 정상 상태에는 그런 일들이 도저히 일어날 수 없어요. 그리고 양 선생님이 환에 빠져 있을 때는 생각도 망상(妄想), 즉 잘못된 생각을 하고 있어요. 그러니, 소극적으로는 이것이 다 환영이고 망상이다 생각하시고 자기 마음속에서 다 해결하세요. 불교 공부를 하셔서 이 환을 깨는 방법을 알아야되요. 능가경이나 원각경같은 책이 좋지만 이건 너무 어려운 책이라 차츰 공부하기로 해요. 금강경은 다소 쉽지만 그래도 조금 어려워요. 이 금강경은 모든 것이 환,환영이라는 것을 시종일관 얘기를 하고 있어요. 정상인이 사는 세계도 환영이라는 거지요. 그래요. 수행을 해서 공(空)을 깨달으면 좋아요. 그 공에 들어가면, 말할 수 없는 편안함, 평화로움, 행복감 그리고 말할 수 없는 지복감(至福感)을 느껴요. 몸도 마음도 세상도 없고 시간이 가는 줄도 모르고 앞에 말한 그러한 편안함고 행복함을 느끼죠. 불행과 고통은 흔적도 없어요. 공에 들어가면 좋지만, 명상을 하면서 마음이 고요하게만 되도 평화로움과 행복감을 느낄 수 있어요. 그래서요. 한편으로는 이 모든 것이 환영이라는 불교 공부를 하시고 또 한편으로는 수행을 하세요. 그러다 보면 차츰 그러한 환으로 부터 벗어나실 거예요. 부처님이 최초의 심리학자겸 심리치료사라네요. 오늘은 이만 적고요. 저한테 궁금할 때 물어보세요. 행복하시고 건강하세요.

저가 지독한 고통의 환속에 있지만
병으로인한 환은 아니에요.
(믿어주셔야해요.)
가끔 망상과 피해망상적인 생각도 하긴하지만 다른사람들도 그런 상황이라면 충분히할 생각이라고 여겨지구요. 어쨌든 약은 먹구있으니 염려마세요 (울엄마가 저 약안먹으면어캐될까 걱정하는데 먹어드려야죠 하지만 정말 병은없어요)
삶이 환상이라고하는거 어렵긴하지만 저두 이해하면 깨달을수있는건가요?
저가 좀 어려운 상황에 있어서 이 상황도 극복 못하면서 깨달음에 대해 생각하는게 꼭 뜬구름잡는듯 느껴지는데 제게도 출구가 있을까요..
선생님 말씀이도움많이됩니다..

그래요. 원래 이 세상이 힘들기 때문에 불교의 이치가 생겨난 거예요. 불법 공부 하시다 보면 번뇌가 깨달음이 되고 생사가 열반이 되는 그런 일이 벌어진답니다. 하옇튼 두루두루 불교 공부, 마음 공부하세요. 이제 까지 페북에 쓴 선에 관한 글들이 다음달 쯤에는 종이책으로 나올 수 있을거 같아요. 정식 출판은 아니지만요. 그 책 보시면 불교 공부에 좀 도움이 될것 같네요. 지금도 열심히 사시지만 그 중에서도 더 열심히 사세요. 그러다 보면 밝고 훤한 길이 열리실 거예요. 다음에 또 뵈요. 안농~

네 안농 또 뵈요

2021.09.27
<소통>

세상과의 '충돌'
그것은 세상과 나의 연결감이 상실됐다는 뜻이다.
그럴 때 우리는 세상으로부터 상처를 받거나 마음이 아플 수 있다. 더구나 어긋난 세상과의 대화방법을 찾아 갈등을 풀 수조차 없을 때 깊은 무력감과 고독에 빠진다.
그럴 때 나름대로 자신만의 방식으로 소통하고 마음을 환기시킬 창문을 찾는 것은 본능이다. 그렇지 않으면 내 안에서 갇혀 고립된 마음이 앓으며 병들어가기 때문이다. 마음이 숨을 쉴 수 있도록 창문을 열어주어야 한다.

충돌은 위기의식을 준다. 나와 세상 사이에 벽이 가로놓여있다는, 누구도 온전히 나를 이해 못한다는 답답함과, 그 통제하지 못하는 상황이 나를 삼켜버릴지도 모른다는 두려움.

아마도 처음 그런 느낌을 가져본건 정신과에 입원했을 때.

상담만 받아보자는 말에 속아 병원에 갔다가 폐쇄병동에 갇혀버렸을 때. 혼자 정신이 말짱한 채로 정신이 이상한 사람들 속에 섞여있다는 느낌은 공포였다. 여기선 아무하고도 소통되지 않을 것 같았다. 세상과의 연결이 끊긴 것 같았다. 다행히 며칠 지내보니 정신이 심하게 이상한 사람들은 없어서 안도했지만.

그때 병원 안에서 그랬던 것처럼 지금도 말도 안통하고 소통이 안되는 세상 속에 혼자 남겨진 듯한 느낌이 든다.

지금의 내 마음은 세상 속에서 원활히 소통되지 않고 있다.

내 마음과 다른이의 마음이, 서로가 서로에게 올바르게 자연스럽게 흘러가지 않는다. 중간에 뭔가가 있어 왜곡되고 뒤틀린다.

나는 누구와도 진정한 마음의 교류를 하지 못한 채 무수한 상처를 받으면서 세상 한켠에 고립된 채로, 혼자서, 조용히, 앓고 있다.

아무도 나를 진정으로 이해 못하면서 고통을 주고, 그리고 자신들이 고통을 준다는 것을 모른다는 사실이 나를 답답하게 한다.

그로인한 세상으로부터의 고립감과 점점 깊어가는 고독.

몸도 순환이 원활히 되지 않으면 병이 나듯 나의 마음도 세상 속에서 다른 사람들의 마음과 원활히 순환하지 못하면 병이 난다.

그래서 나도 답답한 마음을 환기시키기 위해 본능적으로 소통의 창문을 찾은 거 같다. 마음을 풀어내서 페이스북에 글도 적어보고 카페활동도 한다.

그렇게 함으로써 다시 사람사이의 연결을 가지고 안도감을 느낀다. 소수라도 친구가 있다는 느낌이, 그 작은 연결감이 큰 힘이 되는걸 깨달았다.

병원에 있었을 때나, 지금이나 이렇게 늘 답답한 심정을 느끼는 걸 보면 마치 고독은 내게 주어진 운명인 것만 같다.

이제는 꽤나 익숙한 숨 막히는 공기와 고독의 느낌.. 그리고 겨우 잡고 있는, 숨쉴 수 있는 소통의 창문.

세상이, 혹은 운명인지, 누가 마련해 준건지 모르겠지만 이런 고독한 시간, 그 시간동안은 나는 계속 고독해야만 할까.

언제까지 고독해야만 할까.

지쳐가도록 고독한 시간이 계속해서 주어지는데.

이 시간은 언제까지로 정해져 있는 걸까.

언제쯤 창문을 열고 상쾌한 공기를 한껏 호흡할수 있을까.

2021.10.05

<마음아>

마음아, 가끔 너를 이해하지 못할 때가 있다.

오랜 시간 너와 함께 했는데도 나는 너를 잘 모르겠다.

먼저 너는 쓸데없는 자만에 빠진다.

스스로도 잘날 것 하나 없다는 걸 잘 알고 있으면서
문득 어떤 날 너도 모르게 그런 착각이 올라오는 것이다.
그런 불편한 생각을 가라앉히기 위해 나는 또 너를 설득시킬 여러가지 생각들을 지어내야 한다.
내 마음아, 왜 그러는 것이니.

그리고 너는 변덕이 심하다.
자신 없고 의기소침함에 푹 파묻혀 힘들어하더니
또 어떤 때는 너무 들떠서 구름처럼 마음이 떠다니지 않나.
물론 슬프고 우울한 것보다 조금 들뜨는 것이 낫긴 하지만.
왜 그렇게 너는 통제가 안 되는 것이냐.

너는 또 마음에 안 드는 것이
세상에 관심이 없다는 둥 세상에 마음쓰지 않겠다는 둥 그래놓고
어떤 때는 너가 세상과 싸움을 한다고 여기고 때로 승리했다고 혼자 생각하지 않나.
참 유치하게도.
세상은 그렇게 쉽지 않은데 말이야.
너 그러는 걸 보면 에고를 비우는 것이 그렇게 어려운 것이구나 싶다.

가끔 너는 너무 어리석어 보인다.
너무 뻔하게 반응하니까.
그런데 또 한편 너는 뭔가 구체적으로 설명할 수 없는 것을 알고 있는 듯 신비롭게 보일 때도 있다.

본능적으로 중심을 잡으려하고 감을 잡는 모습을 볼 땐
믿어볼만하게 느껴지기도 한다.
너가 인도하는 데로 따라가면 될 것 같기도 해.

때로는 너를 감당하기 벅찰 때도 있다.
이리저리 나를 끌고 다니며 망나니 같은 생각들을 해댈 때는.
왜 그러는 것일까.
내 삶이 어지럽고 복잡해서 너도 그러는 것일까.
어지럽고 복잡한 너를 좀 단정히 하고 싶다는 생각이 든다.

그리고 때로는 너가 너무 여리고 약해보여서
안쓰럽고 보호해줘야 할 것만 같다.
이 세상 살아가기에는 너가 너무 벅차 보인다

또 때로는 너가 느끼는 감정을 이해하기위해
한참을 생각해봐야 할 때도 있다.
너는 참 어려운 친구이구나.

너가 하는 짓이 마음에 안 들때는
그런 모습이 외면하고 싶어져
너 제정신이냐는 비난을 스스로에게 퍼붓기도 하지만
그건 너를 다룰 방법이 좀체로 떠오르지 않아서이다.
때로는 너가 참 마음에 안들 때도 있고
이해가 안될 때도 있고 싫어질 때도 있지만
그래도 너는 나를 가장 잘 아는 친구가 아니냐

그러니 너를 조금 더 이해해보고 싶구나.

어쩌면 너는 어리석음과 지혜,
그 둘을 동시에 지니고 있는지도 모르겠구나.
그런 너와 잘 조화하기위해
때로는 너와 거리를 두는 노력을 하며
때로는 너를 믿으며
너와 친해져가야겠다.

댓글
여름에 비하면 참 좋은 날씨입니다.
하루하루 평범하지 않을수도 있었는데 지금의 이순간을 감사 드립니다

날씨 너무 좋은거 같아요. 저는 산책댕기와서 커피 마시면서 오전 보내고 있어요. 날씨만큼 기분좋은하루 되세요

2021.10.20.
<나는 이렇게 살고 싶었다.>

많은 친구를 사귀고 싶었다.
친해지고 싶으면 먼저 마음을 열고 다가가 쉽게쉽게 사람을 사귀고 싶었다.
주위에 다양한 사람들이 많이 있도록 하고 싶었다.

외로움은 가끔 한번씩 마음의 사치정도로만 느끼고 싶었다.
마음을 나누고 힘들 때 기댈 수 있고 떨어져 있어도 나를 생각해주는 이도 한둘 정도 있었으면.
많은 경험을 하고 싶었다.
호기심을 가지고 세상의 이곳저곳을 돌아다니고 싶었다.
식도락을 추구하고 싶었다.
사랑을 하고 싶었다.
전생부터 이어져온 듯 영혼이 이어진 듯한 닮은 사람이 있었으면
나 자신의 가능성을 활짝 펼쳐 보이고 세상으로 넓게 뻗어 나가고 싶었다.
재미있고 독특한 사람이라는 평을 듣고 싶었다.
열심히 전문적으로 하는 직업 하나 있고 싶었다.
취미생활도 이것저것 시도해보고 싶었다.
꼭 행복하지는 않더라도 행복과 고통이 적절히 배분돼있고 진리추구에도 관심을 갖는 삶이었으면.
힘들고 마음이 무너질 때
늘 곁에서 지켜주는 든든한 힘이 있었으면.
존재만으로 위로가 되고 혼자가 아니란 걸 알게 해주고
이 세상 살아가는데 격려가 되는 이가 있었으면.

<미미 인형>

미미인형을 보면 아쉬움이 자리한다.
어릴 때 학교 앞 가게 앞에 걸린 미미인형을 보고 얼마나 사고 싶었는지. 그런데 비싸서 사지 못하고 늘 몇 백원 하는 싼 인형들

을 사는 걸로 대체했다. 지금은 살 수 있지만 사지 않는다. 그걸 즐길 시기가 지났는데 무슨 소용인가. 생각해보면 그 나이 여자아이들이 다하는 고무줄놀이도 한 번도 해보지 못했다. 친구가 없어서 추억도 별로 없다. 어린 시절을 즐기지 못한 것이다.

나의 젊은 날들도 사지 않은 미미인형처럼 지나가 버렸다. 젊은 날을 생각하면 늘 아쉬움이 든다. 여행도, 식도락도, 문화생활도... 즐기지 못했다. 추억할 것이 아무것도 없다.

삶을 즐기지 못하는 삶. 내게 주어지지 않는 것들. 삶은 꿈이라지만 왜 좀 더 즐겁고 기쁜 꿈을 꾸지 못하는 걸까. 구도하는 삶도 좋지만 삶을 즐긴 뒤이면 좋았을걸. 자꾸만 아쉬움이 밀려온다.

댓글

수많은 친구를 사귀고 새벽까지 수다떨고 ..

그래도 집으로 돌아오는길은 허전함과 외로움이 남아 새벽에 수십통의 편지를 쓰고.. 시를 베끼고.. 많은 말을 한것에 대한 속상함.. 다짐

이 모든것은 한때의 열정이었던것 같습니다..

더러는 이런 부분의 내모습이 싫을때도 있지만..

저는 지금 이대로에 감사드립니다.

저는 친구 많은사람 부러워요.

마음은 잘하고 싶은 욕구가 가득하고 그런 성향인거 같은데 사는게 뜻대로 안되는 세월을 보냈네요.

열손가락 안에 꼽을만한 인연들. 그래서 하나하나 소중하게 남긴

했어요
반대로 친구많고 쉽게쉽게사겼음 각자가 깊은인상이 남진 않았을거 같아여
소심하기도했겠죠. 조금 어려워도 먼저 다가가서 친구하자할수도 있었을텐데

친구 사귀고 싶으면
내집에 먼저 초대해서
작은거라도 한없이 나누고
너무 친하려고 애쓰지 않고
적당한 거리도 두면서
마음도 나눈다면...
친구가 생기지 않을까요?
또 남은 나와 달라서 내가 이만큼 마음을 보여주었다고 해서 상대도 같진 않아요.. 그러면 배신감이 들 수도 있으니 적당히 마음에 상처를 입지 않을 정도의 줄다리기가 필요하고..
무엇보다도 관심분야가 같다면 정서적으로 공감되는 부분이 많겠지요..
지금도 잘할수 있어요

세상사람들하고 밀고당기기는 하는데 주로 갈등을 많이해서. 그래두 산책하면서 가끔 인사하는 할머니두 있구요 저두 조금씩 기회잡아서 영역을넓히고 싶어요. 응원감사합니다 부산에 이슬비가 내리네요 산책댕기왔어요

2021.10.28

<삶의 의미>

누가 내게 물을까 겁이 난다.

너는 왜 사냐고 물을까봐

사실 지금 이유가 잘 생각나지 않는다.

나는 왜 사나?

사람들과의 끊임없는 마찰

나를 벽처럼 대하는 사람들 속에서

무슨 이유를 대며 고집스럽게 이겨내고 살아가는 걸까?

그렇게 외롭고 고통스러우면서 나는 왜 사는 걸까.

빛이 나고 환한 사람들 부러워하면서 아무것도 아닌 나를 인정하기 힘들어 하면서

나는 왜 살고 있을까

적절하게 대답을 해야할 것 같은데 생각이 잘 안 난다.

문득 겁이 난다.

사람들이 넌 존재할 가치가 없어라고 말할까 겁이 난다.

필요없는 존재라고 걸치적거리고 피곤하기만 한 존재라고 할까 겁이 난다.

사라지는게 낫다고 할까 겁이 난다.

스스로 어떤 이유를 가지고 삶을 살고 있나.

타인에게가 아니라 나에게 먼저 설득력이 있어야 하는데.

그래야 나를 부정하는 타인들에게 휘둘리지 않고 꿋꿋하게 자신 있는 모습으로 살 수 있는데

혼란스런 세상에도 중심을 잡고 당당한 모습으로 살 수 있는데.

스스로의 존재에 의문이 들어.

나의 삶의 의미는 무엇일까.

내가 나에게 말해줄 수 있는 내 삶의 의미는 무엇일까.

댓글

잘하고 있고 잘 될거야 를 열번씩 되뇌입니다.. 한번 시도해 보시면 잘 될겁니다

오늘은 잘 안 되네요. 잘하고싶은데 마음만큼 안 되서요

남으로 창을 내겠소

-김상용

남(南)으로

창(窓)을 내겠소.

밭이 한참갈이

괭이로 파고

호미론 김을 매지요.

구름이 꼬인다

갈 리 있소.

새 노래는 공으로 들으랴오.

강냉이가 익걸랑

함께 와 자셔도 좋소
왜 사냐건
웃지요.

뭐라고 할지 답을 찾았다.
왜 사나긴 웃지요...

2021.10.30
<외로운 싸움을 하는>

많이 지치고 힘이 듭니다.
세상 전체와 혼자 대결하는 기분입니다.
나의 판단력을 믿지만, 무의미한 것에 신경 쓰지 않으려 노력하지만
너무 외로운 싸움입니다.
세상에 대항해 나는 너무 작고 역부족입니다. 힘이 달립니다.
내 친구가 되어 주세요. 기운을 좀 보태주세요.
안되는 싸움을 하는 것같은 내 기분을 좀 위로해주세요
외로운 싸움을 하고있는 나를 지탱해 주세요
용기를 잃지 않도록 내 곁에 와서 서주세요
약해지려는 나를 붙잡아 주세요
내 판단력을 믿도록, 이대로 계속 가면 된다고 말해주세요.

무의미한 것을 불태울 수 있도록 말해주세요
흔들리지 않고 나로, 나답게 살라 해주세요
이대로 온전하다 말해주세요
신념을 지키면 된다고 말해주세요
곧 길을 찾을 수 있을 거라고 말해 주세요
나를 알지 못하는 타인 때문에 상처받지 말라고 말해주세요.
그래야 하는걸 알고 있지만 지금 잘 되지 않거든요.
말해주고 확신을 주면 괜찮아질 거 같아요.
다 잘될 거라고 말해주세요
지나간 일은 잊어버리라 하세요
모든 것이 나를 압박해오는 것 같아요
나를 구석으로 몰아가고 있는것 같아요
내 편이 되어 주어서 나를 여기서 좀 꺼내주세요
어떤 때는 세상에 질서란 없는 것 같고 나를 지켜주는 힘조차 느낄 수 없습니다.
그 속에서 불안해하고 있는
무엇을 믿고 의지할지 알지 못하는 내 손을 좀 잡아주세요

댓글
지금껏 잘 버티어 왔듯 잘 할수 있을거예요~
힘 팍팍!
용기 팍팍!

언제나 마음 써 주셔서 고맙게 생각하고 있답니다

저는 맘이 힘들때, 기운이 안날때, 우울함이 밀려 오려고 할 때 * 님 글도 자주 읽고 * 강의도 자주 듣습니다. 그리곤 청소를 합니다~~

그러면 힘이 납니다

네 저두 *책 맨날읽어요. *님 페이지에서 페북친구를 몇명 만들었으니 고맙죠. *님 소식도 없고 많이 아프신가봐요

2021.11.08

< 한 계 >

내가 한계를 느끼는 것은 세상이라는 단단한 벽에 부딪혀서만이 아니다. 분명히 조금씩 내 안의 안정감과 평안함을 찾아가고 있다고 느꼈는데 문득, 그런 것을 잃어버리고 또 다시 질투심과 열등감, 불안정하고 어지러운 마음 등이 일어나는 것을 발견할 때, 여전히 마음을 다스리지 못하고 스스로를 통제 못하는 나를 발견할 때, 마음에 들지도 않고 어제와 다를 바 없는 발전 없는 내 모습을 발견하고 느끼는 한계감이 더 큰 거 같다.

댓글

비가 와서 예전에 즐겨듣던 이 곡이 생각났다. 우울함에 취하고 싶을때 듣곤했던.

시 생략

좋은시 감사합니다

2021.11.12
<오늘은 말입니다>

있잖습니까
오늘은 말입니다
명상이 잘 안됐습니다.
마음이 안정되지 않고 자꾸만 헤맸습니다
왜냐구요
어찌나 끔찍하게 외로운지요.
도무지 마음 붙이지 못했습니다.
이 우주에 홀로 남은 느낌인데
명상을 하고 깨닫는 게 무슨 소용입니까
그래서 명상을 제대로 하지 못했습니다
외로울 땐 아무것도 할 수 없는가 봅니다.

2021.11.16

<나그네>

나그네가 사막을 지나가고 있었습니다.

태양은 뜨겁고 이것저것 발에 채이며 걷고 있었습니다.

풍경은 변함이 없지만 꽤 오랫동안 걸은 것 같습니다.

길은 가도가도 끝이 없고 나그네의 마음을 위로해줄 것이 아무것도 나타나지 않습니다.

점점 나그네의 마음은 견딜 수 없이 지쳐갑니다.

그냥 이대로 이 사막에 뼈를 묻고 싶다는 생각도 했습니다.

그렇게 한 발 한 발 무의미하게 발걸음을 내딛고 있습니다.

그러다 그만 돌부리에 걸려 넘어졌습니다.

그리 크지도 않은 돌부리였습니다.

이 정도 돌부리는 지금까지 수도 없이 만났지만

나그네는 일어날 생각도 않고 한참을 앉아 있습니다.

단조로운 사막의 풍경을 그저 바라봅니다.

숨이 막힐 것 같은 공기에 바람 한점 불지 않습니다.

문득 지금까지 지나온 길이 다 떠오르고,

채이고 채인 넘어짐들이 모두 부질없게만 느껴집니다.

짓눌린 것들이 올라와 나그네의 마음이 울컥하고

삭막한 풍경들도 나그네의 쓸쓸함을 더합니다.

저 멀리 그곳엔 어쩌면 새 한 마리 날아가는 것도 같습니다.

나그네는 지금 그렇게 한참을 앉아 있습니다.

댓글
그래도 밤에 별은 쏟아지고 바람도 불겠지요..
어쩌면 오아시스를 만날지도..
이런날들도 지나고나면 마름다운 추억이기에 추억의 페이지를 잘 만들어봄이 어떨까요

*님, 양선생님은 지금 아름다운 추억이 아니라 지독한 악몽을 꾸고 있겠지요~~꿈을 깨야지요, nightmare, 끔찍한 악몽이지요~~우리네 인생이라는 것이요. 꿈 깨는 것, 깨몽이 유일한 인생의 목표이지요~~친절하신 *님, 깨몽!

굿잡(good job)! 아름다운 영혼이여~

깨달으면 정말 다 괜찮아질까요.
그길이 넘 멀게 느껴지는 데여
어서 희열을 한번 맛보면 세상 보는 시각이 달라져서 좋을것 같은데요

예 깨달아서 공(空)을 증득하면 모든 것이 다 정상이 돼요. 열심히 명상해 보세요. 집중을 잘 하는 것이 관건이에요. 신묘장구대다라니 하시든지 옴마니반메훔 하시든지 꾸준히 그리고 열심히 하세요. 그러다보면 어느날 턱 되는날이 올 거예요! 화이팅 건투를 빌어요

선생님 저가 요즘또 힘이듭니다

글이나 명상이나 당장에 성과가 있으면 버틸만할텐데.
선생님은 공을체험해보셨나요.
하여튼 뭔가를체험하셨다고 전에 말씀하신거 같은데요
그걸체험하니정말 인식이 확 달라지던가여
근데 한번 이후로 다시체험하지못하셨나요

열심히 명상 하시면 공을 체험할 수 있어요. 다 마음의 장난이죠. 마음 상태에 따라서 세계가 우울하게 보이기도 하고 세상이 아름답게도 보이고 하는 거겠죠. 마음을 항상 긍정적이고 밝게 가지면 좋을 것 같네요. 공을 체험하면 행복해 져요. 명상을 꾸준히 열심히 하면 체험 하실 수 있을 거예요. 양선생님 화이팅!

2021.11.24
<악몽>

악몽을 꾼 적이 있다.
지금까지 기억하는 악몽이다.
초등학생 때였을 거다.
너무 놀라서 나는 소리를 지르면서 깨어났다.
깨어보니 내 고함소리가 방안을 메아리치고 있었다. 내 소리는 곧 고요 속에 묻혔다.
그렇게 크게 소리를 질렀는데도 아무도 깨지 않은 게 이상했다.
그때는 어렸을 때라 캄캄한 밤중에 깨니 무척 무서웠다. 그래서 옆에서 자는 엄마 손을 주므르며 깨우려 했지만 아무리 해도 깨지 않았다. 이상하게 엄마 손과 팔이 나무등걸처럼 뻣뻣했었다. 왜 그랬는지 모르겠다.

아무리 세게 흔들어도 꼼짝을 않았고 나는 캄캄한 공포 속에서 숨죽이며 떨었는데 그것은 마치 꿈속 상황과 비슷한 것이었다.

꿈속에서 네모난 방 한가운데 있는데 방 모서리에 마귀가 왔다갔다하며 내 쪽으로 손을 뻗었다. 나는 방 중앙에서 이리저리 피했는데 마귀의 손이 닿을 듯 닿을 듯 했다. 마귀가 손을 뻗어 금방이라도 잡힐것 같은 시점에 엄마를 외쳐 불렀다.

엄마는 부엌에서 나물을 다듬는지 쪼그리고 앉아서 무엇을 하고 있었는데 내가 아무리 엄마에게 도움을 요청해도 엄마는 내가 장난한다고 생각하고 웃으면서 나를 돌아보려하지 않는 것이다.

내가 공포에 처해있는데도 알지 못하는 것이었다.

그렇게 금방이라도 잡힐 듯한 순간에 소리를 지르며 깨어났다. 그리고 깨어나서도 공포 속에서 도움을 요청했지만 도움을 받지 못한 것이다.

가끔 그 꿈과 그밤의 공포가 생각난다. 그렇게 고함지르며 깬 건 그때가 처음이자 마지막이었다. 누구도 이해 못해주는 외로운 싸움과 구조받지 못하는 지금의 내 삶을 예견하는 꿈이었을까?

라마나 마하리쉬의 나는 누구인가를 읽고있는데

전에 읽었던 건데 다시 읽어보고 있나.

꿈을 깨라는 것은 아마 이 현상계가 실재가 아니라는 것을 깨달으라는 것과 같은 말이겠지.

나를 이렇게 괴롭히는 현상계가 실재가 아니라면 단지 꿈이라면 얼마나 다행스럽고 위안이 되는 일인가.

깨닫기만 하면 고통이 사라진다는 말일 테니.

또, 진아를 알면 안 풀리는 문제가 없다고 한다.

과연 그런지, 나의 이 복잡한 삶의 문제도 해결될지..

'진아는 외로움을 느끼지 않을까. 깨달아도 세상에 사는 한 세상과 상호작용하며 살아야할 텐데 혼란스러운 일들이 일어날 땐 어떻게 할까. 혼란스러움을 전혀 느끼지 않을 수 있나. 어떻게 그럴 수 있지?'

특히나 외로움과 혼란스러움과 씨름하며 사는 나는 그런 것이 궁금하다. 혼자서 진아를 깨달은 상태에 대해 이리저리 상상해보지만 책에서도 말하듯이 깨닫기 전에는 깨달은 사람의 상태를 확실히 알 수는 없는가 보다.

그 밤의 꿈은 소리를 지르며 깨어났는데 나의 이 삶이라는 꿈, 이 고통스럽고 생생한 꿈은 언제 깰수있을까.

댓글

내면. 바깥에서 일어나는 일에 초연하는 힘을 쌓아서 튼튼해지면, 어떤 일이 일어나도 견뎌낼 수 있다는 믿음도 한 번에 무너질 수 있는 인간. 조심조심 돌다리도 두드리며 건너라 고 합니다

네 인간이 나약하니까요. 그래도 최선을다해 살아갑니다. 자주 들르셔서 말씀남겨주세요

2021.12.01

<생일>

생일 축하합니다. 날마다 좋은 날 되소서!

댓글

감사합니다

2021.12.07

<나름의 인생>

생각해보면 참 가혹한 인생이다.

잘 살아가다가도 한번씩 억울한 심정이 되고 신이 원망스러워진다. 이미 사람들의 길에서 많이 벗어나 있고 냉정하게 생각해봐도 다시 다른 사람들처럼 살수는 없게 되어버렸다.

하루에도 수십번씩 도대체 삶의 의미가 무언지 스스로에게 묻고 매 순간 흔들리는 자신을 다스려야하고 받아들이지도 못하는 삶.

자꾸 나의 인생은 뭔가 하는 생각이 든다.

비교할수록 비참해지는데 어쩔 수없이 비교하게 되는 상황이 벌어지고 또 사람들의 인식에 가슴이 아파지는 일이 생긴다.

세상의 기준으로 보면 빵점 인생이 아닐까 생각하며 왜 내가 이런 인생을 살아야하는 것인지 답답해온다.

이제는 중심을 잡고 살 때가 되었는데, 자꾸 이렇게 억울해만하며 살아선 안 되는데.. 안 그래도 세상이 나를 뒤흔드는데 이렇게 중심을 못 잡고 있으면 어떡하나.

언젠가 이 세상을 떠나는 날 나는 어떻게 느끼고 있을까?

사는게 한낱 꿈이라면 이제 누구나 다 공평해지는 그 순간에 나는 어떻게 느끼고 있을까?

나는 과연, 나답게 살았다고, 나의 인생을 잘 살았다고 만족하며 떠날 수 있을까? 그저 비교만하고, 나의 인생을 부정하고, 세상에 끌려가는 삶만 살다가 뒤돌아보며 후회하지는 않을까 걱정스럽다.

더는 삶을 놓쳐선 안 되는데.

분명히 나만의 고유한 인생이 있을텐데. 그걸 이제부터라도 만들어가야 하는데. 무엇보다 나답게 살아야하는데.

부실한 삶의 재료라도 나만의 레시피로 나만의 인생을 만들 수 있다고 하던데. 그것이 삶의 예술이라던데. 부실한 그 재료들로 오히려 더 독특한 것을 만들 수도 있을 텐데.

지금까지 다른이들과 다르게 짜온 나의 삶의 무늬들, 불리하기만 했던 그 조건들로 오히려 독특한 무엇을 만들 수 있지 않을까, 나만이 만들 수 있는 삶의 무늬가 분명히 있을 것이다.

그것이 보잘것없을지 독특한 것일지는 두고봐야 아는 것을.

이제부터라도 열심히 나의 인생을 만들어 나가고 싶다.

내 인생 아직 안 끝났다고! 인생 후반전 이제 시작이야!

댓글
아침에 산책하러 가는데 비둘기들이 보기 좋아서

힘냅시다. 화이팅. 얍

감사합니다. 얍. 얍

2021.12.15
<그 아이가 있었다>

그 아이가 살고 있었다. 버림받은 아이가.
아프다고 혼란스럽다고 외쳐댔다.
세상에 대한, 인생에 대한, 그리고 사람들에 대해 의문들을 제시했다.
세상은 왜 이리 삭막하냐고. 사람들은 왜 이리 이기적이냐고. 인생은 도대체 뭐냐고.
삶의 어두운 이면을 본 후 그것들을 도무지 떨치지 못하였기에.
그런 의문들을 나한테 풀라고 제시했다.
자신도 모르면서 왠지 풀어야만 한다고.
그리고 자기를 결코 잊지 말라고 했다.
그렇게 오래 아프고, 혼란스럽고, 괴로웠던 자기존재를 결코 잊거나 외면하지 말라고 했다.

시간이 흐름에 따라 서서히 그 아이를 잊어갔는데 한동안은 집요하게 자기를 잊지 말라고 해서 가슴이 아팠다.

그 아이를 생각하면 언제나 어지럽고 아픔과 괴로움과 두통 없이 떠오를 수 없다.

미안하지만 그 아이에게서 벗어나고 싶었다. 자유롭고 싶었다.

그러나 또 그럴 수가 없었다. 그 아이가 많이 아픈걸 알았기 때문이다. 그 아이를 잊는 게 미안했다. 그 아이의 숙제를 꼭 풀어줘야할 것만 같았다.

그 아이와 대화를 했다.

그냥 널 잊으면 안 되니? 이제 그만 다 잊고 싶은데..

그러면 그 아이는 너무 오랜 시간 아팠다고, 너마저 나를 잊으면 자기는 뭐가 되냐고 한다.

'난 도대체 뭐냐고. 그렇게 아팠던 나는 도대체 뭐냐고..'

그렇게 나의 과거의 한 모습은 마치 독립된 인격체처럼 내 안에 살아 있었다.

그 '나'에게 말한다.

난 지금 또다시 힘든 시간을 맞이했거든. 너의 고통과는 다른.

지금을 사는데도 충분히 많은 에너지가 들어.

너의 그 긴 시간의 아픔을 외면할 수는 없지만 너에게 할수 있는 방법이 아무것도 없다.

그 시절을 지워버린지 오래라고.

난 지금 또 다른 어려움에 맞닥드렸고

너의 일은 많이 안타깝지만 너의 고통에 대해 더 파고들어가서 헤쳐보았자 답은 나오지 않을거야. 헤집어 놓는데 불과할거야. 쓸모없는 짓이고 소용없는 짓이야.

너의 그 의문들을 숙제처럼 간직하다간 지금의 이 삶을 잘 살수가 없어.

무엇보다 지금 내가 해야할 것은 그게 아니거든. 따로 있거든.

악몽 속으로 더 깊이 들어 가는게 아니라 깨어나야 하는 거거든.

그래서 그만 양해를 구하고 너를 잊어야겠어.

어쩌면 내가 겪은 그런 시간이 다시 올지 모른다는 두려움 때문에 나는 너를 잊는 게 두려웠던 건지도 몰라.

미안해. 하지만 너의 고통에 대해 물고늘어지는 것보다 비워버리는 것이 정답인지도 몰라.

미안해. 아이야. 하지만 언젠가 너를 고통 없이 떠올리는 날이 올거야

댓글

다 마음의 장난이라고 하네요. 마음을 고요히 낮춰보세요. 그러면 만사 ok라고 하는군요. 신도 뭐도 없다고 하는군요.명상을 깊게해서 이 우주의 근본인 마음을 찾아 보세요. 이 근본 마음을 찾으신 라마나 마하리쉬가 그러대요. 인간의 마음의 본질이 신이라고요. 카톨릭 신자한테는 불경한 말이지만요. Om Shanti Shanti Shanti! 옴 평화 평화 평화!! 행복 하세요, 천사님~~

감사합니다 옴샨티샨티 근데 천사아니에용

그럼 선녀 하세요

선녀도 싫어요

그럼 마음대로 하세요. ㅎㅎ

선녀는 울엄마 친구 이름이구요 ;; 적당한게 없으면 천사나 뭐나 마음대로 불러주세용..

2021.12.16
<나의 에고>

나는 어릴 적부터 말을 잘 안 해서 친구도 별로 없었다.
그게 그래도 그렇게 될 것까진 아니었을 텐데 그 후로도 쭈욱 나는 말도 없고 친구도 없는 삶을 살게 되었다.
천성이 얌전한 건 아니다. 그렇다고 음울하다는 것도 썩 어울리지 않는다. 다만 말을 하고 싶지 않고 마음속에 뭔가 묵직한 게 나를 꾹 누르고 있는 느낌이랄까. 하도 말을 안하다보니 절로 얌전해진 거 같긴 하다. 하지만 내가 봐도 별난 구석이 있고 친한 친구와는 장난도 심하게 치곤 했다.
사람들은 내가 가만히 있으면 내게 뭐가 있는 줄 알기도 하는데 알고보면 아무것도 없어 실망하기도 한다.
말만 없는게 아니라 할줄 아는 것도 없고 말주변도 없고 음치고 악필이고 그리고 사회부적격자다.
왜 말을 안하냐고? 살다보니 사는 게 말이 막히는 일이라는 걸 깨달아서 그런 것 아닐까. 말없는 것이 이토록 익숙할 땐 내가 전생에 모우니 사두는 아니었을까 생각하기도 한다.

오해도 많이 산다.

누가 칭찬하면 보통 사람들은 겸양의 표현을 하지만 나는 그냥 가만히 있으니까.

그런 모습이 오만하게 여겨지는걸 아는데 그러든 말든 나는 가만 있곤 했다. 의사소통하고 대응할 필요를 못 느낀달까. 어차피 그런 것으로 서로의 간극을 줄일 수는 없다는 생각. 내 마음속엔 나눌 수 없는 깊은 아픔과 고독 같은 것이 있고 그것은 누구와도 나눌 수 없는 것이라고 생각한다.

그래서 그런 태도로 인해 스스로를 점점 더 고립시킨 것은 아닐까. 그렇게 마음속엔 점점 치유할 수 없는 고독이 쌓여갔다.

사실 진심으로 나를 이해해주고 내게 다가와주는 수고를 하는 사람도 없었다. 내가 마음을 활짝 열수 있을 만큼 진심으로 노크해주는 사람이 없었다.

그런 고독을 느낀 건 고등학생 때부터였다.

그때는 나를 싫어하는 애들도 많았다.

이해받지 못하는 존재였다. 지금도 그렇지만.

무표정하게 인상구기고 있으면 (힘들어서 저절로 그렇게 되었다) 나를 오해하고 다가오지 않았다.

내가 먼저 다가갔으면 되었겠지만 글쎄, 세상과의 큰 벽이 느껴졌고 그 벽은 사소한 행동으로 풀 수 없다고 생각했다.

처음엔 솔직히 노력을 해본 것 같다. 그러다 점점 내가 손을 댈 수 없는 숙명의 문제라는 것을 깨달았던 거 같다.

그렇게 숙명의 파도를 타고 나는 고독해졌다.

벽이 있고, 오해를 받고, 나는 그 오해를 풀기보다 그냥 오해를 품도록 내버려두게 되었다. 그게 편하고 익숙해졌다.

내가 시계를 보다 고개를 돌리면 '시계를 째려보네' 이러는 애들에게 뭐라고 하겠는가.

지금도 그냥 무력하다. 벽을 사이에 두고 벽 너머 사람들에 대해 나는 아무것도 할 수 없다.

마찰과 갈등과 아픔이 있지만 내가 풀 수 없는 거대한 문제라서 감히 무엇도 하지 못하고 그냥 앓는다.

내가 느끼는 것은 온통 번뇌와 고독

이것이 에고의 감옥 아닐까.

때로 세상과의 갈등을 풀기위해 머리를 싸매고 진지하게 연구를 해보기도 하지만 답은 잘 나오지 않는다. 번민과 갈등만 깊어져간다. 에고의 감옥에 갇힌 스스로를 느낄 뿐이다. 그러고보면 이 갈등, 이 얽매임이 지긋지긋하고 제발 떨치고 싶다는 생각도 든다. 떨치고 자유로워지고 싶다고.

책에 '진아에게는 죄가 없다'고 한다.

필요한 것은 더 큰 자아와 하나되는 것이지 에고와 씨름하고 갈등하는 것이 아니라는 생각이 든다.

이 에고를 버리고 자유롭고 싶지만 에고를 버리는 것이 결코 쉬운 일은 아니다.

버려도 버려도 다시 돌아오니까. 지긋지긋할 때는 그저 내던지지만 미묘하게 남아서 다시 고개를 들고는 한다.

자의식을 하고 다시 세상에 얽매인다. 나는 늘 이랬다 저랬다 하며 이런 결심하나 지키지 못하나 그런 생각이 든다.

그저 살아가는 현실을 꿈처럼 보고, 모든 일을 개인적으로 받아들이지 않을 때 고통이 적다는 걸 발견해 가는 중이다.

어서 더 큰 자아, 진아를 깨달아 진정 자유롭고 싶다.

2021.12.22

<이해>

주위를 한번 둘러보면 그런 사람들이 보일지 모릅니다.

마음이 아픈 사람들, 버림받은 사람들, 세상과의 연결감을 잃고 힘들어하는 사람들.

몸이 아픈 사람은 쉽게 눈에 띄지만 마음이 아픈 사람들은 모르고 지나칠 수 있습니다. 그런 사람이 없는지 한번 둘러보세요

아무도 모르게 가슴에 쓰라림을 안고 있는 사람이 있을지 몰라요. 애써 보려하지 않으면 잘 보이지 않을거에요

한때는 사람들은 타인의 고통을 모르기 때문에 쉽게 상처를 준다고 생각했습니다. 그런데 그보다는, 사람들은 타인의 고통에 대해 관심이 없는 것은 아닐까요

그래서 알려는 노력조차 하지 않는 것은 아닐까요

타인을 이해하려는 것은 수고스럽기 때문에, 편견을 갖는 것이 이해하는 것보다 더 쉽기 때문에.

그래서 쉽게쉽게 상처를 주면서 자신들이 상처를 준다는 사실을 외면하고 있는 것은 아닐까요.

그런 사람이 있을 수 있어요. 누군가 세상 한켠에 소외되고 고립되어있는 사람이.
사람들과의 연결감을 잃고 아파하는 사람이.
누군가를 진정으로 이해 못하면서 함부로 대한적 없나요
아무 생각 없이 편견으로 상처를 준적 없나요
지금도 그 사람이 아파하고 있을 수 있습니다.

모른척 외면하고 지났던, 아무생각 없이 편견으로 대했던 한 사람의 슬픈 얼굴을 떠올려 보세요.
그 사람은 지금 고립되어 가슴을 치며 아파하고 있을지 몰라요.
당신의 아무 생각 없는 편견에 고통을 당하고 있을지 몰라요
궁지에 몰려 힘들어 하고 있을지 몰라요.
이해가 닿지 않는 곳에 앉아 쓸쓸해 할지 몰라요.
누군가 손잡아주기를 간절히 바라고 있을지 몰라요.

편견으로 함부로 대한 사람이 있다면 이제 이해하려는 노력을 한번 기울여보세요.
그리고 기본적인 것을 돌아보세요.
그 사람도 사랑이 고프고, 상처받으면 마음이 아프고, 혼자 있으면 외롭고, 죽음이 두렵고, 다른 사람들과 똑같다는 것.
그 사람이 나 일수 있다는 것을. 그것을 잊지 말아야 해요.
우리는 다르지 않으니까요.

그걸 아는 것만으로 다른 이에게 함부로 실수를 하지는 않을 거에요.

2021.12.31

<장애물 경기>

인생이 장애물 경기같이 가다가 서고 가다가 서고 해서 피로감이 대단하다. 끝없이 펼쳐진 넓은 길을 속도감을 즐기면서 쌩쌩 달리고만 싶은데. 늘 조금 걷다가 멈추고 다시 걷다가 또 금방 멈추게 되니 이게 뭔가. 좀체 무슨 일을 추진할 수도 밀고나갈 수도 속도감을 즐길 수도 없는 것이다.

물론 현실을 무시할 수 없고, 앞에 있는 장애물들을 잘 살펴서 넘어지지 않게 하는 것은 중요하지만 매번 그러느라 너무 지쳐버렸다.

문제는 내 삶의 장애물들을 없앨 근본적인 해결방법이 없다는 것. 나는 그것에 대해 무기력하다는 것을 진작에 인정했다.

내가 할 수 있는 것은 매번 마주하는 그것을 무기력하게 맞이하고선 그저 마음을 다스리고 나쁜 기분에서 빠져나오도록 위안하는 것이 다이다. 언제까지 이렇게 시달려야 할까.

너무나 갑갑하다. 원치않은 삶에의 얽매임, 현실의 구속, 감옥에 갇힌 듯 질 낮은 삶. 멀리 달아날 수가 없다. 조금만 달아나려 해도 장애물이 내 발목을 붙잡아버리니. 혼란 같은 것을 마주하면 일단 생각해보기 위해 멈춰서고 마는 것이다.
무엇도 할수 없고 추진할 수도 없는 이 삶이 답답하다.

나는 매번 장애물을 만나면서 어떻게 하면 그것을 피할 수 있을까, 어떻게 하면 더 잘 달릴 수 있나하는 방법만을 생각할 뿐 하늘을 나는 방법은 모르는 거 같다. 하늘을 날게 되면 이리저리 장애물들을 피하려 애쓸 필요조차 없어질 텐데.. 하지만 어떻게 하면 하늘을 날수 있는지 모르겠다. 내게 날개가 있는지도 모르겠다.
만약 내가 장애물을 대면하여 이리저리 용쓰는 것을 만약 저 위에서 누군가 내려다보면 얼마나 우스워 보일까.
이렇게 집착하고 아등바등하는 것이 얼마나 우스워 보일까.

언젠가 이 모든 장애물들을 떨치고 차원을 넘어서서 자유로워지는 날이 있을까. 내가 그토록 바라는 그 날이.

새해에는 '발전'보다 '진화'하고 싶다

2022.01.31
<앓았다>

앓았다
마음을 앓았다

자주 앓았다
한번 마음을 다치면 사나흘을 앓기도 했다.
몸이 체하듯 마음이 자주 체했다.
그러면 몸살 앓듯 마음을 이리저리 뒤척이며 앓았다
아파서 아파서 혼자 몸부림을 쳐가며 앓았다.
몸이 음식을 소화시키지 못해 체하 듯
내 마음은 아픔을 소화시키지 못해 자주 체했다.
그러면 며칠을 앓으며 아픔을 소화시키려 애썼다.
아픔이 너무나 자주 나를 찾아왔다.
다가와서 친한 척하고는 내게 들러붙었다.
나는 아픔이 싫어서 제발 아픔을 내게서 떼어내고만 싶었다.
그만큼 더디게 아픔을 소화시켰다.
아픔이 나를 장악하면 나는 끙끙 앓기만 했다.
몸이 아프면 약이 있는데 마음이 아프면 약을 쉽게 찾을수 없다
이제는 만성질환이 되었다,
이내 마음 병은 치유할 약이 없어 불치의 병
그래서 아픔이 오면 속수무책으로 앓기만 한다.

댓글
까치까치 설날은 어저께구요 우리우리 설날은 오늘이래요.~ 아침 산책중에

더 기쁜일 많은 한 해 되세요

네 설날 잘보내고계시죠? 새해 복 많이 받으세요

2022.02.04

<방황하는 마음>

외로워서 외로워서 숨이 막힌다
책을 읽을 수도 명상을 할 수도 없다
도무지 마음의 울렁거림 진정되지 않는다
가슴 한 구석에 모른 척 꾹꾹 눌러두었던 마음
잠자코 웅크리고 있던 그것이
한번씩 이렇게 아픔을 호소해오면 대책이 없다
아무도 알아주지 않아서
아무도 만져주지 않아서
우주에 홀로선 치명적인 추위에 떨고있는 그 마음
따뜻하게 덥혀줄 수 없다.
알아달라, 만져달라고 존재를 호소해와도 어떻게 할 수가 없다
허약해진 마음을 비집고
온갖 이물질들이 침입을 시도해온다
슬픔에 빠진 이 내 마음
도무지 그것들을 이겨낼 기운이 없다
침입한 병균들이 부실해진 내 마음을 속속 쓰러뜨리며
점점 영역을 넓혀가고
아아 어지럽다. 괴롭다. 현기증이 난다

그러나 시간이 흘러도 흘러도
진정되지 않는
나의 미친 마음이여

2022.02.07
<즐거운 망상>

책은 이렇게 읽는 거구나.
책이 통 안 읽히던 3년 전에 비하면 이제 많이 늘었다.
아니, 너무 느리게 늘은 건가?
그동안은 잘 안 읽히는데도 무작정 욕심을 내 너무 급하게, 집중도 못하면서 무작정 읽었던 것 같다.
그런데 이제 차츰 독서자세가 잡히는 거 같고 그럴수록 책이 읽을 맛이 나는 거 같다.
지금 읽고 있는 책은 '내 영혼이 따뜻했던 날들'
작은 나무가 들려주는 이야기가 마치 친구가 곁에서 이야기해주는 것처럼 재미가 있다. 아직 안 읽히는 부분도 많았지만 너무 힘쓰면 지치니까 이제 덮었다. 다음에 또 읽기로 하고.
책... 나도 어릴 적엔 책을 잘 읽었었는데 커서는 왜 그리 책이 안 맞았는지 모르겠다. 학창시절 공부를 등한시한 것 외에 커서도 일년에 책을 한권도 안읽은 세월이 길다.

어릴 적에 명절에 큰집에 가서 전래동화전집을 읽었는데 책에 푹 빠졌던 기억이 난다. 다 귀신이 나오는 전래동화책이었는데 그때만 해도 상상력이 너무 뛰어났던 거 같다.

책을 읽으면 글자 하나하나와 그림들이 마음에 박혀서 책을 덮어도 그 그림들이 마음속에 살아있곤 했다. 공포가 너무 커서 화장실도 못 갈 정도였다.

그래서 이제 그만 읽어야겠다 결심을 했다가도 내용이 너무 궁금해 결국 못 참고 다시 책을 펼치곤 하던 것이 생각난다.

물론, 그렇게 읽고 나면 한층 더한 무서움이 엄습해오고.

그 강하던 상상력 지금은 다 어디로 갔을까 싶다.

책 읽는 것 밖에 달리 할게 없는 지금의 삶, 책을 보다 잘 안 읽히거나 잡념이 들 때면 이것저것 생각을 한다. 이런저런 망상도 한다.

그 망상이란?

조금 더 노력해서 글 재주가 많이 는다.

브런치 작가가 된다.

구독자 수가 500명이 넘는다. (사실은 처음에는 5000명이었는데 아무리 생각해도 그건 너무 심한거 같다.. 내 글실력을 자신도 잘 알고 있는데 내 능력에 비해 구독자가 넘 많으면 부담스러울 거 같아서 500으로 줄였다. 솔직히 500도 많지만)

하튼 그렇게 되어서, 글이 인기가 많아서 출판사에서 출간제의가 온다. 그래서 책을 출간하는데 이게 글쎄 베스트셀러가 된다. 그래서 돈을 엄청 번다. 그렇게 함으로써 한번도 돈 벌어보지 못하고 사회생활도 못 했던거를 한꺼번에 다 만회하는 거다. 그런 꿈을 꿔

본다. 기껏 내가 꿀 수 있는 꿈은 이게 다다. 더 대단한 꿈은 없다. 지금의 내 형편으로는.

그리고 그 다음은? 그 다음은 어캐 되지?

내가 정말 바라는 것이 있다. 어느 날 자다가 자연스럽게 세상을 뜨는 것이다. 이제 너 할 일 다 했다 하며 신이 아주 편안하게 나를 거두어가 주셨으면 좋겠다. 어쩌면 작가가 되는 것보다 이걸 더 소망하는거 같다.

아니면 깨달음을 얻을 수도 있겠다.

만일 깨달을 수 있다면 그 이상은 계획하고 있지 않다.

그렇게 오늘도 즐거운 공상을 해본다

댓글

저도 내영혼이 따뜻했던 날들 인디언이야기 아주 감명깊고 재미나게 읽었던 기억이 나네요

댓글감사해요 오늘은 기분이 위태위태했거든요

2022.02.20

<빨리 가버려라>

한번 왔다가 가는 괴로움이라면

그래, 그런 거라면 빨리 가버려라.

내가 더 많이 지치기 전에

한번 왔다가 가는 외로움이겠지
영원히 있을 것만 같은 기분은 착각이겠지

또다시 침범해버린
감당이 안 되는 마음의 내용물들,
정체를 알 수 없는 복잡한 무엇
결코 원하지 않고
세세히 알고 싶지도 않은 것들.
물고늘어지려하지 말고 발길 돌려서 가버려라

그저 지나가는 손님이겠지, 지금껏 그랬듯.
점점 아파오는 이 시간이 난감해지니
이제 그만 가버릴 수 없니
소리 없이 왔듯이 그렇게 소리 없이.
어떤 외상도 남기지 말고 되도록 빨리.
어떤 흔적도 남김없이 모두 다 가지고.
내가 쓰라림을 느끼기 전에
내가 피폐해져버리기 전에
내가 초췌해지기 전에

설마 영원히 내게 들러붙지는 않겠지.
곧 괜찮아진다고 말해줄래.
그저 잠시 굴곡을 겪는 중이라고 말해줄래

곧 나아질 거라고 말해줄래.
끝도 없이 가라앉는게 불안하기만 하니까.
내가 다시 마음 편해질 수 있도록, 자유로워질 수 있도록

댓글

다 지나가는 바람과 같은 거래요. 다 지나가요. 그저 평온한 바람 소리를 들으세요. 영원한 것은 없더이다. 그저 불다가 지나가는 바람이라오. 폭풍우가 지나간 자리에 영원한 평화가 있음을...

네 글쿤여 선생님 디게오래간만이에요 저는 신묘장구대다라니 거의 다외웠어요. 가끔 꼬이네요 ㅎㅎ 심심할때마다 중얼중얼해요. 나모라 다나다라 야야~

시간 있을 때 마다 나모라 염송 하세요. 정말 신묘한 일이 생기실 거예요. 세상은 아름 다워요. 다만 내 마음이 어두울 뿐이죠. 아름다운 세상을 갖기 위해 내 마음을 밝히세요...ㅋㅋ

네~믿씁니다

쪼아~쪼아~~

2022.02.22

<슬픔이라는 술>

술주정꾼이 되었다
외로워서 한잔
마음이 딥답해서 한잔
삶이 벅차서 한잔
어제도 오늘도 술을 마시다
그만 술에 중독이 되어버렸다.
이제 거의 매일 술을 마시게 되었다
걷다가 넘어져서 한 잔
각오와 결심을 못 지켜서 한 잔
내가 너무 못나보여서 한 잔
삶이 막막하게 느껴져서 또 한잔
한 잔 한 잔 또 한잔
자꾸만 술을 들이켠다
이제는 습관처럼 쉽게쉽게 술에 취한다.
슬픔이라는 술, 쓸쓸함이라는 술
술에 취해 인생길을 비틀거리며 걷는다
어이, 좋구나. 취한다. 취한다.

2022.02.28

<삶을 부정하는 순간>

내게 어떤 게 제일 힘든지는 잘 모르겠지만 어떤 감정이 제일 곤란한가 묻는다면 질투심이라고 하겠다.

질투. 질투라는 말이 적절한지는 모르겠다. 부러움보다 강하고 함께 하기에 조금 곤란한 감정...

나 혼자 있을 땐 아무 문제없던 것이 타인의 삶과 마주치면서 나의 세계가 깨어지는 것이다. 더구나 탄탄하지 않은 세계라면 타인의 삶과 마주치면서 여지없이 박살이 난다. 그리고 나의 세계에 대한 확신이 흐려진다. 그런 순간들이 곤란하다. 불편하다.

꼭 타인이 나보다 잘라서 나의 세계가 깨어지는 것은 아닌 거 같다. 그보다는 잘났든 못났든 내가 얼마나 확고하게 나의 세계를 쌓아가고 있었나, 나의 삶을 잘 이끌고 있었나에 좌우되는듯하다.

나름의 삶의 의미나 보람을 가지고 있는지도.

언젠가부터 타인이 잘 사는 모습을 바라보면 내 마음이 편안하지 않다. 그 사람의 삶은 그 사람의 것이고 나의 삶은 나의 것이다, 라는 설득이 통하지 않는다.

타인의 삶을 보다 내 삶을 바라보면 나의 삶이 보잘것없는 것이 되어 부서져 내린다. 타인의 삶을 보다 내 삶을 보면 나의 삶을 부정하게 된다.

'나는 왜 이런 삶을 살고 있을까. 왜 이렇게밖에 살지 못할까.' 그런 생각을 하게 된다.

나름 조금씩 탄탄해진다 여겼는데 아직도 나의 삶을 잘 쌓아가지 못했구나, 라는 걸 매번 타인의 삶 앞에 초라하게 부서지면서 느낀다.

마음을 쓰고 싶지 않은데도 자꾸 마음을 쓰게 되고 도무지 다스려지지도 정리되지도 않은 채 마음 한구석에 머무르고 있는 감정. 치워버리고 싶지만 끈질기게 남아 존재를 호소하는 그 감정이 불편하다. 원치 않게 자꾸만 스스로의 삶을 부정하게 되는 순간이 곤란하다. 한편에서는 그래선 안 된다고 하지만, 나답게 살면 된다고 설득해보지만 공허한 울림일 뿐, 쉽게 치울 수 없는 갈등이 일어나는 나의 마음속.

그래서 아무것도 보고 싶지 않고 아무것도 듣고 싶지 않을 때가 있다.

내 삶을 부정하는 순간이 싫어서. 흔들리고 싶지 않은데 또 흔들리게 되니까.

타인의 삶을 마주하지 않아도 나 스스로가 나의 삶을 부정하는 순간도 있다.

너무 고단해서, 너무 외로워서, 도저히 받아들일 수 없는 일들이 허다해서, 너무 압박을 받아서, 타인이 내 존재를 부정해서.

그럴 때는 어떻게 해야 할지 모르겠다. 달아날 곳이 없는데 말이다. 할 수만 있다면 이 불만족스러운 삶을 그만두고 싶지만 그럴 수 없으니.

기운을 내서 다시 삶을 잘 살아야하는데, 내 삶을 일으켜 세워야 하는데 나의 삶을 대하면 도무지 기운이 안 나는 순간이 종종 온다.

2022.03.10

<왜 이리 고될까>

1 왜 이리 고될까. 지금 어디까지 왔을까

나의 꿈 속에서처럼 잘 넘어가지지 않는 마지막 언덕을 넘으려 애쓰고 있는 순간이 아닐까

혹시 조금만 더 가면 되는데 여기서 잘 보이지 않는 건 아닐까..

그렇지만 왜 이리 힘들고 고될까

내 몫의 고통은 얼마만한 것이기에

내가 받아들이고 감당해야할 고통은 얼마이기에.

이제 그만했으면 좋겠는데.

2

도저히 여기서 한걸음도 못갈 거 같다

몸이 아파서 일찍 누웠다 깨어났는데 마음의 고통이 말해주고 있다. 더는 못갈 거 같다고.

아 앞으로 이 시간을 어떻게 견뎌야 할까.

3

사라지고 싶다.

그저 사라지고 싶다

지쳐서 아무것도 하고 싶지 않다.

그러나 아무것도 안하고 있으면
계속 이 절망 속에 빠져있어야 하기에 위험하다는 걸 안다.
빠져나갈 구멍이 없다.

2022.03.11

<내 인생은 도박>

내 인생은 도박이다.
기대감, 혹시라도 나아질 거라는 기대감으로 산다.
현재는 너무 불리하고 불리한 환경을 긍정적으로 바꾸어낼 수 있는 재능은 없기에 그냥 좋은 날이 오리라는 막연한 기대감 하나로 살고 있다.
무언가 노력을 하기는 하는데 재능은 별로 없다.
그래도 열심히 노력하는 것이 삶을 살게 한다.
하지만 현실적으로 말해 나아질 가능성은 희박하다.
내 인생은 비유를 하자면 로또복권을 사며 언젠가 당첨되길 바라는 그런 것일까.
앞에 커다란 벽이 놓인 듯 마음이 답답해지는 순간이 많다.
매일매일 위태롭게 외줄을 걷고 있는 것 같다.
조금 삐끗하기라도 하면 추락할 것 같아서 오들오들 떨어야 한다.
압박하고 조여 오는 것들에 때로 몸이 바싹 마르는 거 같다
마음은 극한 상태를 왔다갔다하고 안정적인 날이 별로 없다

어차피 살아야하니 이런 상황에서라도 즐거운 일을 찾으려 애를 쓴다. 삶의 의미를 찾는다

하루에도 몇번씩 묻는다.

내 인생은 도대체 뭘까.

난 누군가.

호소할 데는 신 밖에 없어 아침마다 기도도 하는데 응답이 없다.

무엇보다... 사는 게 너무 심심하다.

2022.03.25

<인사이더가 되고 싶다>

아웃사이더, 즉 바깥에 선자는, 인사이더들을 객관적으로 관찰할 수 있다고 한다. 멀리 떨어져서 보기에 그들의 어리석음을, 그들이 보지 못하는 것들을 볼 수 있다고 한다.

내가 잘 하던 것도 바로 그것이었다. 근데 '잘한다'고 할 때, 내게는 '많이 한다'는 것이지 '뛰어나게 한다'는 것은 전혀 아니었다.

모든 아웃사이더가 그렇지 않겠지만 나로 말하면, 나는 어릴 때부터 경계선 밖에서 타인을 관찰하며 그들을 파악하는 습관을 가졌다. 내가 보는 것을 못보고 내가 아는 것을 모르는 그들을 어리석게 생각하며 남모르게 우월감을 가졌다. 어쩌면 평생 소속감을 가지지 못한 채 바깥에서만 서있었기에 자연스레 그런 습관이 들었나 보다.

그러나 한편으로 나는 그들이 부러웠다. 그들의 유대와 즐거움이. 그들의 울타리 밖에 서서 늘 소외감을 느꼈고, 어쩌면 나는 평생 그 소외감과 함께 살고 있는 거 같기도 하다.

지금 생각해보면, 나의 태도, 타인을 파악한다는 태도는 건방진 짓이고 진실하지 못한 짓이었다. 또한 타인을 속일 수 있다는 것, 타인을 안다는 생각도 모두 착각이라는 것을 알게 되었다.

그것은 지금까지 내가 시행착오하며 깨달은 것이다.

나는 타인의 자연스러운 행동을 비웃고 속으로 그들을 꿰뚫어본다고 여기곤 했다. 그들의 행동이 너무도 단순하고 뻔해보였고 내가 보는 것이 그들의 전부인줄로 알았다. 그래서 그들 모르게 우월감을 가지면서 즐거워했다. 그러나 내가 보는 것이 그 사람의 다가 아니고 그 사람을 진정으로 아는 것도 아니었다.

사람을 안다는 것이 단순한 것이 아니라는 것을 이제는 아는데.

그들을 어리석게 여기곤 했었는데 어리석은 것은 나였다...

무엇보다 타인에게 진실하지 못하고 진심으로 대하지 못했으니 얼마나 안타까운가. 늘 타인과 거리감을 가진 채 마음속에 우월감의 영역을 남겨놓으며 타인에게 솔직하지 못했다. 그런 작은 오류들이 차곡차곡 쌓여 점점 더 스스로를 고립시키게 되었던 것은 아닐까. 무엇보다 그런 태도로 살아오느라 타인과 진실하게 소통하고 마음을 나누는 법을 배우지 못한 것이 아쉽다.

다른이와 진정한 마음을 나눈다는 것이 사람이 살아가는데 얼마나 중요한 것이고 위로가 되는 것인지 힘든 시간을 보내며 깨닫고 있다.

그리고 타인 또한 내가 내안에 갇혀 스스로 깨닫지 못하는 것들을 볼 수 있다는 것은 생각지 못했다. 내가 잘 못 보고있는 것을 나의 울타리 밖에서 보고있는 사람도 있다는 걸.

그리고 솔직하게 나는 외로웠다. 밖에서 안의 사람들을 바라보며 그들이 부러웠다. 그들과 어울리고 싶고 그들에게 속하고 싶었다.
밖에서 누가 아웃사이더가 되어 인사이더가 된 나를 관찰하는 자가 있다하더라도 나는 이제 그 인사이더가 되고 싶다.
그들의 따뜻함을 느끼고 싶으니까. 소속감을 느끼고 싶으니까.
이제 인사이더가 되고 싶은 나는 우선 사람들에게 진실해야겠다고 생각한다.

2022.03.25(2)
<참새소리를 듣다가>

산책길 끝 무렵
벤치에 가만히 앉아서
참새들 소리를 듣다가
문득 나를 잊었네.
그러다 놀라서 현실로 돌아왔네.
이 얼마나 오랜만에 느껴보는 순간이고

얼마나 놀라운 순간이던가.
나도 없고 불행도 없었네.
초록 나뭇가지들 사이로 햇살이 비치고
참새들은 이리저리 날아다니며 노래 불러주네.
슬픔에 취하는 것만큼
종종 저 새소리에도 취할 수 있다면...

댓글
그렇죠. 원래 아무것도 없는 그 자리이지요. 나도 없고 너도 없는 그 자리를 봐야되요. 생각으로만 알지 말구요. 이빨 잘 하시는 도인 되시지 마시고요. 진짜 도인 또 한분 출현 하셨구나~~ㅋㅋ

글쿠나.. ㅋㅋ 근데 저가 도인이면 쌤은 뭔가요. ㅋㅋㅋ

예, 하인이 되겠습죠~~ㅎㅎㅎ

네 하인 하세요. 말문이 막히네요 ㅋㅋ

2022.04.18
<현상계>

아프게, 곤란하게, 괴롭게

마음 쓰이게 신경 쓰이게 혼란하게
유혹하고 뒤흔들리게 슬프게
왜 이렇게 나를..
별다른 잘못하지 않았고
그저 있는 그대로 있고 싶을 뿐인데
왜 그렇게 나를 내버려두지 않을까.
현상계.
아 나의 갈등, 괴로움, 고통, 고뇌, 번민
이 현상계의 수렁에 빠져 익사할 것만 같다
현상계는 환상에 불과하다는데
나는 왜 그 환상 속에서 헤어나오지 못하는가.
왜 그 환상 속에 빠져 허우적거리는가
왜 그 환상이 내겐 생생한 고통인가
벗어나고 싶어도
니가 나를 무시할 수 있을거 같아? 비웃는 현상계
수많은 몸부림에도 나를 낙담시키는 현상계, 진흙탕같은 현상계, 혼돈의 현상계
허약한 나를 현상계가 쥐고 흔든다.
몸부림도 쳐보고 마음은 극한 상태까지 가는데
아직도 깨어날 준비가 안 되었단 말인가.
어느 날엔가
고통이 흔적도 없이 사라지는 날
정말로 더 이상 흔들리지 않는 날
현상계가 환상인 것에 추호도 의심 없어지는 날, 그런 날이 올까.

2022.04.28

<나는 완벽하게 절망할 수 없다>

나는 완벽하게 절망할 수 없다.
단단히 닫아놓은 그 마음에
언제나 조그만 틈이라도 찾으려 애를 쓰고
길을 걷다가도 희망을 줍고 싶어 세심히 살피니까

나는 완전한 희망을 품지 못한다
늘 희망을 기다리며 저 멀리까지 망을 보고 있지만
희망이란 손님은 쉽게 오지 않아 지치고 마니까.
그러나 지나가는 모든 손님 중에
열심히 희망을 분별하려 애를 쓰고 있는 내 모습.

나는 완벽히 자만 할 수 없다.
뜻대로 나아가고 싶어도 늘 뭔가에 붙들리고
불가항력적인 일들에 깊이 고개 숙이면서
한낱 나약한 인간임을 깨닫는다.

나는 완전히 혼자 설 수 없다.
아무리 강한 척을 해도 나는
결국 따뜻한 온기와 체온이 필요한 연약한 동물.

오늘도 조그만 인기척 소리에 귀 기울이고 있다.

나는 완벽한 계획을 세울 수가 없다.
인간의 계획이란 늘 신의 계획 앞에서 무기력해지기 마련이니까.
그 앞에서 열심히 경로를 수정하며 나아갈 뿐.

나는 완벽한 대비를 할 수 없다.
아무리 열심히 마음을 준비시킨다 해도
모든 일에 다 대처할 수는 없더라는 것.
매 순간 최선을 다해 대응을 하는 수밖에 없다는 것.

나는 언제나 완벽하게 현실을 알 수가 없다.
한낱 인간으로 눈앞의 혼돈을 걷지 못한 상태에서
매순간 상황에 치우친 판단과
기대는 언제나 배반을 당하고
생각과 다른 현실에 종종 당황하고 마니.

나는 언제나 믿음을 유지할 수는 없다.
스스로에 대한 의심과
굳지 못한 나의 입지로 인한 우울과 불안이
종종 나를 무너뜨린다

나는 완전히 현명할 수 없다.
무의미한 상에 집착해 끄달리고
보이는 것만 믿으며 갈등하고

내가 있는 자리조차 잘 분간하지 못한다.

댓글

세상 만사가 다 마음속에서 일어나는 그래요. 당신의 머리속에서...그리고 그대의 뇌속에서 일어나는 것뿐이래요. 이것은 현대 뇌신경과학에서도 말하는 거구요. 불교에서는 더 나가죠. 세상 만사가 당신의 생각이 밖으로 투사된 것일뿐이라는 거죠. 즉, 허상이고 환영이라는 거죠. 그리고 그 마음, 생각도 사실은 환영이라는 거죠. 그래서 세상도 환영이고 내 몸과 마음도 환영일 뿐이라는 거죠. 이와 같이 불교는 신을 인정하지 않아요. 단지 당신의 마음만 바로잡으면 모든게 다 잘되는 거죠. 하옇튼 모든 일의 해결책은 마음에 있대요. 그러니까 마음만 잘 다스리면 되죠. 불교는 간단해요. 모든게 다 자기 마음만 잘 다스리면 된다네요. 믿거나 말거나...

현실이 쓰나미처럼 몰려와서 뒤흔드는데 이건 환상이다라고.. 잘 되지않아요..

열심히 해서 공을 체험해야 되요. 명상을 꾸준히 하세요

시간이 많이 걸리겠죠? 전생에 수행한게 있어서 빨리 됐으면 좋겠어요. 평화로운 저쪽언덕으로 어서 건너가고싶어요

2022.05.20

<다짐>

괜찮겠지요.
지금은 여러가지 번뇌를 안고 있지만
저편 언덕으로 건너가면 그곳엔 평화와 안정이 있겠지요.
어서 빨리 그곳으로 다다르고 싶어요.
번뇌에 시달릴수록 어서 빨리 그곳에 다다르지 못함이 조급한 지경입니다.
어떻게 하면 그곳에 다다를까요
한번도 경험해보진 못했지만 때로 의심도 생기지만
나는 진정 그곳에 닿고 싶어요.
그곳엔 뭔가 다른 것이 있을 것 같아요.
여기까지 오는 동안 힘들었어요.
모든 시련과 고통은 그 길에 닿기 위한 과정이었을 테죠.
그것이 나의 길이라고 믿어요.
그리고 그곳에 꼭 다다르길 바라요.
내 인생은 이렇게 나를 휘두르는데
지금 나는 무기력하고 어찌할 방법이 없어요.
시간이 필요하다는 것도 아는데
그래도 이 시간이 너무 참기 힘드네요.
어쩌면 지금은 참 중요한 시간이에요.
매순간이 그렇긴 하지만
마치 중요한 고비같이 느껴지거든요
번뇌가 가득하긴 하지만 또 한편
조금만 고개를 돌리면 무언가 다른게 보일것만 같아요

이 순간을 잘 극복해야만 결국
넘어서서 전환을 맞을것만 같거든요
다 잘될 거라고 믿음을 가지고 마음을 다독입니다.
자꾸 돌아보지 않고 걸어가겠습니다.
부디 행운이 있어서 그곳에 닿기를.
그리고 되도록 빨리 닿을 수 있기를.

댓글
인생을 조금 살아 보니까 알것 같아요. 인생에는 자기의 길이 있다고요. 자기가 감내하고 또 이겨 나가야할 그런 운명이란게 있나봐요. 그렇지만 그 나의 운명이라는게 어떤 것인줄 지금은 모르겠지요. 인생은 짧지만 길기도 해요. 속단하지 마세요. 오늘의 이 험난한 가시밭 길이 후일의 아름다운 꽃길이 될 수있는게 인생이라는 것이 아닌가 생각해 보네요...ㅋㅋ 힘내세요. 양 선생님 홧팅! ㅎㅎ

감사합니다. 쌤도 홧팅하세용

2022.06.06
<상처받은 영혼>

당신들이 나를 이해하지 못한다는 것을 압니다.
그래서 그렇게 상처를 주는 것이지요.
나는 당신들과 그렇게 다르지 않습니다.
나도 당신들과 같습니다.
나를 이해하지 못하면서
어떤 배려조차 하지 않고
편견으로 마음대로 대하지요
이해해 보려는 약간의 수고도 하지 않지요.
내게는 그렇게 해도 되는 줄 알지요.
함부로 해도 되는 줄 알지요.
참 쓸쓸합니다. 그것이 그리 어려운 일일까요
나도 당신들과 같은 사람이라는 것, 가슴이 아플 수 있고 감정을 느끼는 사람이라는 것,
그것을 아는 것이 그리 어려운가요?
내가 비록 쉽게 이해할 수 없는 사람이라하더라도
그래서 이해하기보다 편견을 갖는 게 편한 존재라 하더라도
내게 상처를 주면 내가 상처를 입는다는 것쯤은 알지 않나요
나도 당신과 같습니다.
나도 영혼을 지켜야하고
나도 쉼이 필요합니다. 여유롭게 숨쉴 공간이 필요합니다.
나의 영역을 무단침입하면 안 된다는 것
나에게 무례하면 안 된다는 것
당신이 당신에게 그러하길 바라듯이 나도 그렇다는 것.
그것은 알아야하지 않나요
내가 당신일 수 있다고 왜 생각을 못합니까.

나는 왜 사람이 사람에게 상처를 주는지 이해할 수 없습니다.
세상은 그렇게 쓸쓸한 곳입니까?
왜 자꾸 내게 세상은 삭막하다고 일깨워주나요
왜 인간은 신뢰할 수 없다고 일깨워주나요
나는 정말이지 그렇게 믿고 싶지 않습니다.
나는 당신들의 편견에 따른 시선과 말의 폭력에
강요당하지 않겠습니다.
신경쓰지 않겠습니다.
내가 해야하는 것에만 집중하겠습니다.
당신들이 나를 이해하지 못한다는 것을 알기 때문입니다.
당신들은 그럴 가치가 없다는 걸 알기 때문입니다.
그리고 그건 당신들의 문제이기 때문입니다

댓글

하하~고독한 그대, 양 선생님. 약간 뿔이 나셨네요. 그런데 사실은 모든 것이 허상이고 환영이에요. 사람들도, 동물들도 그리고 우주 삼라만상 모든 것이요. 다 환영으로 보세요. 그것이 진리예요. 그 모든 환영이 없어 지는 곳에서 절대 진리가 나타날 거예요. 열반, 해탈, 니르바나(Nirvana)의 세계가 말이죠. 그 곳은 아름답죠. 말 할 수 없는 평화와 자유와 행복과 기쁨이 있어요. 부처가 되요. 그 곳을 향해서 가세요. 그 행복한 곳으로요. 이 세상 사람들 그리고 모든 것이 허상이고 환영이라고 생각하고 사세요. 그것이 수행이기도 하죠. 하옇튼, 마음 공부 많이 하세요. 그러면 모든 고통 스러운 것이 다 끝나요. 행복한 곳으로 가세요. 우주의 진리의 세계로요

글게요 수행이 마음만큼 안 되네요. 빨리 잘되야 우선 마음이 편해지기라도 할텐데요. ㅜㅜ

예, 그래요. 세상에서 제일 어려운 것이 수행하는 것이죠. 그리고 또 제일 쉬운 것이 명상 수행하는 것이죠. 즉, 말이죠. 수행이 처음엔 힘이 들지만 어느 정도 익숙해 지면 수행하는 것이 즐거워 져요. 그래서 처음에 힘들더라도 그 고비를 넘겨야 되요. 그러고 나면 수행처럼 재미가 있고 즐거운 것도 없어요. 하옇튼, 열심히만 하세요. 잘 되고 못 되는 것을 떠나서요. 그러다 보면 어느새 수행이 즐거운 것이 되요. 하옇튼, 자기 인생이니까, 자기가 책임을 지고 살아가는게 인생이겠지요. 건투를 빌어용~

지금이 고비인가봐요. 수행이 즐거워지면 정말좋을거같아여

2022.06.28

<상처와 고통>

상처와 고통이 있습니다. 내 운명에 배정된.

어찌할 바가 없어 그저 감내해야하는 숙명 같은 아픔입니다.

때로는 그냥 앞뒤 안 가리고 다 때려 부수고 뒤집어엎고만 싶습니다. 하지만 그래봤자 소용없다는 걸 잘 알죠.

그래서 그저 꾹꾹 눌러놓습니다. 마음 한켠에 애써 무시하며.

하지만 그렇게 쌓이는 답답함이 분명히 자리하고 있다는 걸 알고 있죠.

그 상처와 고통을 그저 흘려보낼 수 있는 마음의 경지엔 아직 이르지 못했습니다. 언젠가는 할수 있을까요? 지금은 그저 마음을 다스리려 노력하고, 그러나 뜻대로 되지 않아 답답해하고, 그렇게 마음을 쓰는 자신을 자책하는 것이 나의 모습입니다.

그 상처와 고통과 함께한 시간이 이미 오래되었습니다.

당혹스러운 것은 매번 겪어도 나의 상처와 고통엔 익숙해지지 않는다는 것입니다.

여전히 그것들을 다룰 줄 모르겠다는 것입니다.

상처가 들어오면 매번 나의 평화와 안정은 깨어지고 또다시 무력하게 맞이합니다. 마음은 온통 진흙탕이 되고 그것을 헤집느라 시간을 쓰며 어느새 나 자신을 잃어버리죠. 그런 나를 문득 깨닫고 스스로를 되찾기 위해 나는 또 나름대로의 노력을 합니다. 이런 과정을 늘 반복하고 있죠.

상처같은 것은 딱 정리를 해서 머리 한켠에 치워놓고 무관심하면 좋을텐데. 매번 똑같은 반응을 하는 나를 보면, 꽤 오랫동안 그랬는데 아직도 극복 못하는걸 보면, 나는 영원히 이 상처를 다룰 수 없을 것만 같은 절망감을, 깊은 무력감을 느낍니다.

상처를 안 받도록 하면 되지, 자신을 그렇게도 지킬줄 모르냐 라는 말은 나에게 하지 마세요

당신은 나의 처지를 모르고 나는 피곤하게 설명하고 싶지 않습니다. 다만 누구에게나 피할수 없는 숙명처럼 감당해야할 일이 있다는 것은 알겠죠. 내게는 그런, 피할수 없어 숙명처럼 감당해야 할

아픔입니다. 무력해서 거기에 대해 아무것도 할 수 없는 아픔입니다

쏟아지는 비를 피할 길이 없어 그저 무기력하게 서서 맞고 있어야하는 아픔입니다.

하지만 희망을 품고 있습니다. 언젠가는 이 상처와 고통을 다룰 수 있는 날이 올 것이라는.

나는 어딘가로 향해 가는 길이고 그 길에 이 고통은 불가피한 과정일거라는 생각을 하고 있습니다.

지금은 이렇게 혼란스럽기만 하지만, 또 지금은 무지와 고통에 방황하지만, 전화위복이 되어 언젠가 이 고통이 축복이 될 날이 올거라고 그렇게 믿고 싶습니다.

2022.07.11

<비가 온다>

비가 오면
그렇게 기분이 좋을 수가 없다
나는 가뭄에 바싹바싹 타들어가던 곡식인가 보다
메마른 내 가슴에 단비가 내리면
그렇게 기분이 좋을 수가 없다

이렇게 비가 오는 날이면
무작정 거리를 걷고 싶다.
비 내리는 창밖을
하염없이 바라만 봐도 좋다.

비가 오면
내 안에서 혼자 썩어가던 것들이
저 빗줄기 아래 얼굴을 내밀고
위로를 받는다
후두둑 후두둑
마음껏 토닥임을 받고 싶어
하염없이 저 빗줄기를 바라본다

비가 오면
내 모든 것이 흠뻑 젖어버리고 싶다.
아픔도 슬픔도 목욕을 하듯
다 씻겨 내려갈 수 있도록
하염없이 저 빗줄기 아래 서 있는다.

2022.07.27
<전생에서 온 편지>

편지가 한 통 도착했다.

집중력 없이 책장을 넘기다가 한숨을 쉬고는 '사는게 왜 이리 답답한가요'라고 중얼거렸다.

그때 문득 편지 한 통을 발견했다.(상상입니다.)

화사한 봄햇살같은 노란색 편지가 책갈피처럼 끼어있다.

펼쳐보니 이렇게 시작하고 있었다.

'하루하루 불안해하고 근심하며 불안정한 마음으로 살고있는 네가 안타까워서 편지를 쓰게 되었다'고.

누굴까? 책을 읽으면서도 통 불안정한 마음 때문에 집중을 못하고 있었는데 마침 이런 내 마음을 알고 있는 사람이 있다니.

편지에는 내가 느끼는 매일의 불안과 나의 마음 속 복잡한 상념들을 잘 알고 있다고 했다. 그리고 내가 곤란에 처해있으며 도움받을 곳이 아마 아무데도 없는 고독한 처지라는 걸 알기에 나에게 편지를 보내는 것이라 했다.

나의 고독한 처지를 알고 있다고?

나는 당혹스러웠다. 벽에 막혀 누구와도 소통되지 않는다는 생각에 아픈 가슴을 안고 살고 있는데 누가 그걸 알고 있단 말인가.

도대체 누굴까?

편지에는, 이때쯤 나에게 답을 해줘야 하기에, 이제 그럴 시간이 되었기에 편지를 하게 되었다고 말하고 있었다.

그리고 자신은, 전생의 나라고 말하고 있었다.

전생의 나라고? 나는 어리둥절해서 고개를 저었다.

어떻게 전생의 나가 내게 편지를 할 수 있을까? 그리고 내게 무슨 얘기를 하려고?

편지에서 전생의 나는 말했다.

내가 힘들어하는 걸 잘 알고 있다고. 고립감에 싸여 있고 외롭다는 것도 잘 안다고. 또 내가 보낸 지난 고통의 시간들도 잘 알고 있다고 했다. 그 고통의 시간들을 잘 넘기고 여기까지 온 것을 축하한다고 했다.

그러다 '마음이 많이 답답하지?' 하고 편지는 말했다. 그 말에 문득 눈물이 터졌다.

편지는 이어졌다.

지금 나는 너무나 지쳐있다고. 혼자서 사투하느라 무척이나 지쳐 포기하고 싶어한다고... 그래서 자신이라도 나서서 말을 해줘야 했다고 했다.

확신을 주고 싶어서, 지치지 말라고, 힘을 내라고 말하고 싶어서. 이제 조금만 더 가면 된다는 것을 내게 말해주고 싶다고 했다.

그 말을 해주고 싶어서 전생부터 예정된 시간에 맞춰 나에게 편지를 하게 되었다고 한다.

그리고 말했다.

내게 예정된 고통의 시간이 거의 끝나간다는 것을, 그것을 나는 모르겠지만 자신은 알고 있다고 했다.

지금 나는 변화 없이 그저 오르락내리락하는 듯이 보이지만 분명 능선을 오르는 중이라고. 이제 거의 다 온 셈이라고.

그리고 전생의 나는 내게 충고해 주었다.

조금 가벼워지라고. 지금 나는 너무 많은 생각을 하고 너무 애를 쓰고 사는데 그러면 지칠 수 있으니 될 수 있는대로 마음을 편안히 하라고. 조금 더 단순하게 생각하고 마음을 비우라고.

또다시 눈물이 흘렀다. 오랫동안 참았던 눈물이었다.
누가 뭐래도 다른데 신경 쓰지 말고 네 삶을 충실히 살라고 말했다.

나는 전생의 나에게 묻고 싶은 것이 생겼다.
나는 도대체 누구인지, 나는 왜 이렇게 살고 있는지.
편지에는 안 그래도 나의 의문들에 답을 해주기 위해 편지를 했다고 적혀 있었다.
전생의 나는 말하고 있었다.
내가 삶을 살며 혼란해하고 또 존재의 아픔을 느끼는 걸 잘 알고 있다고. 도무지 이유를 알 수 없어 힘들어하는 걸 안다고. 그러면서 말하길, 내게는 주어진 특별한 숙제가 있다고 했다.
전생의 내가 풀 삶의 숙제를 미처 다 마무리 짓지 못해 현생의 나에게 넘길 수밖에 없었다고.
그래서 미안하고 안타깝다고 말했다.
그리고 이번 생에 꼭 그 숙제를 풀기를 바란다고 했다.
차근차근 잘 풀어나가라고. 또다시 다음 생까지 숙제를 넘기지 말라고.
숙제라니, 내가 삶을 통해 이루어야할 숙제가 있단 말인가?
그 숙제가 무엇인지 나는 묻고 싶었다.
전생의 나는 말했다.
자신도 모른다고.
그것은 아마도 살면서 나의 삶을 통해서 실현하는 것이 아닐까라고. 우선은 어떻게든 지금을 살아가는 것이 숙제가 아닐까라고. 그러면 언젠가 어딘가에 도달해있는 모습을 발견할 것이라고.

내가 보낸 지난 시간들이 결코 무의미하지 않으리라 했다.

또 해주고 싶은 말이 있다고 했다.

너무 불안해하지 말라고. 나는 너무 불안정한 감정으로 살고있는데 그럴 필요 없다고. 보이지는 않아도 나를 보호해주고 지켜주는 존재들이 있으니 그것을 믿고 불안감을 덜어내라고.

삶의 숙제를 이뤄낼 수 있도록 응원해줄 거라고.

또, 필요할 때 도움의 손길을 보내줄 것이라고.

그리고 사명을 꼭 완수하길 바란다고 말했다.

그리고 마지막으로 마치 암시하듯 말했다.

지금은 삶이 무의미하게보이고 혼란할지라도 이 곤란한 시간 뒤에, 이 시간을 무사히 통과한 뒤에 산꼭대기에 올라 다른 시야로 세상을 바라볼 때가 있을 거라고. 그렇게 편지를 끝맺었다.

그러나 편지를 접고 나서 나는 다시 고민에 빠졌다.

내게 주어진 특별한 인생의 숙제는 도대체 무엇일까?

나의 사명은?

2022.08.05

<희망>

희망고문이라는 말이 있지만 어쩔 수 없다.

희망이 없으면 살 수가 없으니 말이다.

불행이 아무 소리도 아무 이유도 없이 왔듯이 희망도 어느날 갑자기 그렇게 나를 찾아오지 않을까 하며 근거 없는 기대를 걸어보는 것이다.

어쩌면 나는 살기 위해서 희망을 만들어내야만 했던가 보다.

그렇게 아주 오랜시간이 지났음에도 희망은 아직도 나를 찾아오지 않았다. 그럼에도 나는 아직 희망을 버리지 못하는데..

혹시 나와 희망은 죽는 날까지 끝내 만나지 못하는 사이인 건 아닐까? 희망은 결코 내 앞에 나타날 생각이 없는데 나 혼자 희망을 짝사랑하는 건 아닐까.

가끔 이성적으로 현실적으로 생각해 본다.

내게 희망이 찾아온다는 건 결코 이루어질 수 없는 일이 아닐까.

엎어졌다가도 늘 다시 일어서며 희망을 품곤 하지만 그것은 그저 나 혼자 하는 끝없는 순환은 아닐까.

만약 내가 재능도 재주도 능력도 있다면 벌써 희망이란 것이 나를 찾아왔을텐데.

나의 가능성으로 스스로 기회를 포착하거나 만들어낼 수도 있었을 텐데. 희망의 모습을 뚜렷하게 감지할 수 있었을텐데.

그런 생각을 하면 실의에 빠진다.

망상을 하는 습관이 있었다. 현실에 망상을 덧대어 본다.

있는 그대로 보는 것이 아니라 내가 보고 싶은 대로 보고 생각하고 싶은 대로 생각하면 즐겁긴 하다. 그런 망상이 현실을 견디게 해줬지만 그런 식으로 나는 언제까지나 현실을 바라보기를 거부해

온 건 아닌가.

이제는 진정한 희망을 품고 싶다는 생각을 해본다
헛된 희망이 아닌 근거 있는 희망.
그러기 위해선 현실을 부정하지 말고, 현실을 바로 본 후 이 현실이라는 바탕 위에서 가능성 있는 희망을 찾아내는 노력을 해야하지 않을까.. 그래야 내 손으로 운명을 바꿀 수 있지 않을까.
생각은 그렇게 하지만 지금 내가 무얼 할 수 있을까. 내가 할수 있는게 있다면 지금껏 이렇게 진흙탕에 오래 있었을까.

어쩌면 그 희망은 지금 내가 생각하는 것들이 아닐지 모른다.
어떤 모습인지 지금의 나는 알수가 없지. 어쩌면 예상치 못한 뜻밖의 모습일지 모른다. 그 희망을 기다린다.
내가 할 일은 나의 생활을 꾸준히 하며 주의깊게 기다리는 것이다.
막연하더라도 희망을 꿈꾼다.
똑똑... 반가운 그 손님이 언제 노크할지 모른다.

2022.08.22
<각자의 고유한 세계>

타인을 안다면 얼마나 알 수 있을까요?

누구도 타인을 완전히 알 수는 없다는 것이 내가 깨달은 진실입이다. 타인을 안다고 말을 하여도 그것은 피상적일뿐 결코 그 깊이를 알지는 못합니다.

한 사람의 세계는 그리 간단하지 않습니다.

보이는 세계에서 우리는 서로 관계를 맺고 어울리고 또 갈등도 하죠. 그러나 그 세계 외에 각자에게는 자신만의 고유한 세계가 있습니다. 타인은 모르는, 자신만의 고유한 세계.

우리는 보이지 않는 서로의 그 세계에 예의를 갖춰야하고

누구나 그 세계 안에서만은 깊이 휴식할 수 있어야 합니다.

보이지 않는다고, 혹은 안다고 짐작해서 함부로 타인의 그 영역을 침범하고 깨뜨려서는 안 됩니다.

그 사람은 하나의 우주이고 자신의 세계 안에서 나름대로의 질서에 따라 살고있기 때문입니다.

그 사람 고유의 공간을 침범하면 그 사람은 어디서 숨을 쉴까요

그 사람의 세계를 존중하고 지켜주세요.

당신이 당신의 세계를 존중받고 싶음과 마찬가지로.

어떤 사람이 있습니다. 그 사람은 당신과 달라보일지 모릅니다.

헛점이나 약점이 보이고 쉽게 대해도 될 거 같습니다.

그래도 될까하는 생각 애써 누르고 남들도 다 그러는데 어때 하고 끝끝내 합리화 하며 심술궂은 욕망을 충족시키지 않습니까

그렇게 타인의 세계를 깨뜨리는 것이 타인의 영혼을 침범한 것이 될 수 있습니다.

타인을 안다고 함부로 판단하지 말며 당신이 모르는 그 사람의 고유한 세계에 대해 부디 예의를 갖춰주세요.

비록 당신의 이해에 닿지 않고 당신의 사고의 틀 안에 맞지 않는 사람일지라도. 그 사람은 보통사람과 다른 조건을 갖고 있을 수 있습니다.

그렇지만 우리는 서로의 다름에 대해 이해해보려 해야하고 이해를 못할지라도 적어도 예의는 지켜야 하는 것입니다. 우리는 다르지만 또 같은 인간이니까요.

2022.08.26

<나서지 못하는 사람>

사람들과 함께 있으면 나는 종종 바보가 됩니다.

관계를 맺고 어울릴 줄도 모릅니다.

말도 잘 못하고 내 모습을 드러내고 주장할 줄도 모릅니다.

나름의 내 모습이 있고 스스로가 인정하는 개성이 있지만

그런 모습을 누구에게도 보여주지 못합니다. 너무나도 나와 맞지 않는 세상이기에.

그러면 '너는 왜 그러냐' 하고 가까운 사람들은 그렇게 말도 합니다.

나도 이러고 싶지 않은데 말이죠.

타인이 보는 내가 진정한 내가 아닐 때도 많지만 그냥 그렇게 보도록 내버려둡니다.

친한 사람과는 좀 더 나를 보여주지만 대체로 여기 이 지구에서는 그런 모양으로 살고있습니다. 어쩌면 과거가 조금만 달랐어도 지금의 내가 이렇게 형성되지 않았을 거란 씁쓸한 생각도 들지만요.

사람들과 함께 있으면
나는 도무지 나를 지킬 수가 없습니다.
그들의 거친 파장에 영혼이 아파지고
나의 영역을 침범 받으니
나는 도무지 나를 지킬 수가 없습니다.
밖에서 흔들리다 안으로 돌아와서 잃어버린 나를 회복할뿐입니다.
이 지구에서 이번 생은 이렇게 살아야하나 봅니다.

하지만 그런 내 안에도, 바깥으로 내고 싶지만 여의치 않아 숨죽이고 있는 목소리가 있습니다.
지금은 이렇게 짓눌려 있지만
언젠가는 나도 세상에 뭔가 보여주고 싶다는 열망이 있습니다
언젠가 물 만난 고기가 될 그런 날이 오긴 올까요
언젠가 나만의 고유한 날갯짓으로 세상을 날 수 있을까요
내가 하고 싶은 대로, 마음껏, 나답게.

2022.09.09

<수행의 과정>

수행의 길을 걸어가다.

어쩌다 내 인생이 나를 그 길로 인도하다.

굳이 그 길을 가기로 마음먹지 않아도 수행하며 살수밖에 없는 인생, 내 인생이 그런 인생이다.

공한 것에 집착하지 말라, 눈에 보이는 것 귀로 듣는 것에 마음 움직이지 말라는 말을 들었을 때 내가 노력하고 있는 것이 바로 그것이라는 것을 알았다. (그 말을 내가 바르게 이해했는지는 몰라도)

그러나 아무리 노력해도 그렇게나 어려운 일이다.

원치 않게 삶에 얽히고 기분이 나쁘고 불쾌하고 시달리는데 마음을 움직이지 않기란.

매일매일 마음과 갈등하고 씨름하면서 살고 있다.

불안하고 두렵고 고통스러운 이 마음을 다스릴 수만 있다면,

모든 것을 지나가는 구름처럼 여긴다면... 그럴 수 있다면 정말 자유로울 텐데.

말은 그렇게 단순하거늘, 그렇게만 하면 마음의 자유는 쉽게 얻을 수 있는 것이거늘 그렇게 되는 것이 정말 어렵다.

늘 통제력 밖의 마음을 다스리려 애쓰며 살고 있다.

어떻게 하면 빨리 깨달을 수 있을까요?

과정이 필요하겠죠. 과정이...

과정이 없으면 결과도 없다.

지금의 이 갈등과 번민도 깨달음을 향하는 과정이 아닐까 싶다.

지금은 도무지 의미를 알 수 없는 것들, 혼란들, 고통들.

불필요한 것처럼 보이지만 어쩌면 나의 수행에 꼭 필요한 요소들일지도 모른다. 어쩌면 그것들이 지름길이 될 수도 있겠지.

언젠가 정말 수행이 성공을 거둬 깨닫는 날이 온다면... 지금까지 그 과정의 고통들은 다 잊을 수 있을 텐데.

잘 되지 않아도 낙심 하지 말고, 결과를 빨리 얻고 싶을수록 과정을 하나하나 성실히 임하는 수밖에.

그래도 그 길이 나와 인연이 있어서 다른 길보다는 조금 쉬웠으면... 전생에도 수행을 해서 조금은 더 빠르게 갈수 있었으면...

하지만 때로는 삶의 문제들에 완전히 정신을 빼앗겨 마음이 혼란하고 어지럽고, 세상과 얽혀 갈등하고 괴로워하느라 수행과는 오히려 멀어지는 거 같다고 여겨질 때도 많다.

그리고 그런 괴로움이 클수록 더욱 명상과 마음을 다스리는 수행을 열심히 하자고 다짐을 하지만 그것도 또 금방 나태해지고 만다. 집중이 오래가지 않는다.

명상을 하고 앉아있으면, 하기는 해도 아직 아무런 진전이 없으면, 마음만 조급해지고 내가 과연 할 수 있나 하는 생각이 들기도 한다.

때론 이 길에 자신이 없어진다. 깨달을 수 있다는 믿음조차 사그라들 땐... 도대체 어디서 인생의 답을 찾아야하나 막막해진다

불가능한 일을 하고 있는 건 아닌가. 누가 스승이 되어 이끌어주

면 좋겠는데..

가끔 나는 혼자서 흔들릴 때가 있어요.

나 스스로가 이상한 사람 같다고 내가 나를 의심스럽게 바라봐요. 분노가 일거나 화가 나거나 내안에 폭력성이 올라오거나 혹은 아주 마음에 안 들거나 그럴 때가 있는데 그러면 내가 나의 그런 모습을 의심스럽게 바라봐요. 나는 정말 괴물이 아닐까하는. 그것은 나를 받쳐주는 것이 없이 혼자 서 있으려니 그런 건 아닐까요

때때로 그렇게 나의 다른 일면을 보게 되면 그게 스스로 감당이 안되요. 난감해요. 혼자 외롭게 길을 가다보니 그런 기분이 가끔 들수 있다고, 그럴 수 있다고 넘겨요.

아마 모든게 조금씩 조금씩 나아지고 있을 거라고 믿어요.

2022.09.28

<나의 인생 명예의 전당 1위 음식>

코로나 걸린 탓에 컨디션이 안 좋고 기력이 많이 쇠했다.

그뿐 아니라 입맛이 많이 없어졌다.

내가 좋아하는 콩나물도, 소고기국밥도 무슨 맛으로 먹는지 모르겠다. 그래도 기력을 회복해야하니 몇 순갈 더 억지로 떠먹어본다.

코로나 걸린지 2주, 첫 1주가 끝나고 격리기간도 끝났는데 입맛

은 좀체로 돌아올 줄을 모르고 있다.
뭐가 먹고 싶어 샀다가도 막상 음식을 앞에 두면 맛이 없다.
샌드위치두, 과자두, 좋아하던 반찬들도.
통 낫지 않고 질질 끄는 기침만 식탁에서 콜록콜록 해대다 일어나 버린다.
많은 음식에 실패했지만 웬지 실패 안할 것만 같은 음식이 하나 떠오른다.
아아, 내가 종종 그리워하던 추억 속의 음식.
내 인생 명예의 전당 1위에 등극해있는 음식. 그것은. 그것은?
살면서 대단한 음식 먹어본 적은 없다.
사회생활 못해본 부적격자라 맛있는 음식 찾아다니며 먹지 못해서. 내가 좋아하는 음식은 핏자, 아구찜, 짬뽕. 뭐 그정도 밖에 없다.
그런 내게 명예의 전당 1위의 음식이란?
별것 아니면서 너무 별것 아닌 음식이다.
바로 중학생 시절 먹었던, 매점의 우동과 비빔이다.
하, 지금도 생각하면 입에 군침에 살짝 돌고 그리운 맛이 시간을 거슬러 풍겨오는 것 같다.
너무 좋아했다. 학교 매점에서 팔던 우동과 비빔.
점심을 못 싸온 애들이 사먹으라고 팔았을 테지만 나는 점심 때 뿐아니라 쉬는 시간마다 달려가 3분안에 한 그릇을 뚝딱 해치우고 교실로 복귀하곤 했다.
그 맛이 얼마나 좋았는지, 왜 그리 그 음식이 맛있었는지 지금도 모르겠다.
친구와 함께도 달려갔지만 혼자라도 날쌘돌이처럼 달려가서 우동

하나요 하며, 금방 만들어내는 한 그릇을 후딱 먹어치우곤 입을 쓱 닦고 다음 수업 맞춰 교실로 뛰어가곤 했다.

입안에서 매운 비빔의 뒷맛이 빨리 지워지지 않고 남아 있어도 그것까지 좋았다.

그때도 아마 알았던 것 같다. 이 맛은 내 평생 그리워할 맛이라는 것을. 그래서 그렇게 고집스럽게 먹어댔던 것이리라. 행복해하며. 비싸지도 않는 한 그릇이었다. 한 그릇에 300원. 곱빼기는 500원정도. 사실은 확실히 기억나지 않는다. 내 기억의 오류일지도 모른다. 설마 그렇게 쌌을까? 지금 생각하면 의심이 들기 때문이다.

그래도 그 정도 했던 것 같기도 하다.

그 시절 후로도 그때의 우동과 비빔을 생각하면 자동으로 입안에 침이 돌곤 했다.

그 시절을 정말로 나는 오래 그리워했다.

그리고 한참을 잊고 있었는데 지금 이순간 그 우동과 비빔이 못 견디게 그리워오는 것이다.

코로나로 입맛이 사라졌든 말든 그거 한 그릇 지금 있다면 얼마든지 뚝딱 해치울 수 있을 것만 같다.

매콤한 면발을 입에 넣자마자 마음가득 행복이 뿜뿜 올라오겠지.

머릿속에서 엔돌핀이 반짝 돌겠지. 그때 그랬던 것처럼.

물론 양이 많지 않으니 그때처럼 우동 한 그릇 비빔 한 그릇 해서 2그릇 비우는데도 몇분 걸리지도 않겠지.

지금 타임머신이 내 앞에 있다면 얼마나 좋을까.

당장 그 시절로 가서는 그 낡고 좁은 매점에 뛰어가서 할머니 우동하나 비빔하나요 주문하고는 후딱 바로 나오는 그 두 그릇을 들고 한구석 식탁에 가서 젓가락으로 후루룩 후루룩 먹어치우고 싶다.

소화가 되는지 안되는지 기다리지도 않고 바로바로 목구멍으로 넘기던 그 시절 방식 그대로.

미치게 그리운 그 우동과 비빔.

실제 그 맛이 어떻든, 어쩌면 그 시절 입맛의 오류로 그렇게 맛있게 느껴진 것인지도 모르지만 언제까지나 내 인생에서 명예의 전당 1위로 올라있을 것이다.

막강한 음식이다. 그 무엇도 범접할 수 없는 음식이다.

그 이유는 그 시절은 내가 가장 행복했던 시간이고 그 시절을 떠올리면 함께했던 친구들의 모습이 떠오르고 날쌘돌이같이 바람을 가르며 매점으로 뛰어가서 한그릇을 후딱 먹어치우던 건강하던 내 모습이 떠오르기 때문이다.

아, 그립다. 정말 그립다

2022.10.12

<영혼센터>

나: 똑똑

Y씨: 네, 어서 오십시오.

나: 여기가 영혼의 문제를 상담해주는 곳이 맞습니까. 제 영혼의 상담이 필요해서 왔습니다.

Y씨: 네, 맞습니다. 세상에서 문제를 겪는 영혼들에게 상담을 해주는 영혼 센터입니다. 아프고 소외된 영혼들에게만 열린, 소외된 영혼들만이 들를 수 있는 상담소로 현실에서는 보이지 않는 곳이죠. 증세와 어려움을 말씀해 주시면 제가 상담해드리고 적절한 인생처방전을 만들어드립니다.

자, 앉으세요. 우선 커피 한잔 드시고요. 이제 편하게 말씀해보세요.

나: 네... 무슨 말부터 해야할까요 (침묵...) 제가 마음이 많이 힘이 듭니다. 저의 인생이 참을 수 없이 힘든데 제 인생이 과연 어디로 흘러가는 건지 모르겠어요.

Y씨: 네 많이 힘들어 보이시는 군요.

나: 그러니까... 저의 문제는.. 삶의 통제력을 잃었어요.

제 삶은 온통 헝클어져 버렸는데 무엇도 제 힘으로 바로잡을 수가 없으니 어떡하죠.

Y씨: (끄떡끄떡)

네, 그러시군요. 본인 힘으로 바로잡을 수 없다고요? 세상에는 누구에게나 무기력한 부분이 존재하기 마련이죠. 하지만 모든 괴로움에는 반드시 출구가 존재한다는 걸 말씀드리고 싶네요.

제가 그 출구를 찾는 일을 같이 도와드리겠습니다.

나: 감사합니다. 그러니까 한마디로 말해 저는 세상에 시달리고 있다는 거죠. 타인은 지옥이라고... 세상이 저를 구속하고 저는 자유롭게 날수가 없어요. 마치 영혼이 감옥에 갇힌 것만 같아요. 그러니까...

Y씨: (끄덕끄덕)

나: 무엇보다 저는 소통에 지대한 문제를 갖고 있어요. 제 삶의 모든 문제들은 소통에서 비롯된 것들이죠. 마치 벽이라도 있는 것 같아요. 저는 세상에서 무수한 상처를 받고 있고 거기에 대해 아무것도 할 수가 없어요. 무엇보다 타인들이 나의 고통을 이해하지 못한다는 것이 답답해요.
또한 그래서 저는 이 세상에 소통할 곳이 아무데도 없어요. 말도 못하게 고독해요... 그래서 답답한 마음을 견딜 수 없어 여길 찾아오게 되었어요.

Y씨: 네, 말씀을 다 하셨다면 이제 문제를 풀어보도록 하죠. 음, 세상에 시달린다고 말씀하시는데 혹시 사람들에게 과도하게 신경을 쓰는 것이 아닐까요

나: 그럴지도 모르죠. 하지만 쉽지 않은 걸요. 마음쓰지 않으려해도 자꾸 끄달리는데 제 마음을 다스릴 수 없으니 어쩌죠. 저는 그리 강한 사람이 아니니까요. 사람들은 내가 힘든걸 알면서 어떻

게 그럴 수 있을까요. 혼란해서, 이해할 수 없어서, 자꾸만 생각하게 되요. 벽을 사이에 두고 소통하지 못하는 가운데 저는 수많은 상처를 받고 있어요. 제가 받는 이 상처와 아픔을 어떻게 말로 다 설명할 수 있을까요.

그러면서도 할 수 있는게 아무것도 없어요

Y씨: 그러시군요.

누구나 삶에 문제가 있기 마련이고 완벽하게 문제로부터 자유롭지 못하죠. 제가 파악하기로 본인의 문제의 원인은 벽으로 보이는군요. 본인은 그로인해 세상과 소통하는데 큰 장애를 가지고 많은 갈등이 야기되는 걸로 보입니다. 우선 생각해야할 부분이 벽인데 벽을 없애는 노력을 할 수 있을까요?

나: 그게 가능하다면 제가 이렇게 힘들어하지 않았을 거에요.(한숨)

Y씨: 그러시군요. 그 벽은 본인의 인생에 불가피하게 감수해야할 부분인 것 같군요. 누구나 그런 부분이 있을 수 있죠. 그렇다면, 문제의 근본원인을 제거할 수 없으니, 제가 드리는 처방전은 조금이나마 마음을 편하게 하는 방법이 되겠어요.

나: 네 저도 무엇보다 마음이 편해지길 원해요. (낙심한 표정으로)제가 힘든 근본원인을 제거할 수 없다는 걸 잘 아니까요...

Y씨: 네, 도움이 되길 바라며 제 생각을 말해 볼께요

음, 무엇보다 본인의 마음 건강을 우선적으로 챙기시고요. 벽에 대해선 본인이 할 수 있는게 없다지만 희망을 버릴 필요는 없는 것 같군요. 저도 언젠가 그 벽이 무너질 수 있다는 생각을 합니다.

그래서... 지금 본인 또한 무엇보다 마음을 다스리는데 관심이 있는 것으로 보입니다. 그러니 벽에 대해선 언급하지 않겠습니다.

어쩌면 그 길을 추구하기위해 본인에게 벽이라는 그런 고난이 닥친 것인지도 모르죠. 그것은 본인이 스스로 밟아가야 할 과정이며 저는 그저 상담소를 운영하는 입장에서 조금만 도움을 드리도록 하겠습니다.

음... 지금은 어쩔 수 없이 이 시간과 곤란한 상황을 견뎌야만 하는군요.

제가 드리고픈 말씀은, 상황은 좋지 않지만 중심을 잘 잡고 이 시기를 견뎌야 한다는 겁니다. 삶에 변화가 있을 날까지요. 그런 가운데 본인이 할 수 있는 것을 힘껏 노력하세요. 할 수 있는 일이 없다고 하셨지만 생각해보면 할 수 있는 일이 한가지쯤은 반드시 있을 겁니다. 그걸 하며 내면에서 힘을 얻어가세요. 언젠가 변화를 가져올 힘을요.

명상도 좋고요. 우선은 기대나 바람 없이 본인의 상태를 스스로 돌보면서 본인의 갈 길을 정하고 그 길을 묵묵히 가세요.

흔들리는 시기동안 자신을 지켜내야 한다는 거죠.

흔들릴 때면 지금 내가 무엇을 해야 하는지, 무엇이 중요한지를 생각하고 불필요한 것들엔 마음을 거두세요.

어차피 타인은 나를 완벽하게 알지 못하니 나의 인생을 무의미한 것들로부터 보호하면서요.

나: 네 저도 늘 노력하고 있어요. 하지만 쉽지 않아요. 매번 세상 속에 저 자신을 잃어버리고 휩쓸려버리고 말아요. 세상에 저를 잃고 다시 찾고 하는 갈등을 수없이 반복해요. 타인은 저의 번뇌의 원천입니다. 저는 극복할 자신이 없어요.

Y씨: 네 쉬운 일이 아닙니다. 나약한 인간으로써 자꾸만 세상에 휩쓸릴 수밖에 없죠. 세상 속에서는 그렇게 아파하고 힘들어하는 영혼들이 많아요.

그래서, 그것에 도움을 드리고자 제가 드리는 두번째 처방전은 너무 많은 생각을 하지 말라는 것입니다.

생각은 살아가는데 필요한 것이지만 생각에 끌려다니면 자유롭지 못하죠. 출구를 찾고 싶겠지만 생각을 할수록 오히려 세상에 얽매어버리지 않을까요. 생각으로 허구의 세상을 창조할 수도 있는 거고요. 차라리 명상을 통해서 자기자신을 찾고 뿌리를 내리세요. 고요한 중에 영감이 떠오를 수도 있지요 생각으로는 아무래도 완벽한 해결책보다는 착각이나 오류가 날수가 있어요.

자, 생각에 오류가 난 기억들을 더듬어 보세요.

본인, 폰으로 쇼핑몰에서 옷을 고르고 있었죠? 100원가입이벤트인줄 알고요. 한 시간이나 쇼핑몰 둘러보고 있었는데 어땠어요? 나중에 보니 100원이 아니라 만원이벤트였죠? 그렇게 현실에 대한 본인의 생각도 착오를 일으킬 수 있다는 것을 알아야 해요

또 떠올려 봐요. 오늘아침에 무슨 꿈 꿨죠? 택배가 왔는데 문제가 있어서 그걸 어떻게 하나 고민하는 꿈을 꾸고 비몽사몽간에 깬 후에도 여전히 어떻게 하나 그 생각을 했죠. 그러다가 문득 알아버렸죠? 그것이 꿈이라는 것을. 착각이라는 것을. 사실은 애초에 택

배가 올 것도 없는데 택배문제에 대해 한참이나 생각한 거잖아요.
생각도 그렇지 않을까요 현실과 다른 것이 얼마나 많을까요.
지금의 생각은 한계를 가질 수밖에 없어요.

지금은 그저 무심하게 마음을 비우고 사세요. 그러면 적어도 평안할 거에요 그리고 지금 할 수 있는 걸 하며 내공을 쌓으세요.

이왕이면 번뇌에 싸이기보다 생각을 떨쳐서 영혼을 자유롭게 하는 것이 더 좋지 않을까요 (커피 한 모금)
물론 생각이 도움이 되고 생각으로 문제를 푸는 경우도 많죠. 하지만 본인의 경우는 생각으로 길을 잃고 있는 듯이 보여서 드리는 말씀이에요. 본인 자신이 알거에요. 그 생각들이 문제를 풀수 있는 건지 아니면 자신 안에 갇혀버릴 뿐인 건지. 본인의 내면의 목소리에 귀기울이고 그 목소리에 따르세요. 그 목소리가, 어느 쪽인지 답을 알고 있을 거에요.
(커피 한 모금)

마지막으로 드리는 처방전은 자신을 믿으라는 것입니다.
도무지 극복 못할 거 같다고요? 지금으론 그럴지라도 수행을 해나가다보면 언젠가 자신이 차원을 넘어설 수 있어요. 본인도 진정으로 바라잖아요 저 언덕으로 넘어가기를요. 그 믿음을 가지고 지금 할 수 있는 것을 하세요.
고난의 인생을 거치는 사람들에겐 무엇보다 자신을 믿는 것이 중요해요.. 당신 안에 있는 힘을 믿고 인생의 바다를 건널 수 있음을 의심하지 마세요.

무엇보다 제가 드리고 싶은 말씀은 당신은 지금 중요한 삶의 과정을 거치는 중인지 모른다는 거에요

세상과의 싸움이 고되고 지금은 이 상황을 이해할 수 없고 답답할지라도 이 경험들은 당신의 인생에 꼭 필요한, 당신의 성장에 꼭 필요한 과정일 수 있다는 것을 말씀드리고 싶네요.

누구도 대신해 줄 수 없는 일이 있어요. 당신의 마음의 소리에 귀를 기울이고 본인의 직관을 믿으며 헤쳐나가세요.

마지막으로 드릴 말씀은, 이것은 당신 한 사람에게만 맞는 처방전이지 모두에게 맞는 처방전은 아니에요. 왜냐하면 나는 당신 내면의 목소리이기 때문이죠.

자신의 마음과 진지하게 대화를 나누면 누구나 자신의 처방전을 얻을 수 있습니다.

세상에 있는 어떤 영혼들은 많이 아프죠.

안타깝지만 그들에겐 영혼을 치유할 병원이 없어요.

몸이 아프면 병원에 가면 되지만 영혼이 아프면 갈 곳이 없어요.

그래서 더욱 고독하고 아픈 영혼들이 간혹 잇죠.

보이지 않는 영혼이기에 보이지 않는 곳에서 혼자 썩어가곤 하죠. 이 땅위에서의 삶이 고달프고 위로받을 곳이 없는 영혼들이 있어요 외로운 시간들을 보내지만 그런 시간을 헤쳐 나가는 중에 어떤 영혼들은 성장하기도 하는 거죠.

상담이 필요하면 다시 찾아와주세요. 건투를 빕니다.

2022.10.18

<뜬금없는 학구열>

요즘 요런 책들 읽고 있다.

반갑다 논리야 시리즈는 고등학생 때 수업시간에 보던 건데 우연히 다시 꺼내보니 왜케 재밌냐.

당시엔 별로 재밌지도 않았는데 말이다.

수준도 딱맞네. 초등학생들 대상으로 쓴 책인데 지금 내 수준에 맞다니.

머리가 평소 쓰던거랑 조금 다르게 움직이니 두뇌 스트레칭도 되는 거 같고 그래서 더 읽을 맛이 나는 거 같다.

정말 다시 공부하고 싶다는 생각까지 든다.

다시 학생이 되서 공부하면 좋겠다는 생각.

그렇다고 그 힘들던 시절 돌아가고 싶진 않고.

아마 그때와 똑같은 환경에 다시 처하면 나는 또다시 공부를 할 수 없을 거 같으니까.

그 시절에 생각한 기억이 있다. 나는 정말 이보다 열심히 살수 없는 걸까 하고. 그렇다. 그 순간이 다시 와도 나는 더 나아질 것이 없다, 라고 생각했다.

그래서 한참이나 지난 지금, 그냥 한번 생각해보는 것이다.

영어공부가 재밌었는데, 전문대에서 배우는 영어도 참 재밌었는데 끝까지 했으면 얼마나 좋았을까하고.

수학도 생각하면 0점 받은 부끄러운 기억이 떠오르는데 제대로 공부했더라면 재밌지 않았을까. 중학생때 까지만 해도 수학이 참 재밌었었던 기억에.

편입하고 회계를 공부할 때도 적성에 맞는다고 생각했는데 만약 깊이 공부했으면 얼마나 좋았을까하고.

내가 살아보지 못한 삶에 아쉬움이 남듯 그 시절 손놓아버렸던 공부도 아쉬움 투성이다.

이제 와서야 배움이란 게 참 즐거운 일이란 생각이 든다.

만약 그때 그 시절 공부를 즐기면서 열심히 하고 그랬다면... 만약 그럴 여유가 있었다면 나의 인생길도 지금과는 다르지 않았을까.

책장에 경제는 내 사랑 시리즈가 있어서 꺼내 읽어보니 그것도 너무 재밌다

수준도 맞고 설명도 재밌다. 나는 사회부적격자라 정치도 경제도 잘 모르고 세상 돌아가는 걸 잘 모른다. 몰랐던 세상에 대해 몰랐던 분야에 대해 알아보는 게 이렇게 재밌다니. 호기심이 팍팍 생긴다. 그래도 아직 모르는 것 투성이지만.

지금은 3번째 권 읽는 중

그 시절로 돌아가면

지리도 지구과학도 화학도 역사도 다시 공부하고 싶다

왜 그런지 그때의 그 지루하던 학문들에 호기심이 팍팍 생긴다.

하필 학구열이 왜 지금 이 나이의 나를 찾아온 것인지. 여유가 없는데 말이다.

문학 수학 영어 경제 사회 지리 화학 등등 지금 이렇게 거리를 떨어져서 바라봐서 그런지 너무 매력적으로 느껴지고 알고 싶고

배우고 싶은 욕구가 팍팍 든다.

아 내게 딱 3년의 시간을 주면 좋겠다.

단 늙지 않는다는 조건으로.

그동안 읽고 싶은거 다 읽고 배우고 발전, 분발한 후 다시 이 세상 시간으로 돌아오고 싶다.

지금은 해야할 일이 있고 여유가 없으니.

어쩌면 다시 여러 책들을 막상 펴보게 되면 다시 공부가 싫어질지도 모르겠다 ㅎㅎ

그냥 오랜만에 공부해서 잠시 재미가 있는 건지도 모른다

2022.10.23

<마음이 나약해질 때>

삶이 한낱 꿈이라고요?
그럼 나는 아주 고약한 꿈을 꾸고있는 거네요
왜 이왕이면 좋은 꿈을 꾸지 못하는 걸까요

마음의 힘을 믿어 보라구요
당신은 쉬울지모르죠 쉽게 말할지모르죠
하지만 나는 도무지 되지않네요

도무지 조절되지 않고

마음 비우려해야 되지않고
감당할 수 없어하는 이 마음

마음을 잘 먹어서 무슨 소용이 있나요
아무것도 달라지지 않을 텐데
그러다보니 이젠 비관적이 되네요

마음 다스리기 전
무작정 느껴지는 이 피로함 괴로움 답답함
이런걸 부인할 수 있나요

지금 이 마음을 도대체 어떻게 해야할까요
가슴을 파고드는 이 아픔을 어떻게 해야할까요
질식할 것같은 이 마음의 고통을 도대체 어떻게 해야할까요.
나는 도무지 모르겠어요
마음을 잘 먹는 방법을
다만 지금은 누가 내 마음을, 이렇게 쓰러질 것 같은 내 마음을 안아주면 안될까요.
외롭습니다.

2022.10.29
<안개속에서>

안개속에 있어요
앞이 잘 보이지 않아요
지금 하는 것들이 소용이 있을지 잘 모르겠어요
문득 손에 잡힐 것 같던 삶의 열쇠는
또 다시 멀어져 가네요.

희뿌연 안개 속에서
그저 인내심을 갖고 나아가고 있는데
그 속에서 때때로
불분명한 것들이
나를 놀래켜요

절망
우울
쓰라림
그런것들이

안개속에서 더 무시무시하게 느껴져요
사방에서 조여오는 것 같아요
분명히 알 수 없는 것들 투성이에요.
이 순간이 영원할것만 같아요

진정 희망이 있는지 작은 신호라도 보여주세요
이 안개속에서 손을 더듬어 잡을 수 있는 무엇을 주세요
그것을 따라갈수있게

나를 지켜주시고 보호해주셔서
내가 이 길을 계속 나아갈 수 있게 해주세요
희망을 보여주세요

댓글
희망을 찾아 보세요. 여기 저기 많지 않을까요. 모르겠네요

선생님 잘 지내고 계시죠. 댓글 감사해요

2022.10.30
<그곳에 닿고 싶다>

나의 삶은 너무나 복잡하게 얽혀있고..
내 삶은 그것들을 하나하나 풀도록 노력하는 과정이 아닌가 싶을 때가 있다.
그렇게 푸는 과정은 결국 진리를 찾는 과정이고 진리가 나타나면 그때 모든 삶의 문제는 소멸할까.
나의 삶은 어쩌면 진리를 찾기 위해 주어진 인생이 아닐까.
어쨌거나 그곳에 닿을 수만 있다면.
그러나 나의 삶을 바라보면 마치 온통 엉켜 도저히 풀 수 없는 실타래를 바라보는 듯 답답해진다
지금의 나는 도대체 사는 방법을 모르겠어요.

이 어렵고 복잡한 인생을 살아갈 방법을 모르겠어요
어떻게 이 인생을 풀지, 어떻게 하면 이 곤란에서 빠져나올 수 있는지 어쩌면 길이 있을 것만 같은데
조금만 방향을 틀면 길이 보일것만 같은데, 조금만 손에 쥔걸 내려놓으면 새로운 존재가 될수 있을 것만 같은데
무지로 인해 아직도 이렇게 헤매고 있어요
그저 인내하고 노력하며 나아가고 있어요
하지만 때로 내가 걷는 길이 방향을 잘 잡은 것인지 모르겠어요
흐름에 맡기자, 하면서도 때때로 불안해져요.
열심히 실타래를 풀고 있지만 도리어 더 꼬인 느낌이 들때도 있어요.
언제쯤 그곳으로 건너갈 수 있을까요
진정 마음의 고통과 얽매임 없는 곳. 자유로운 곳.
놀라거나 두렵거나 혼란스럽지 않는 곳.
안정되고 평화로운 곳.
지금의 나를 괴롭히는 것들이 모두 그곳에선 소멸하는 곳.
여기서 힘껏 멀리뛰기 한번만 하면 그곳으로 건너갈 수 있을 것만 같은데
그런데 그걸 어떻게 하는지
그곳으로 어떻게 건너가는지

댓글
다 마음이에요. 마음에서 모든 걸 찾으세요. 제일 중요한 것은 생각을 줄이세요. 생각이 줄어들면 행복감이 찾아와요. 그리고 생각을 완전히 없애면 그때 진리가 나타나요. 생각들이 모여서 마음을

만들죠. 이 생각이 문제인 거에요. 생각이 사라지면 그때 무심(無心)이 되요. 그러면 완전한 평화가 찾아와요. 그때는 전혀 상상할 수 없었던 세계가 나타나요. 공(空)의 세계죠. 완전한 평화, 자유, 행복 그리고 무한한 편안함과 말할 수 없는 희열이 있어요. 명상을 열심히 해서 생각을 줄이세요. 그러면 마음에 평화와 행복이 와요. 믿거나 말거나~

저도 나름 생각을줄이는 연습을하고있어요 명상하면서도 마음의 내용물 비우려고 노력하고요 그러면서도 내가 방향을잘못잡은건 아닌가 잘하고있나 제자리걸음아닌가 싶은 생각도 들고요
빨리 선정에 들고싶은마음인데 시간이 쌓이고 쌓여야 된다고하니...
선생님 쉽고 재밌는 경전 좀 소개해주세요
법구경, 숫타니파타, 사십이장경, 유교경 등 이런거 들었는데요
수행이랑 공부를 병행해야하잖아요
선생님 게시물도 때때로 보고있는데 그걸로 충분할까요

예, 법구경이나 이런 거는 진짜 수행에 별 도움이 안되요. 좀 어렵지만 능가경(* 역)을 몇번 보세요. 마음을 이해 하는데 많은 도움이 될 거에요. 책보다는 수행을 많이 하세요. 명상과 수행이 하기 쉬운게 아니에요. 일부 선택된 사람이 하는 거죠. 양 선생님이 이렇게 수행을 하는 게 보통 좋은 게 아니에요. 아마 전생에 수행자 였을 거에요. 달마어록(*역)도 나중에 시간이 나면 보세요. 마음 공부에 좋아요. 어렵지만 열심히 해 보세요. 당신은 선택된 사람임을 잊지 마세요. 홧팅

2022.11.10

<언젠가는>

내가 어떠한 시간을 거쳐왔는지 아는가.
어떤 극한 상황이 내게 몰아쳤고
그 상황들을 버텨내기 위해 내가 어떤 갈등들을 하고
어떤 상처들를 삼켜내고
어떤 고통을 감내해야 했으며
어떤 두려움과 불안이 나를 관통하고
어떤 외로움을 벗삼아 살아야했는지.

언젠가는 나의 삶의 경험들로 글을 쓰고 싶어요
글실력은 없지만 그래도 쓰고 싶어요
글을 어떻게 쓰는 건지도 모르지만 내 마음대로 쓰고 지껄이고 싶어요
나도 이제 세상에 뭔가를 보여주고 싶어요.
아직은 때가 무르익지 않았지만. 언젠가는.

사람의 그 외로운 마음 속을 들여다보고 싶어요
그 갈등과 투쟁들을 표현해보고 싶어요.
그 고독의 깊이와 외면하면 안 될 삶의 이면

그런 것들을 펼쳐보이고 싶어요
세상과 신으로부터 버림받은 기분,
소통할수 없어 생기는 그 고독과 외로움,
우주에 홀로 선 듯한 추위.
원치 않는 환경 속에서 끝없이 진흙을 털어내려던 노력
수없이 벽을 마주대하는 답답함과
그럼에도 다시 일어나 시도하는 도전.
순조롭지 않은 삶 속 거센 흐름을 거슬러야하는 쓸쓸한 투쟁.
그저 살아내고 버티기만 하던 시간과
스스로에게 존재이유를 묻던 시간들.
스스로에 대한 의문을 갖던 시간과
나를 찾으려던 시간
비참하고 낮게 바닥에 드러눕고 싶던 마음과
다시 그 밑바닥으로부터 일어서기 위한 노력들
때때로 드는 모든 것을 끝내고픈 간절한 소망과
그럼에도 삶을 선택해야하던.
내가 보낸 그 절망의 시간들과
인생의 의미를 찾아 방황하던 시간
그리고 때때로 내게 찾아오던 확신과 신념과 평화와
희미하게 비치던 희망의 불빛
서서히 생기는 인생에 대한 통찰과 지혜까지
소외되고 세상의 이해에 벗어나 있는 그 고독한 사람의 마음을.
나의 지난 시간들이 무의미속에 묻히지 않도록.

2022.11.21

<상처>

나는 그냥 돌멩이이고 싶다
아무 상처 느끼지 않고 싶다
단단한 돌멩이가 되면 마음이 안 아프겠지

눈에 보이지 않는 공기가 되고 싶다.
상처는 그냥 나를 통과해 가도록
지금의 나는 상처들이 들어와선
마음에 찌꺼기를 남긴 채 지나가니깐

내가 없었으면 좋겠다.
그러면 아픔을 느끼는 나도 없을 테니

보호막을 세우려 애를 쓰던 날도 있었다.
아무도 나를 못 건드리게 보호막을.
하지만 아무리 대비하고 각오해도
종종 무방비 상태가 될 때 찾아와 깜짝 놀라고 만다
완벽한 대비를 할 수가 없기에.

상처로 너덜너덜한 마음의 방에 앉아
상처의 모양을 바라본다.

새로 들어와 날카롭게 나를 찌르는 모양을 만져보고
시간이 가면서 무감각해지는 변화를 지켜보고
만질수록 쓰리고 답답해지는 현상을 다뤄본다.
이렇게 상처를 많이 받는 건 숙명일까

하지만 그래서 때때로 내 마음의 방에 상처 말고 다른 좋은 손님이 들어오면
더 예민하게 받아들여진다.
어두운 방에 불이 켜지 듯.
보통사람들은 무감각하게 지나치는 것들에도 기쁨이 있다.

2022.11.21
<희망>

희망은 문득 눈에 보이는 것
울창한 나무들 사이로 보이는 햇살처럼 살며시 스며들어서는
그 작은 빛으로 어떤 어둠이든 몰아내는 것
어느 순간에 이미 빽빽한 나뭇잎 사이로 들어와 있는 것
나는 멈춰서서 그 조그만 틈으로 들어온 그 작은 빛이 찬란하게 펴져나가는 모습을 놀라서 지켜보았다.
단 한줄기 빛으로 그 짙은 어둠을 몰아내는 반전을 나는 마치 계시를 받은 듯 지켜보았다.

어느새 그 빛은 내안으로 옮겨와 퍼져나갔고, 나는 그 빛을 느끼며 가만히 서 있었다.

그리고 빛을 향해 고개 돌리는 내 안의 본능을

어디에도 희망이 들어올 수 있는 조그만 틈이 있다는 사실을

나는 갑자기 알았다.

그 한줄기 빛이 지나가는 곳마다 어둠을 밝히는 환희에 따라

내 가슴도 환희로 물들어 갔다.

댓글

어둠은 언젠가는 물러 가겠지요. 그리고 찬란한 빛이 그 자리를 대신 하겠지요. 승리 하시기를..

네 감사합니다 선생님 날씨가 좋네요 좋은하루되세요

2022.12.04

<내가 떠나온 별>

아침에 눈을 뜨고 다시 현실로 돌아오는 시간. 하루중 가장 힘든 시간이다. 나도 모르는 내 마음 깊은 곳에서 힘들어하던 목소리가 깨어나서 소리를 내기 때문이다. 삶이 나를 무겁게 짓누른다. 놓아버리고 도망칠 수 있는 죽음에 대한 강한 갈망. 오직 그것만을 바란다, 간절히. 하지만 스스로를 더 힘들게 할뿐인게 그런 생각임을

알기에 애써 툭툭 털어버리고 일어난다.

폰을 열고 아침마다 보는 것들을 열어본다.

페북도 들어와보고 카페도 들어가 경품 응모할게 있나 보고 지식인에도 한번 들어가보고 택배올게 있나 택배앱에도 들어가 본다.

요즘은 지식인에 많이 들어간다.

쥐뿔도 모르면서 연애나 인간관계 등에 대한 조언을 해준다.

여러 답변들 중 내 답변을 채택해주는걸 보면 그 사람한테 내 글이 도움이 되었나본데 신기하다. 내 조언이 쓸모 있어서 좋고 또 내 문제에만 파묻혀있지 않아서 좋다.

간단히 아침을 먹고 산책을 나간다.

하루중 유일하게 외출하는 시간.

산책을 하다보면 어쩌다 서로 인사도 하고 알고지내는 사람들이 서넛 있다. 모두 어르신들.

오늘은 한 어르신이 '새댁 덕에 염불 잘 듣고있다'고 말하신다.

얼마 전에 어르신이 내게 염불이 듣고 싶다고 폰에 깔아달라고 해서 내가 직접 폰을 집에 가져와서 깔아준 적이 있다.

(카톡으로 보내면 되는데 그때는 그걸 몰랐다)

혼자 사신다는데 오며가며 가끔 마주치는 분이다.

가끔 보면 운동기구 옆에 멍한 표정으로 가만히 서 계시는 모습을 보는데 움직이지도 않고 추운데도 오랫동안 그냥 서 계시곤 하는데 왜 그럴까 생각하곤 한다.

혹시 마음이 추워서 그런가, 몸보다 마음이 추워 그러고 있는 건 아닐까 그런 생각을 하게 된다.

그 분 외에도 나하고 말하고 지내는 80넘은 어르신도 있고, 지나가다 마주치면 반갑게 하이파이브 하는 분도 있고 그렇다.

내 또래가 아니고 어르신들이지만 그래도 인간관계가 있다는 그 사실이 내 삶에 균형감각을 주는 거 같다.

산책을 다 마치면 족구장에 가서 농구골대에 공을 많으면 30개까지 넣고 운동기구 몇 개 하고 집으로 간다.

사람 마주치는 게 힘들긴 하지만 집에만 있으면 안 될 거 같아, 또 갑갑하기도 하니까 꼭 산책하는 일상을 지키고 있다.

집에 와서는 견과류랑 커피를 마시고 식탁에 앉아서 책을 본다.

요즘은 책이 조금씩 읽혀서 다행스럽다.

책이 많이 안 읽힐 땐 그런 생각이 들었다. 나는 왜 책이 안 읽히나. 내게 문제가 있나. 다른 사람들은 다 재밌다고 하는데 왜 나는 지루하기만 할까. 마치 다른 사람들은 서로 다 통하는게 있는데 나만 그런게 없는 듯 싶어 마음이 불안했다.

특히 주옥같은 문장이라는 표현에 동의할 수 없고, 나는 데미안이 통 지루하기만 했는데 다른 사람들은 재밌다고 하면 그렇다.

지금도 책이 썩 잘 읽히진 않는다. 나도 언젠가는 데미안을 읽고 쉽게 읽힌다고 느꼈으면 좋겠다. 나도 저 문장을 보고 주옥같은 문장이라고 느끼면 좋겠다 생각한다.

지금은 그저 어지럽고 이상하기만 한 문장을 나도 언젠가 이해하고 알아보았으면, 독해력도 늘어났으면.

잡념도 조금 섞어가며 책을 보다가 3시가 되면 명상을 한 시간 한다.

명상은 내 인생에 꼭 필요한 '약'같다. 또 '열쇠'같기도 하다. 명상에 대해 잘 모르지만 그냥 폼 잡고 앉아서 해보는 거다.

때로는 복잡하게 엉킨 실타래 같은 것이 풀리는 듯한 느낌이 들고 때로는 긴장이 너무 풀어져 도대체 마음이 모아지지 않는다.

조금씩 집중은 늘지만 과연 내가 할수 있을까 싶은 마음이 들면 이것도 책 읽는 거랑 마찬가지일 거란 생각을 한다.

책도 차츰 읽혀지듯 명상도 열심히만 하면 언젠가 잘 되지 않겠냐고. 명상이 끝나면 다시 식탁에 앉아서 저녁까지 책을 읽는다. 이런 일상을 지킨지 4년쯤 된다.

이런 하루 중에 사람한테 스트레스 받을 일은 없으면 좋겠지만 아무리 내가 사람을 피해 다녀도 완전히 사람들로부터 자유롭지는 못하다. 그럴 때면 나의 마음을 노트에 끄적여서 다시 중심 잡을 시간을 가진다. 그것이 세상에 휩쓸리지 않는데 도움이 된다.

나름대로 생활하다보면 문득 글이 적고 싶어지는 날이 있다.

한 달에 두 번 정도. 그렇게 의식처럼 주기적으로 글을 쓴다. 나는 최대한 나의 마음을 이해하고 얘기를 들어주려한다.

외로움, 두려움, 위축됨, 상처, 혼돈.. 같은 여러 가지 것들.

내가 느끼는 감정에 대해 생각을 정리해서 적고 나면 다시 중심을 잡을 수 있고 다시 나아갈 힘이 생긴다.

그렇게 산책, 독서, 명상, 글로 겨우 균형을 잡으며 살고 있다.

많이 힘이 들고 외로울 때면, 기운을 내야할 때면 그런 상상을 한다.

내가 떠나온 별의 주민들이 나를 향해 응원을 보내는 상상을.

그래, 눈에 보이는 게 전부가 아니지.

내가 떠나온 별이 있다.

그 별에는 나와 같은 사람들이 많이 있다.

나는 특별한 임무를 띠고 지구에 파견된 것이다.

그 임무가 무엇인지 아직은 모르지만 우선은 생존해야 한다.
이 고난과 어려움은 예견된 것이고 내가 풀어가야 할 숙제다.
너무 지치고 힘이 들면 그들을 생각하며 '조금만 더 가면 되는 거야' 하고 생각한다.
혼자만의 싸움을 하고 있지만 사실은 혼자가 아니라고.
지켜주는 그들이 있다고.
고독하고 외로울 때면 나는 떠올린다.
내가 떠나온 별의 그들이 나를 응원하는 모습을

2022.12.12
<확고한 걸음>

확신을 가지고 나의 길을 걷고 싶다.
흐느적흐느적 되는 대로 걸으며 이리저리 돌아보고 주저하고
또는 뒤돌아보고 멈춰서서 포기하려하고
이 여행을 그만하고 싶다고 투정하는 식으로
내가 할 수 없는 선택지는 이제 버리고
도움이 안 되는 괴로움에 나 스스로를 몰아붙이는 것도 이제는 그만하고
이제쯤 확신을 갖고 나의 길을 걷고 싶은 것이다.
목표지점을 분명히 바라보고 그것을 향해
굳은 의지로, 확고한 발걸음으로
나의 길을 알아서, 내가 가야할 길을 알아서, 남과 비교하지 않고

나만의 인생길을, 나름의 인생길을 힘차게 걷고 싶다.
이제는 그러고 싶다.
나약한 나를 체감하는 의욕상실의 날들을 뒤로하고 이제는 이제는 신념을 용기를 확신을 갖고 나아가고 싶다.

<혼란>

지금껏 나의 걸음이 확고하지 못했던 것은 혼란 때문이겠지.
확고하게 걷기위해서는 자신감과 함께 뭔가를 알고 있다는, 그래서 흔들리지 않으리라는 결심이 지켜져야 하는데 지금의 나는 혼란이라는 장애를 너무 자주 만나기에 매 걸음걸음마다 멈춰설 수 밖에 없다.
매번 확고한 결심으로 내딛은 걸음이 곧바로 흔들려버리고 주저앉게되는.

<그곳에 이르면>

그럴수록 더욱 그곳에 이르고 싶다.
혼란도 없고 분명하고 안정적인 그 경지.
진리를 깨달아 더 이상 내 안에 두려움과 불안이 없다.
나름의 지혜가 있다.
마음이 편안하다.
모든 고통이 사라진다.
더는 흔들리지 않는다.

나는 진리를 잡고있기 때문에.
삶의 의미와 의욕이 있다.
세상과 부딪히지 않는다.
삶이 부담스럽지 않고 가볍다.
언제 어디서나 나일 수 있다.
당당히 나의 법칙에 따라서 산다.

2022.12.18
<어지러워짐에 대해>

이제 조금 나아지나 싶다가도 또 한번씩 마음을 어지럽히는 일은 일어난다. 혼란과 안정을 왔다갔다 하던 마음이 전에는 혼란 쪽으로 많이 기울었다면 이제 차츰 안정 쪽으로 무게중심이 기울어지고 있었던 것이다, 다행히. 어떤 요인으로 인한 건지 모르겠지만 전보다는 마음조절이 잘된다고 느껴지고 마음이 안정적이라고 느끼는 시간이 늘어났다.
그렇게 조금씩 마음을 편히 가지려할 때쯤 또 한번씩 마음이 어지러워지는 일이 일어나면, 준비가 되어있지 않아 당황하고 만다. 다시 세상에 발목 잡힌 기분.

새삼스레 돌아보면 참 어려운 길을 여기까지 왔다.
이제 조금씩 길을 찾아가는 듯하고 조금씩 길이 완만해지려나 싶어 마음이 조금은 편안해지고 긴장도 조금 풀며 지냈는데,.

'그래, 내 인생 그렇게 쉬운 인생 아니었지' 하며 다시 한번 바짝 긴장해본다.

그리고 되도록 빨리 마음을 수습해 평정으로 돌아가는 노력을 한다.

많은 갈등과 괴로움에도 마음을 다시 평화롭게 되돌리는 것을.

나 자신을 믿고 생각을 놓아버리고 편안해지는 것을.

잘되지 않아도 꾸준히 연습한다.

어지러워짐. 그것은 애써 잡았던 균형과 중심이 흔들리는 것이다.

외부의 불유쾌한 이물질들이 마음 속으로 침투하여 가라앉아있던 마음이 당황하고 혼돈을 느껴서 동요를 일으키는 것이다. 머릿속은 온통 진흙 범벅이 되고, 그런 마음을 다시 평화롭게 되돌리고 싶다. 이미 내게 들어온 그 혼란을 규명하기위해 열심히 탐구도 하지만 대부분 그 혼란을 풀지 못한다.

출구가 없는 혼란은 내 머리 속을 부유하며 절망과 답답함, 두통을 낳는다. 그런 시간들이 힘들다. 분출되지 못하는 화와 답답함과 마주하는 시간들. 마음을 다스릴 줄 알면 잘 대응할 수 있을텐데, 하고 아쉬운 마음이 든다. 수행을 더 열심히 해야지 생각한다.

그러면서 마음을 평화롭게 다스리는 노력을 계속한다.

어느 정도 시간이 간 후에야 어지러움을 보낼 수 있다.

스스로를 설득할 수 있게 되는 것이다.

계속 생각해봐야 소용없다고.

더는 나를 잃고 싶지 않다고.

무가치한 데 시간 쓰고 싶지 않다고.
지나가는 것은 지나가게 하고 싶다.
결국은 그렇게 어렵사리 중심을 잡아 원래 있던 곳으로 돌아온다. 다시 마음이 조금은 편안해진다.
아무것도 해결되지 않지만 이 외에는 별로 할 수 있는 게 없다.

그렇게 어지러움이 지나간 자리에 서서 생각한다.
이번에도 많은 시간 혼란에게 내어주지 않아 다행이라고.
다시 이렇게 거리를 두고 바라보게 되어 다행이라고.
가던 길 계속 가면 되는 거라고.
그래도 조금씩 나아지고 있다고 믿는다.
무게중심이 조금씩 안정 쪽으로 옮겨지고 있을거라고.

2022.12.24
<그때의 나는>

내가 추억하는 그리운 것들은 어떤 것들이 있을까.
오랜만에 기억을 더듬어보면,
폭우가 쏟아지던 날 우산 없이 비를 맞으며 하교하던 그 길에서 퍼지던 친구와 나의 웃음.
비에 젖은게 아니라 마치 행복에 젖은 듯했던 그 순간. 내가 비를 좋아하던건 그때부터인거 같아요
친구와 걷던 하교길, 매운 떡볶이, 버스정류장까지의 길과
헤어지기 싫어서, 함께 있는 시간 연장하고 싶어서 두세 정거장

더 걸어가던 일.

(그런 추억 쌓아가던 친구인데 그 친구에게 후일에 실수한 일이 있어서 미안하다고 사과하고 싶어요.. 그때는 삶이 나를 이상하게 몰아가서 내가 조금 이상해져 있을 때라고 그렇게 사과할수 있다면.)

꼭 짝지야 라고 부르던, 쪽지 시험 때면 선생님 몰래 슬쩍 서로의 노트에 답을 고쳐주던 옆자리 친구도 기억이 나네요.

그 친구집에 놀러 갔을 때, 그리고 저물어가는 길에서 친구가 배웅해주던 그 거리의 공기와 냄새가 이상하게 좋았어요.

매점에 달리기하던 기억. 1분도 안 돼 해치우던 우동

복도에 손들고 벌서면서 오히려 즐겁던 기억. 중학생 시절이에요.

신기한건 그 시절을 살면서 나는 그 시절을 오래 추억할 것을 알고 있었어요. 어쩌면 다시는 그런 순간이 없을 거란 걸 나는 알고 있었는지도 몰라요.

자기 전에는 꼭 그날의 행복했던 모든 기억이 필름처럼 돌아가며 떠올랐던. 물론 나쁜 일도 때때로 있었지만 큰 흐름에 비하면 아무것도 아니었으니.

지금의 내 삶이 마치 유리너머로 보는 세상 같다면 그때의 내 삶은 유리없이 보는 생생하게 와닿는 풍경 같달까. 사물의 질감을, 마치 종이의 오돌토돌함을 손으로 생생하게 느끼는 그런 기분 좋은 느낌 같달까.

2022.12.24(2)

<구피야 미안>

졸졸졸졸.

우리집 좁은 거실 한켠에서 물소리가 경쾌하게 울린다.

졸졸졸 즐거운 소리다.

넉달전부터 거실 한켠에 자리하고 있는 구피어항 여과기 돌아가는 소리다.

구피가 우리집에 온지도 넉달이 되었다.

12마리. 성어들 6마리에 아직 어린 치어들이 6마리.

치어는 우리집에 와서 새로 태어난 아이들이다.

이 아이들이 우리집에 자리잡은 이후로 생기가 생긴 거 같다.

아이들이 잘 있는지 매일 들여다보고 컨디션이 좋은가 관찰하고 아침이면 먹이를 주고 일주일에 2번은 비타민도 꼬박꼬박 챙긴다. 물속에서 꼬리를 흔들며 움직이고 있는 애들을 보면 나도 기운이 다 난다.

잘 키우고 있느냐. 안타깝게도 우리집에 처음 왔던 애들이 넉달 사이 6마리 정도 죽었다.

애들이 몸색깔이 시커매지거나 바닥에서 꼼짝 않고 가만히 있는 애들을 보면 염려가 되고 어찌나 가슴이 아픈지.

한참을 울적하게 어항 앞에서 들여다보곤 한다.

그런데 마음을 쓰며 그런 스스로를 인간적이다 느끼면서도 실제로 행동은 게으르다.

애들 컨디션생각을 하지도 않고 물갈아줄 때 물맞댐을 하지않고 함부로 갈아준다든가, 또 잘 키우려면 책을 사서 공부를 하라고 하는데도 그럴 필요까지 있나 싶어 하지 않는 등.

이러면서 물고기 걱정하는 것은 그저 감정의 사치가 아닌가 싶다. 우울함을 느끼는 것은 즐기면서 상황을 바꿔줄 노력은 하지 않으니 말이다.

왜 그럴까. 왜 마음의 우울을 즐기면서 해결책이 될 행동은 하지 않을까. 게을러서 그렇겠지. 게을러서 어떤 행동을 취하기보다 그저 가만히 앉아 마음의 우울을 즐기는 것 아닐까.

그런데 그 감정의 사치가 이 구피들에게만 그런 게 아니고 인간들 사는 방식에도 그런걸 본다.

마음의 우울에는 쉽게 빠지면서 즐길 뿐 해야 할 행동은 하지 않고 방관하는 모습을 보면.

어떤 소외받는 사람이 있다고 치자.

그 사람에 대해 안됐다고 생각하고 불쌍하게도 느낀다. 그런 감정을 즐기면서 그 사람에게 굳이 손 내밀어 주거나 그 사람의 상황을 바꿔주기 위해 도와주는 행동은 하지 않는다. 그저 무관심하게 멀찍이 쳐다보며 씁쓸한 현실에 대한 감상을 즐길 뿐이다.

그것뿐인가. 때로는 타인에게 불행이란 감정을 강요까지 하지 않는가. 너는 이런 일을 겪었으니 슬퍼해야해. 어서 슬퍼해, 식으로.

자신의 감정의 사치를 위해.

그렇게 세상의 방관의 자세를 보면 조금 슬퍼진다.

나도 차츰 구피들이 죽어가는데 무감각까지는 아니어도 점차 덤덤해져가는 것을 보면 씁쓸하다.

치어들이 하루가 다르게 커간다.

애들이 출산하는 과정은 직접 봤다.

처음에 한 애가 배가 많이 불러서 지식인에 물었더니 곧 출산한다고 부화통에 넣으란다. 그래서 부화통에 넣었는데 아니나 다를까 그날 바로 대여섯 마리를 출산했다.

까만 점같은 것이 부화통안에 둥둥 떠다니는데 신기했다. 그런데 그 애들 다 잡아먹혀버렸다. 안타깝게도.

그리고 며칠 후 또 다른 애가 출산을 했는데 그 애는 부화통에 안 넣었는데 원래 있던 곳에서 그냥 출산을 해버렸다.

그게 지금 6마리인데 다행히도 아무도 그 애들을 잡아먹지 않아서 지금까지 커온 것이다. 1cm 조금 넘게 자랐는데 이제 꼬리도 조금씩 나고 하루가 다르게 커가고 있는데 지켜보는 것이 즐겁다.

부디 무사히 잘 컸으면 좋겠다.

내가 게을러도 꼭 물맞댐해서 물 갈아줄게. 물도 하루 묵혀서 갈아줄게. 잘 크렴. 애기들아

2023.01.29

<마음을 온전히 하다>

화내지 않는다. 단지 참는 것이 아니다. 마음을 쓰지않기로 한 것이다.

마음을 비운다. 생각을 줄인다. 더 가치있는 것에 집중하기로 한 것이다.

무관심한다. 무심한다. 의식적으로라도 그렇게 하면 평정을 유지

할 수 있다.

내가 중심을 잡으면 나를 둘러싼 세상도 어지럽지만은 않다.

나는 하루하루 수행하며 서서히 무게중심을 안정적인 쪽으로 옮기고 있다. 오랜 시간 하고 싶어도 할수 없던 것이 조금씩 더 자연스럽게 되고 있다.

그럴수 있어서 기쁘다. 다행이다. 그러나 조심한다. 자만하지 않도록. 아직 잘되는 것이 아니니까. 또 이건 결코 만만한 일이 아니라는걸 아니까.

지금 나는 단계를 하나씩 하나씩 밟아나가는 과정이리라.

그 단계 단계를 성실히 임하리라.

생각할 것이 많아도 무심에 더 기대리라. 나를 믿는 마음으로.

내 안에는 나를 주관하는 무엇이 있다.

나는 그 나의 목소리를 믿고 따라가기로 했다.

도움 안되는 생각들과 소용없는 생각들을 그만하라 한다.

마음을 움직이지 말라한다.

그 목소리와 함께 흐름에 나를 맡긴다.

나는 지금 어떤 흐름에 실려 있다.

아무쪼록 이 배가 나를 괜찮은 곳으로 실어주기를, 그러기를 진심으로 바란다

2023.02.09

<불리한 삶을 견디는 이에게>

나는 때때로 불공평하다는 생각을 지울 수 없다.
다른 사람들은 다 좋은 세상 만끽하며 살아가는데
왜 나는 이토록 좁은 영역에서
불리한 삶의 조건을 감당해야 하는지.
감옥에 갇힌 듯한 질 낮은 삶을.
전생에 죄를 지었을까.
그저 이런 삶을 타고난 걸까.
아니면 노력이 부족하면서 이런 헛소릴하는 걸까

구석진 세상 한켠에 홀로 서서
가슴이 터져버릴 것 같은 생의 괴로움과 외로움
시지프스처럼 끝날 것 같지 않는 삶의 투쟁에 지침
내 한몸 설 자리 찾지 못한 두리번거림
두서없는 한탄을 늘어놓는다.

당신도 나름의 엄혹한 세월을 견디고 있는가
하지만 나는 이 시간이 다라고 생각하지 않는다.
지금의 이 고통이 진주를 탄생시키는 과정일지 모르잖은가.
지금은 힘들더라도 언젠가 당신의 날개를 펼칠 날이 오리라.
긴터널 끝에 조그만 빛의 흔적 발견하는 날이 오리라.
나는 그렇게 믿는다.
그 시간동안 부디 인내심을 가지라.
언젠가는 당신이 생각지도 못한 땅에 닿으리라. 그곳은 평화롭고 안온한 곳일 것이다. 그곳에서는 지금의 괴로움과 갈등이 소멸하고 더는 세상이 불공평하다고 느끼지 않을 것이다. 그곳에선 당신의 두 날개로 마음껏 날개칠 수 있을 것이다. 그것을 믿자.

당신은 지금 다만 불리한 시간을 살고 있을 뿐이다.
지금 당장으로 당신의 가치를 판단하지 마라.
당신은 당신의 가치를 알아주는 사람을 아직 만나지 못한 것이고 그런 시간을 아직 만나지 못한 것이다.
당신의 날개를 펼칠 날은 반드시 오리라.
그러니 당신의 가치를 모르는 이들은 무시하고
험난한 세월동안 부디 당신의 가치를 잃지 말라
세상이 몰라줘도 당신은 당신의 가치를 알고 있으라.
지금의 당신이 다가 아니다. 당신 안에는 당신이 알지 못하는 당신이 있다. 그 당신을 믿고 그 당신을 알아가라. 언젠가 그 존재가 될 것이다. 흔들림 없이 새로운 존재로 굳건히 서 있을 수 있을 것이다

도무지 이해할 수 없는 고통을 견디고 있는가?
지금은 이 고통을 이해할 수 없고 삶도 무의미하게만 보이겠지만 신의 섭리는 나중에야 알게되는 것 아닐까.
부디 신념을 갖고 이 시간을 성실히 보내자.

지금 당신은 무엇보다 확신 없는 삶을 살아가기가 힘이 드는가.
지지해주는 이도 없고 때로 스스로의 존재를 부정하며 외로운 싸움을 하고 있는가?
부디 자신을 믿어라. 당신은 잘하고 있고 앞으로도 잘 될 것이라는 것을 기억하길 바란다.

댓글
Bravo!

잘지내시쥬 선상님 좋은 하루하루 되셔라

마음의 고통은 정신적 수준이 높아지면 해소된대요. 불교 공부 많이 하세요. 홧팅

글쿠나 정신적수준. 저는 아무래도 책이 아니라 실전으로 공부하고있는거같은데유.. 그래두 책으로 공부는 해야겠쥬.

2023.02.14
<이해할 수 없는>

이해할 수 없는 것. 왜 사람들은 다른 사람이 고통스러워하는 줄 알면서도 그렇게 하는 걸까.
공감을 못하기 때문에 그렇게 타인의 고통을 멀찍이서 무감각하게 바라보는 건가? 그렇게 야비하게 보이는 웃음으로.
어떻게 그럴까? 어떻게 해서 타인의 고통을 모를까. 그만큼도 상상력이 없을까
타인의 고통을 자신의 고통처럼 느낄 수 없기에 한 사람에게 그

렇게 고통을 주고 지옥을 주고 그럴 수 있는 걸까.
사람들은 나를 인류구성원이 아닌 별종으로 여기는 걸까?
별종에겐 그러해도 된다고 생각하는 걸까
다같이, 별종에게는 잔인하게 굴자고 모종의 협의들을 하였나.
그 별종이 고통스러워하는 걸 보며 웃자고 그렇게들 협상하였나.
아니면 비참하게 만들어 자신들의 우월감을 느끼고 싶은 거려나.
당신은 그렇게 아무 생각없이 사람에게 고통을 주는데 그 사람이 당신으로 인해 고통받는 시간은 생각하지 못하는가. 그 사람이 혼란을 겪는 것이 즐거운가. 그렇게 취약한 사람을 손아귀에 넣고 흔드는 것이 즐거운가.

아무도 그 사람을 자신과 같은 사람이라고, 똑같은 사람이라는 것을 생각하지 않는다. 당신과 다르고 이해하지 못하는 부분이 그 사람에게 존재하고 그 부분을 존중하고 지켜 주어야합니다. 이해 못하는 사람이라고 함부로 침범해서는 안되는 일입니다. 큰 실수를 저지르는 것입니다.

안다. 당신들은 결코 나와 같은 처지가 되지 않으리란 생각으로 그런다는 걸. 그래서 나와 반대편에 서서 나를 별종으로 고립시키고 무심하게 고통으로 주고 내가 출구 없는 혼란에 빠지는 걸 봐도 아무렇지 않다는 걸. 내가 겪을 고통의 시간에 대해서도 전혀 배려하지 않는다는 걸. 당신은 몰라서 그랬다고 핑계를 대겠죠. 그러면서 일부러, 알려는 노력조차 하지 않죠..

부디 다른 사람의 공간을 지켜주세요 인간으로써의 예의를 가져주세요 당신이 그 사람과 같은 처지에 처했다면 어떨까요? 그 사람과 당신의 처지가 바뀐다면 어떨까요?

당신같은 사람들로 가득한 이 세상이 당신은 살기 좋은가요?

2023.02.17

<환기하기>

마음의 무게가 나를 짓누를 때
세상이 사방에서 나를 압박해올 때
너는 세상에 맞지 않아,
너를 받아들일 수 없어. 라고
세상이 나를 부정할 때
잘 살아보려는 나의 노력들이
또다시 헛되이 끝날 때
신이 내게 무기력한 존재라는 걸 일깨울 때
그럴 때,
할 수 있는 일이 없다.

그럴 때면 나는
그저 바람이 부는 쪽으로 고개를 돌리고
잠시 얼굴에 바람을 맞는다.
그러면 바람이 일깨워준다.

무의미한 것들은 내게 맡겨
내가 멀리 날려 보내버릴께.
아픈 것들은 다 털어놔.
내가 너를 어루만져 줄께.
지금은 도무지 감당할 수 없는 것들
아무 생각말고 그냥 내던져버려
지금은 니가 할 수 있는게 없더라도
언젠가 새로운 날이 올거라고 믿어.
다만 마음이 아플 때마다
바람에 날려 보내고
너는 자유로워져.
내가 너의 뺨을 어루만져줄테니.
방안에 답답한 공기가 가득차게 내버려 두지마
창을 활짝 열고 호흡을 새롭게 해.
너를 구속하는 것들 모두 날려버리고
그냥 바람을 맞아.
그렇게..

2023.02.20
<벽>

무척 지친 모습으로 앉아있는 사람의 모습에 다가가서 말을 걸어 보았다. 그러자 그 사람은 깊은 한숨을 내쉬더니 자신의 인생에 있

는 벽 때문이라고 말했다. 무슨 벽이냐고 하자 자신의 인생에 있는 숙명같은 감옥이라고 했다. 듣고 싶다는 뜻으로 옆에 있는 자리에 앉자 그는 한숨을 쉬며 말을 시작했다.

<저 벽을 없애고 시원한 바람을 맞고 싶어요. 따뜻한 햇살을 살갗에 받으면 얼마나 좋을까요. 벽으로 인해 이제는 제게 허용되지 않는 바람이에요. 사람들에겐 모두 허용된 것이 저에게는 허용되지 않네요. 저는 숨이 막혀요. 가슴을 활짝 열고 탁 트인 곳에서 숨쉬어보길 얼마나 바라는지 몰라요.>

벽이 가로막혀서 답답하다는 것이죠? 그 벽이 어떤 것인데요? 언제부터 생긴거죠?

<(한숨) 글쎄요. 저도 혼란스러워요. 달리 벽이라고 밖에 표현할 수 없는 것이 내 인생에 있어요. 언제부턴가 그 벽으로 인해 세상과 올바른 소통이 안되고 모든 것이 왜곡되기 시작했죠.
그런 왜곡과 소통되지 않음으로 인해 벽을 더욱 뚜렷하게 감지하기 시작했지만 할 수 있는 게 아무것도 없네요.. 구체적으로 그 벽을 규명할 수도 없어요. 그런 답답함까지 더해져 벽이 더 커져만 가요.>

저는 벽에 대해선 잘 모르겠는데요. 하여튼 벽으로 인해 문제가 생긴다는 것이죠. 어떤 문제들이 생기죠?

<그러니까 의사소통이 잘 되지 않는다는 거죠. 세상과 제 사이에

벽이 있어서 제 마음은 다른 사람들에게로 원활히 흐르지 못하고 언제나 왜곡되고 비틀어져요. 그것으로 인해 삶에 온갖 트러블이 생겨요.

그래요, 사람들은 벽 같은 걸 모르기 때문에, 내가 벽 때문에 얼마나 답답한지 모르기 때문에 저를 힘들게 할 수 있는 거겠죠.

누구도 저를 진정으로 이해 못하는 것이 가슴 아파요.>

상처를 많이 받으시나보군요.

<(한숨) 그럼요, 사람들은 아무 생각없이 내게 고통을 주고 자신들의 행동에는 무관심하죠. 왜 그런지 모르겠어요. 저는 깊은 고립감을 느끼고 있어요.>

어떤 상처를 받으시나요. 상처를 표현하거나 갈등을 풀려는 노력은 해봤나요.

<내가 벽을 가지고 있기 때문일까요. 무엇보다 나를 다른 존재라고 생각하는 거 같아요. 무배려, 무례... 단순하게 상처를 주고 상처를 주는 것에 대해 의식하지도 못해요. 나한테는 그래도 된다고 생각하는 걸까요. 그런 인식이 저는 정말 힘이 들어요.

쉽게쉽게 상처를 주고 자신들의 행동에 무관심한 사람들, 나를 고립시키고 구석으로 몰아가는 사람들, 그들로 인해 저는 삶이 온통 혼란스럽습니다. 갈등? 풀고싶죠. 풀고 싶지만 너무 거대한 벽이라서 제 자신이 미약할 뿐이죠>

벽으로 인해 사람들이 당신의 고통을 이해못하는 건 아닐까요. 그러니 사람들을 비난할 수는 없지 않나요

<그렇겠죠. 벽으로 인해 트러블이 생기는 것이니까요. 하지만 그렇다고 저를 힘들게 하는 사람들을 다 이해할 수 있는 건 아니에요. 저는 정말 왜 그러는지 모르겠으니까요. >

한번이라도 그 벽을 부수거나 치워버리는 시도는 해보셨나요

<글쎄요. 아직은 방법을 모르겠어요. 벽은 아주 단단하고 견고하게 느껴질 뿐이에요. 그 벽으로 인해 절망과 무기력, 고립감을 느껴요. 숙명으로 받아들이고 있지만 그래도 이 삶을 받아들이기 힘이 드네요.
때로는 너무 화가나서 저 벽을 발로 차보고 싶기도 하죠. 하지만 그래봤자 우스운 꼴 밖에 안되겠죠. >

벽을 정말 저주하고 싶겠네요.

<벽도 벽이지만 (한숨) 제가 상처받는 건 벽 자체라기보다 사람들이죠. 벽은 다만 숙명으로 받아들이지만 저는 사람들을 이해할 수 없어요. 나는 아무 생각도 감정도 없는 듯 단순하게 대하는 사람들을요.
세상은 그렇게 삭막한 곳이던가요?
아, 벽으로 인한 이 온갖 번뇌와 갈등... 설명할 수도 없어요>

마지막으로 할 말이 있나요

<제 나름의 인생을 잘 꾸려나가고 싶지만 벽이 거대한 장애물로 존재해서 도무지 나아가지 못할 것 같을 때가 많아요. 만만찮은 인생이지만 언젠가 저 벽을 넘고 싶어요. 출구는 반드시 있다고 하더군요. 그렇게 믿고 싶어요. 지금은 출구가 보이지 않는다고 미래까지 그 문을 닫아놓고 싶지는 않아요.

그리고 반드시 극복해서 저의 사명을 다하고 싶어요.

아무데도 말하지 못하던 것을 털어놓았더니 후련하네요. 얘기 들어주어 고맙습니다.>

2023.02.23

<괴이한 결심>

이제는 경험이 쌓일만큼 쌓인 것이다.
기쁘다가 아팠다가하며 이런 반복이 지겨운 것이다.
세상이 나의 마음을 좌우하는 것이 싫은 것이다.
세상에 끌려다니기 싫은 것이다.
믿었다가 배신당하기 싫은 것이다.
이랬다저랬다 하며 세상은 온통 내게
억지를 부린다.
부당한 요구를 한다.

무엇도 안정적인 것은 없고 무엇도 나를 쥐고 흔들 수 있다.
행복이 오면 기쁘다. 하지만 그 기쁨이 오래 유지되지 않는다.
슬픔은 너무나 자주 나를 방문하고 아무 때나 찾아와 나를 놀래킨다.
그러다 이런 괴이한 결심을 하기에 이른 것이다.
이제 그만 아무데도 움직이지 말고 가만히 있자고.
행복도 불행도 추구하지말자고.
온전히 내 안으로만 추구해나가자고.
더는 일희일비하고 싶지 않다
이제는 그저 평화롭고만 싶다.

2023.02.28
<이제 나는 압니다>

문제를 해결하기 위해 많은 생각을 해야할 것 같지만
오히려 마음을 비울 때 편안하고 그 안에서 영감이 떠오른다는 것을 이제 나는 압니다.
무엇을 해도 타인에게 나를 온전히 이해시키지는 못하므로
타인에게 어떤 인식이든 기대하지 않아야 한다는 것을 압니다.
나는 그저 나일뿐이고 자의식을 가지면 자유롭지 못하다는 것을
그저 스스로에게 진실하게 살면 된다는 것을
이제 나는 압니다.

흐르는 강물처럼 무엇이든 마음에 담지 않고 흘러가게 내버려두면 마음이 편안하다는 것을.

모든 것은 변하니 무상한 것에 집착하지 말아야한다는 걸.

무엇이든 정해진 것은 없다는 걸

굳어버리지 않아야한다는 걸

그릇안의 물처럼 자유자재로 움직이며 맞춰가면 된다는 걸

알게되었습니다.

겉으로 보이는 것이 다가 아니니 속지 말아야한다는 걸

그리고, 감정은 이성보다 먼저여서 언제나 다루기 어렵지만

이런저런 감정들을 억지로 조절하려 애쓰기보다

스스로를 이해하고 인정해줘야 한다는 것을 나는 알게 되었습니다.

때로는 마음과 거리를 두고 가만히 들여다보아야 한다는 것을.

마음을 이해할수록 마음의 주인이 되고 자유롭다는 것을.

나의 마음의 힘은 억지로 되는 것이 아니라 부드럽고 여릴수록 강하다는 것을.

무엇보다 내 안의 흐트러짐 없는 평화를 유지하는 것이 제일이라는 것을 알게 되었습니다.

기쁨의 파도를 타기보다는 굴곡 없는 마음의 평화가 더 추구할만하다는 것.

그런 것을 나는 알게 되었습니다.

우울에 빠져있을 때는 주로 고여 있어서라는 것을.

고여 있지 말고 행동해야 한다는 것을

내가 갈 길을 스스로 내야한다는 것을.

거기서 성취를 느끼고 마음이 살아난다는 것을 알게 되었습니다.

나는 아직 멀었지만 오랜 고뇌의 시간과 아픔을 거쳐서 진정한 인간은 완성된다는 것을.
그런 것을 나는 알게 되었습니다.

2023.03.03
<자유롭게>

마음은 희한한 거라서, 스스로를 이런저런 감정으로 억압하며 괴로워하다가 또 어떤날은 너무 가벼워져서 주체 못할 정도로 들뜨곤 한다.
늘 이런 패턴을 반복하는데 아마도 그것은, 괴로움이 떠나면서 그 괴로움의 깊이만큼 다른 것으로 채워지려다보니 그런 것 아닐까. 그러니까 그 고뇌를 대체할만한 것이 없어서 들뜨게 되는.
어쨌든 그렇게 들뜰 때는 내 삶의 무게까지 가볍게 느껴지고 또 그럴 때면 꼭 자만이 끼여들곤 한다.
눌러두었던 에고가 고개를 드는 것이다.
자만과 함께 불편함이 올라온다.
나도 나의 자만이 빈 수레와 마찬가지란 걸 알기 때문이다.
과연 니가 등장하는 게 정당한가 생각할 겨를도 없이 불쑥 자만이 고개를 들면 참 난감해진다.
그런 스스로가 마음에 들지 않을뿐더러 자만과 함께하는 시간이 불편해 자신을 비난해보기도 하며 어떻게든 들뜬 자신을 가라앉혀

보려고 애쓴다.

그런데도 잘 되지 않는다. 나의 마음 작용을 다 이해하지 못하니 조절할 수 없는 것이다. 아무리 나의 마음이라도.

그러면 '나는 도대체 왜 이러는 걸까. 나는 도대체 왜 이리 정신을 못 차릴까.'하며 고민을 하게 된다.

그러다 문득 이런 생각이 들었다.

왜 나는 종종 자의식이라는 것으로 스스로를 구속하려 하는 걸까. 나를 의식하는 것이 스스로에게 어떤 틀을 주려는 것이 아닐까. 나는 종종 이렇게 스스로를 자의식하고 또 그런 나를 불편해하곤 하는데, 내가 타인보다 우월하거나 열등해야할 이유가 있을까. 그게 뭐가 중요할까.

아무런 의식 없이 그냥 나로 살면 되는 것을. 내가 하고싶은 것을 그냥 자유롭게 하고살면 되는 것을.

그런 식으로 스스로를 정의내리는 것이 스스로를 묶어놓는 것은 아닐까.

내가 힘이 드는 것 중 하나는 갑갑함이다.

타인들은 나를 마치 뻔히 아는 듯이 자신들의 틀에 맞춰 생각하고 나의 영역을 침범하는데 나는 종종 외치고 싶었다. 나를 당신들의 틀에 끼워맞추지 말라고. 나는 당신들이 만든 틀에 맞지않다고.

그런데 나조차 나에게 틀을 주고 거기에 나를 끼워맞추려고 하지는 않았는지.

타인이 만든 틀이든 내가 스스로에게 만든 틀이든 틀에 갇히면 갑갑하다.

어떤 나일 필요도 없이 무한한 가능성의 날개를 펴고 그저 가고 싶은 곳으로 자유롭게 날아가면 그만인데.
나에게 어떤 틀도 주지 말고 그저 나로 살자.
내게든 타인에게든 덜 의식할수록 좀 더 자유를 얻는다.

...그러나 마음의 작용이 내 뜻대로 되는 것은 아니기에 이런 말들이 스스로에게 설득이 가능한지는 모르겠다.

2023.03.08
<나의 마라>

나의 수행에 가장 방해가 되는 것은 나의 연약한 마음.
나의 거친 삶을 감당하기에는 너무나 여리고 약한 나의 마음.
마음의 평정 유지하기에 이제는 많이 익숙해졌다고, 이제 나는 스스로 평화를 유지할 수 있을 것 같다, 라고 생각했는데
또 다시 무참히 평화가 깨어져 혼란스러워하고 있는 나의 마음.
그리하여 또다시 그 복잡한 감정의 그물망에 걸려버린.
그것이 나의 고뇌, 나의 번뇌.
분명히 이성적으로 중심을 다 잡은 줄 알았는데요.
마음 쓸 것 없다, 의식할 것 없다, 그런 것도 다 알고 있는데.
겪을 만큼 겪고 충분히 경험했는데... 이제는 피해갈 수 있을 거라 생각했는데 나는 아직까지도 이러고 있네요.
오랜 노력과 경험들이 무색하게도 또다시 나는 그 복잡한 감정의

그물망에 걸려버렸습니다.

한번 걸려버리면 빠져나오기 쉽지 않은, 출구를 쉽게 찾을 수 없는 그 그물망에.

그래서 그, 길도 없고 끝도 없는 그물망 안에서 헤매면서 번뇌하고 괴로워하고 있는...

아 괴로워. 그 안에서의 번뇌, 갈등, 고통, 설명할 수 없는 온갖 감정들, 나는 이것을 영원히 극복할 수 없을 것이라는 낙담.

그러나 그것에 걸리는 것이 피할 수 없는 일이었다면, 이제 내가 할 수 있는 건 조금이나마 빨리 빠져나오는 것.

더는 깊이 들어가지 않는 것.

그러나 무리하게 노력하지 않고 힘들면 힘든 걸 인정한 채 가만히 지켜보기. 거리를 두고 시간을 주기.

그리고 때가 되면 나를 믿고 과감히 그 감정의 늪에서 빠져 나오기.

나는 여기서 걸릴 순 없다. 나아가야한다.

갇혀버리기엔 아까운 더 큰 가능성이 내게 있다.

모든 것이 잘될 거란 믿음으로 빠져나온다.

그것에서 달아나자. 더 멀리 달아날수록, 그것에서 멀어질수록 나는 자유롭다.

지긋지긋한 그것에서 멀리... 날개를 펴고 훨훨

2023.03.27

<나의 마라2>

역시 나의 여린 마음이 문제다.

또다시 어떠한 이유로 나는 지나간 상황을 잘 흘려보내지 못하고 조용한 시간을 내어 생각을 정리해 보고 있다.

사실 마음이 어지럽지 않다면 신경 쓸 일이 아니다.

마음이 어지럽기 때문에 정리를 하고픈 욕구가 드는 것이다.

지난 수행이 무색하게도 조금전 또다시 나의 평정이 깨졌고 마음이 말을 듣지 않고 어지러워하고 있다. 그러면 마음의 말을 들어줄 수밖에 없는 것이다.

무심하려 했던 마음을 돌려 찬찬히 나의 마음을 마주본다.

혼란한 것은 풀어서 단순화 시키고 싶으니까

어지러운 것은 가지런히 정리하고 싶으니까. 그렇게 나는 또다시 생각의 늪에 발을 담그고 있다.

나는 복잡한 생각을 안 하기로 결심했었다. 도움이 안 되고 소용이 없는 생각들을.

그러나 지나간 한 사건이 무슨 이유인지 그냥 넘길 수 없었고 압박같은 것이 느껴졌고 생각을 해봐야 할 필요가 있는 것처럼 느껴진 것이다. 어쩌면 내 삶에 지대한 영향을 주는 것도 같고, 조금이나마 어지러움을 가라앉히고 싶어서.

이제는 안하려고 했던, 안하고 싶었던, 혼란한 생각 속에 발을 담그는 일이었는데..

한계가 있는 인간으로서 늘 결심을 지킬 수는 없다.

어쩌면 결심을 지키는게 나았는지 모른다는 생각을 하면서도 조금만 생각을 해보자 하고 있다.

막연한 그 혼란의 덩어리를 만져보고 있다.
조심스럽게 이리저리 살펴본다.

하지만 조심해야한다. 마음을 잘 써야한다. 자칫하면 마음에 무작정 끌려가서 그 끝도 없고 출구도 없고 괴롭기만 한 그물망에 걸려버리기 때문이다. 조심조심 생각을 해가며 막연히 내 머리 안에 부유하는 혼란들을 구체화시키고 있다.

하지만 알고 있다. 어차피 이번에도 답을 찾지는 못한다는 것을.
그러나 이 작업을 하는 것은 혼란을 조금이나마 풀어서 머릿속의 어지러움을 가라앉히기 위해서다. 조금이나마 혼란의 덩어리를 풀어 마음을 그만 쓰도록 설득할 수 있을 정도면 된다. 그래서 다시 평정의 상태로 되돌아갈 수 있으면 된다. 세상에 대해 통제력은 못 가지지만 내 마음에 대해서는 어느 정도 통제력을 가지고 싶다.

그렇게 내 마음을 어지럽히는 혼란의 덩어리들을 만져보다가 어느 정도 시간이 되면 빠져나온다.
그리고 다시 마음의 평정을 유지한다.
애초에 내게 이런 일이 안 생겼다면 좋았을 텐데하고 생각하지만 역시 도움이 안 되는 생각이다.
내 삶의 문제는 너무나 벅차고 거대해서 난감한 것 같다.
이런 것이 수행일까. 이렇게 마음 흔들릴 때마다 노력해서 마음의 평화를 추구하는 것이. 나는 지금 수행을 하고 있는가. 그런 생각을 한다.

2023.04.30

<힘이 듭니다>

사람들의 인식이 그리 힘이드니?
네 힘이 듭니다.
자신을 지키는 것이 그렇게 힘이드니?
네 힘이 듭니다.
무시해버리는 것이 그렇게 힘이 드니?
무의미한 것들을 떨쳐버리는 것이 힘이드니?
네 힘이 듭니다.
세상의 얽매임을 벗어던지는것이 힘이 드니
떨쳐버리고 자신을 자유롭게 하는 것이 그리 힘이드니
네 힘이 듭니다
잡고 있는 것을 놓아버리는 것이 힘이 드니
마음을 비워버리는 것이 그리 어렵니
불안을 없애고 삶을 신뢰하는 것이 어렵니
하던 그대로 자신을 믿고 나아가는 것이 그리 어렵니
확신을 가지고 사는 것이 그리 어렵니
마음을 다스리는 일이 그리 힘드니
네 힘이 듭니다. 힘들어 죽겠습니다!

다시 한번만 더 기운을 내서 일어나면

다시 한번 더 도전하면... 안되겠니

2023.05.12
<편의점 이야기>

봉달호님 책을 읽다가 나도 편의점에 대한 기억이 하나 생각이 나서 문득 웃음이 난다.
5년쯤 전인데 집에서 20분 거리의 도서관에 가서 컴퓨터를 몇시간씩 하고 오는 습관이 있었다.
원래 우리 동네 편의점에서 주말이면 복권을 사곤 했는데 그 편의점이 없어져서 언젠가부터 도서관 가는 길에 있는 편의점에서 로또를 사게 되었다.
처음 들렀을 때 카운터 뒤에 서 있는 점주는 서글서글한 인상에 아주 친절해 보이는 사람이었다. 나는 별 생각없이 로또를 살수 있을줄 알았다. 전에 로또를 사던 편의점처럼.
사실 나는 비사회적 인간이라서 사람들과 인사를 하는 것이 부담스럽다.
그래서 엘리베이터 탈 때나 가게에 들렀을 때 '안녕하세요' 인사를 하면 똑같이 '안녕하세요' 하고 인사를 돌려주는 것이 조금 어렵다. 그래서 그냥 가볍게 고개로 인사하거나 못들은 척 하거나 무슨 생각에 빠져있는 척 한다.
그런데 이 편의점 아저씨는 당연히 맞받아줄 줄 걸 기대하는 목소리로 아주 당당하게 안녕히 가세요 하는데 조금 부담스러웠다.
난처해서 그냥 다른 생각에 골똘히 빠져있는 척 하면서 편의점을 나왔다.

하지만 별로 신경을 쓰진 않았다. 인사 안하는 게 그리 무례하다 생각되지 않았고 그냥 저런 무뚝뚝한 사람도 있구나 생각하길 바랐다.

하지만 그 다음번에 들렸을 때도 이 아저씨는 씩씩하게 인사를 했다. 역시 답변을 기대하는 억양으로. 어떡할까 고민하다가 그냥 끝까지 무시하기로 했다. 아마 계속 무시하면 원래 그런 사람으로 알지 않을까. 원래 성격이 말을 잘 안하는 구나 그렇게 생각하길 바랐다.

그런데 이 아저씨는 내 생각처럼 움직여주질 않았다.

매번 너무나 씩씩한 목소리로 안녕히 가세요를 했다.

지금 기억나기로는 눈이 빤짝빤짝하고 이마도 광택이 나고 인상도 아주 좋은 호감형으로 겉으로 보기에도 좋은 사람인 거같이 보이긴 했는데 다만 문제는 모든 사람과 친절한 인사를 주고받아야 하며, 그래서 나와 같은 사람이 있다는 것을 결코 이해해주려 하지를 않는 것 같았다.

어느 순간부터 갈등이 시작되었다.

로또를 사고 문을 열고 나갈 때면 날카로운 시선이 날아와 꽂히는 것이었다. 안녕히 가세요를 하는데 목소리 크기가 커지고 노골적으로 답변을 바라는 의미가, 왜 답을 안하느냐는 의미가 목소리에 실리기 시작했다.

그런데도 내가 또 아무 말 없이 나가고 그러면 자동적으로 헛하고 당황하는 소리가 들렸다.

나도 참 미안하고 다른 사람들처럼 맞장구를 잘 쳐주고 싶었지만 도저히 성격에 맞지 않으니 어떡하란 말인가.

원래 비사교적 인간인데 사교적인 척 하려하니 스스로한테도 한없이 어색해서 그렇게 할 수도 없었다.

이제쯤 포기했을까 싶었지만 다음에 들렀을 때도 그 다음에 들렀을때도 이 아저씨는 그대로였다.

여전히 안녕히 가세요 했고 내가 그냥 나가고 다시 헛했다.

그것이 매번 반복되었지만 어쩔 수가 없었다. 로또를 파는데는 거기밖에 없으니.(그때는 온라인으로 구매할 수 없었다)

그냥 나는 가게에 들러 로또를 사는 속도를 조금 빠르게 해서 편의점 안에 있는 시간을 줄이는 것 밖에 할 수 없었다.

로또종이를 내밀고 그것을 찍어서 주면 바로 받아서 바쁜 일 있는 척 서둘러 나가는.

로또를 건네며 이번에도 그럴거냐는 듯 묘한 눈치를 주기도 했지만 그냥 무시했다. 그리고 "안녕히 가세요." 그리고 "헛."

그러던 어느날 또다시 로또를 사러 들렀는데

그날은 조금 이상했다. 미안한척 하면서도 슬그머니 웃는 표정을 숨기는 것을 포착했다.

그러더니 준비된 말인 양 어색한 말투로 앞으로는 로또 서비스를 안 하게 되었다고 말했다.

왜 로또 서비스를 안 하기로 했는지 짐작할 수 있었다.

별 이득도 없는 서비스를 하면서 불친절한 손님을 상대하기가 약이 올랐겠지. 너도 당해봐라 싶었겠지. 그런걸 알 수 있었다.

그래서 그날 나는 그 편의점에 간 후 최고로 말을 많이 하게 되었다.

"네? 그래요? 왜요? 언제부터요?" 정말 안타깝다, 이제 나는 어떡하나 하는 표정으로.

(나는 타인의 기준이 아니라 내 기준으로 말을 할 필요가 있을 때에만 말을 하는 이기적인 습관이 있다. 많이 파세요 까지는 못해도 그 정도의 반응은 자연스럽게 할 수 있다 생각할 때) 그 후 그 편의점에는 다시 가는 일은 없었다.

그 인상 좋던 편의점 점주를 생각하면 이상하게 웃음이 난다. 소통이 잘 안되니 이런 갈등도 겪을 수밖에.

나는 단지 나같은 사람이 있다고 이해시키고 싶었을 뿐인데.

그 점주에게 아무 유감도 없고 무시하려던 것도 아닌데.

나를 얼마나 오만한 사람으로 생각했을까?

무엇보다 내가 인사 하나 할줄 모르는 일반 상식에 벗어난 사람이었던게 문제지.

나 같은 사람은 사회생활하며 이런저런 오해를 산다.

동그란 돌멩이가 아니라서 이리저리 부딪히는 것이다.

지금은 그 정도 말은 할수있지만 여전히 세상과 나의 사이엔 마찰과 소통 안됨, 오해, 그런 것들이 있으나 그때나 지금이나 나는 세상과 나의 거리를 좁힐 여력이 없다. 그냥 내버려둘 수밖에 없다.

그래도 그때 그 점주를 생각하면 웃음이 난다.

그리고 포기하지 않고 끝까지 내게 인사를 건네준 것이 참 고맙다. 세상의 많은 유형의 사람들 중에 좀 곤란하긴 했어도 나는 그런 유형의 사람이 좋더라.

2023.05.15

<한 걸음만 더>

어떨 때는 그 경지가 바로 앞에 있는 것만 같아.

웬지 눈앞의 안개가 걷히고 드디어 실체가 보일 것만 같다는 착각을 하지.

매번 그 앞에서 다시 되돌아 다시 내가 있던 자리로 돌아오기

본래의 나로, 어리석은 습성을 버리지 못하는 나로.

굴레에 갇혀 절망하는 나. 무지와 고통에 방황하며 뱅뱅도는 익숙한 내 자리로.

뭔가를 가지려면 지금 쥐고 있는 것을 놓아야 한다는데 나는 무엇을 움켜쥐고 있어서 무엇을 떨치지 못해서 무엇을 나는 보지 못해서 바로 앞에 있는 것만 같은 그것을 나는 발견하지 못하는 것일까.

어떤 땐 그것이 바로 코앞에 있는 것만 같은데

이 한 단계만 넘으면 웬지 보이는 시야가 달라질 것만 같은데

바로 한 꺼플만 벗기면 무언가 발견할 것만 같은데

살짝만 고개를 돌리면, 평소의 시각에서 조금만 시선을 달리하면 보일 것만 같은데

나도 모르게 습관처럼 쥐고 있는 무엇을 놓기만 하면 그러면 발견할 것만 같은데

조금만 바로 조금만 더 가면 될 것 같은데

그렇게만 하면 나를 조이고 있는 이 무지와 고통으로부터 벗어날

것만 같은데

마음이 편안한곳 깨달음이 있는 곳 고통이 소멸된 곳 그곳에 닿을 것 같은데

혼란하지 않고 어지럽지 않은 곳 평화로운 곳 그곳에 닿을 것만 같은데

나는 그곳에 절실히 닿고 싶어 하는데.

2023.05.27

<구덩이>

하루하루 지내며 어떨 땐 순조롭게 올라가는 듯하지만 어떨 땐 또다시 좌절하면서 내려가는 듯 느껴진다.

하지만 그러면서도 능선을 타고 조금씩 산을 오르고 있는 것이 아닐까, 오르락내리락하며 제자리걸음 같지만 멀리서보면 조금은 꼭대기에 가까워지지 않았을까, 그렇게 믿고 있다.

조금 달라지거나 나아지고 있는 부분을 꼽으라면 이제 구덩이를 보면 그저 곁눈으로 한번 쳐다보고 지나갈 수 있다는 것.

그렇다. 이제 경험이 쌓일 만큼 쌓인 것이다.

내가 인간이 업그레이드가 되었다고까지는 말할 수 없지만 경험이 쌓여서 그 경험을 조금은 지혜롭게 쓸수 있게 되었다는 것이다. 아니다. 그렇게 말할 수도 없다.

다만 지혜롭게 대처하도록 노력하고 있다고 말 할 수 있을 것 같다. 지긋지긋한 그 경험들에도 불구하고 또 다시 같은 구덩이에 빠

지는 나를 수도 없이 겪었으니까.

다만 이제는, 조금씩 같은 경험을 반복해가며 같은 구덩이에 빠지는 스스로를 알아차리는 정도는 된 것 같다.

내 삶은 혼돈 그 자체였다.

혼돈과 무지로 인해 이 구덩이 저 구덩이에 빠지며 여기까지 왔다. 구덩이들에 빠졌다가 헤어나온다고 무척이나 애쓰고 지친 모습 지금의 나의 모습이다.

그래서 이제는 미리부터 경계하는 마음이 드는 것이다. 또 같은 구덩이에 빠지기에 앞서.

그리고 의식적으로 그 구덩이들을 피해가는 노력을 하려는 것이다. 그 불유쾌한 경험들을 반복하지 않도록.

지긋지긋하게 구덩이에 빠지던 경험들...

이제 그 지긋지긋한 제약들에서 벗어나고 싶은 것이다.

지금까지 충분히 해맸으니 더는 헤매고 싶지 않은 것이다.

더는 무의미한 생각들에 시간과 에너지 낭비하고 싶지 않은 것이다.

어리석음을 벗고 거듭나고 싶은 욕망이기도 하고

중요한 일, 본질적인 것에만 신경 쓰고 싶은 것이다.

이제 조금씩 통제력을 찾고 싶은 생각이기도 하다.

혼란을 끝내서 상처받지 않고 싶음이다.

날개를 펴고 한번 날아보고 싶음이다. 그러기 위해서라도 자꾸만 구덩이에 빠져서는 안 되는 것이다.

그러다보면, 구덩이에 빠지지 않도록 의식적인 노력을 기울이다 보면 무언가를 볼 수 있지 않을까

괴롭기만 한 혼돈 속을 뒹구느라 보지 못한 뭔가를, 매번구덩이에 마음 뺏기느라 놓쳐버린 본질적인 뭔가를.

구덩이에 빠져 충분히 오랫동안 시간을 지체했다. 이제는 그것을 그만해야 한다.

2023.05.27(2)

<구덩이와 혼란>

이제 구덩이에 빠지는 것을 의식적으로 주의하는 노력을 하기로 한 것이다. 반복적으로 구덩이에 빠져 괴롭던 지난 시간들을 경험삼아 이제 나에게 도움이 안 되는 것을 피해갈 수 있도록.

동시에 혼란을 벗도록 노력한다.

나는 나를 혼란의 덩어리라고 느낀다. 그래서 그렇게 자주 구덩이에 빠지는 것이다. 즉, 뭔가를 모르기 때문에 아무리 경계하고 주의해도 혼란스러운 상황을 만나고 그러면 구덩이에 빠질 수밖에 없기 때문이다.

그래서 구덩이에 빠지지 않으려면, 의식적으로 그것을 피할뿐 아니라 나의 혼란을 풀어내는 노력도 해야 한다.

하지만 그것이 쉬운 일은 아니다. 나는 내가 있는 위치를 잘 모르기 때문이다. 무지한 존재이기 때문이다.

한낱 피조물로서 무지를 벗는 일이 쉬운 일이 아니다.

혼란을 규명하고 싶지만 그것은 그저 엉킨 실타래처럼 막연한 덩어리로 내 앞에 있고 나는 좀처럼 그것을 풀지 못한 채 막막해할 뿐이다.

하지만 그래도 노력은 해야한다.

지피지기면 백전백승이라 했으니.

무지를 풀어내야 더는 구덩이에 빠지지 않는다. 더는 상처받지 않는다.

2023.05.31

<구덩이에서 나와>

이제 구덩이에서 빠져나와 시야를 회복한 후 나의 삶을 진지하게 마주보고 싶다. 구덩이에 빠졌다 나왔다 헤매는 통에 보지 못했던 나의 인생의 민낯을 바라보고 싶다.

그동안 어리석음과 잡념 때문에, 혼란에 갇혀 못 보던 그 얼굴을.

그런 후 진지하게 대책을 세워 삶의 문제를 해결하고 싶다.

이제 더는 피할 수 없다는 것을 느꼈기 때문이다.

나는 팔을 걷어붙이고 나의 삶을 마주보는 시간을 갖기로 작정을 하였다.

마치 서로 노려보며 싸움을 하는 부부와 같은 꼴이다.

오랫동안 때때로 티격대격하며 싸우던 부부가, 그동안은 서로 안 맞는 걸 참아오기만 하던 부부가 이제 팔짱을 끼고서 더는 안 되겠다고 끝장을 보자고 서로 마주보고 있다.

그리고 지금껏 덮어버리고 살던 것들을 터뜨리고 있다.

그러다 결국 해결을 못 보고 다시 안 맞는 걸 참아가며 살지 이혼할지 모르지만, 어쨌든 더는 문제를 외면할 수 없다는 것을 알아버린 것이다. 물론 지금까지 결혼생활 중에 좋은 날도 때때로 있었지만 그 부부에게는 더는 그냥 넘길 수없는 중대한 문제가 있는 것이다. 그동안은 덮어버리곤 했지만 이제 더는 그럴 수 없음을 알게 되어, 지금 그 문제를 집요하게 파고 들어가보기로 부부는 결심을 한다. 그 부부와 같은 마음으로 나와 나의 삶도 팔짱을 끼고 마주보기로 한다. 나의 삶에도 그냥 넘길 수 없는 중대한 문제가 있는 것이다. 때때로 삶과 아무 문제가 없는 것 같이 착각할 때도 있고 잠깐잠깐 만족하며 진짜 어려움을 잊고 살 때도 있었지만, 늘 덮어버리던 그것을 한번 진지하게 바라볼 필요를 느낀 것이다.

내가 이 구덩이 저 구덩이에 빠져 헤매는 동안, 그곳에 정신이 팔리고 혼란해하는 동안에도 나의 삶의 문제는 늘 그자리 그대로 있었다. 하나도 움직이지 않은 채. 구덩이 때문에 어지러워서, 봐야 할 것을 보지 못하고 있었던 것이다.

내 인생의 본질적인 문제들을 마주보고 풀지 못했기에 그 결과, 내 삶은 언제까지나 정체되어있을 수밖에 없었던 것이다. 또한 그래서 어떤 변화도 이끌지 못한 채 눈앞의 구덩이에만 빠지는 생활을 반복하게 되었던 것이다.

이제 본질적인 것을 봐야하고 그러려면 구덩이에서 나와야 한다. 언제까지나 구덩이에 빠져가며 살순 없다.

구덩이에서 나와 바르게 정확하게 봐야한다. 시야를 회복해서.

2023.06.08

<관계>

지구의 어느 한켠에 던져진 나는 혼란스럽다.

내가 어디에 있는 건지 잘 모르겠다. 애를 써보지만 아무리 해도 나는 내가 있는 곳을 잘 볼 수가 없다.

지구라는 좁은 곳에 살면서도 광대한 우주를 내다보는 사람들처럼 나도 제발 이 혼란에서 빠져나와 내가 있는 곳을 보고 싶지만 아무리 해도 쉽지 않다.

이 지구에서의 삶이 힘들다. 삶은 타인과 관계를 맺고 사는 것인데 나는 관계에 큰 지장이 있다.

혼란에 빠져 무지함 속에서 관계를 맺고 사니 늘 치이고 상처받을 뿐이다.

내게 타인과의 관계는 마치 눈앞에 안개가 가득 끼어있는 것 같고 나는 그 안개 속에서 갑갑해하지만 도무지 걷어낼 수가 없다.

관계만큼 나를 혼란스럽게 하는 것이 없다.

관계만큼 나를 아프게 하는 것이 없다.

상처주고 고통스럽게 하고 갈등하고 번민하게하고

관계만큼 나를 많은 생각에 빠뜨리게 하는 것이 없다.

왜 사람들은 자꾸 나의 세계를 깨뜨리는지,

왜 나의 평화를 방해하는지.

왜 내게 말도 안 되게 억지를 부리는지.

세상을 향해 사람들을 향해 '왜?''도대체 내게 왜?'하고 묻고 싶던 날들.

나는 사람을 믿고 싶고 사람이란 것을 신뢰하고 싶었지만 언제나 배신이 돌아오곤 했다.

결국 깨닫는 건 그들은 나를 잘 모르면서 함부로 대한다는 것

내가 자신들로 인해 얼마나 힘든 시간을 보내는지 결코 생각해볼 생각도 없다는 것

나는 그들의 행동을 이해해보려 노력하는 시간도 가져봤지만 그에 반해 그들은 나에 대해 그저 단순하다는 것. 인간심리를 이해해보려해봤자 복잡해서 알기 어렵다는 것.

소외되고 나약한 인간의 숙명인가.

그저 세상의 한켠에 앉아 부조리한 세상과 이기적인 사람들을 비난하는 내 모습.

사람들과 눈에 보이지 않는 갈등을 하며 혼자 앓느라 깊이 병들어버린 내 마음.

나는 세상 사람들끼리의 친절에 코웃음이 난다.

길에서 이웃에게 친절을 베푸는 모습 같은 것을 보여주며

자기들끼리 세상은 살만하다느니 따뜻하다느니 하며 미소를 나누는 모습을 보면 그저 웃길 뿐.

다 자기만족하려 하는 행동 아닐까.

눈에 보이는 그런 것들엔 즉시 실행할 마음이 있으면서 타인의 괴로움을 알면서도 은근히 마음을 괴롭히는 그런 이중적인 모습은 어떻게 설명해야 할까. 내가 느낀 그 이기심은 도대체 뭘까.

마치 도덕적인 사람인 양 서로 쳐다보며 미소를 나누는 그 사람

들이 누군가를 마음으로 괴롭히며 징글맞은 비웃음을 짓던 바로 그들이 아니던가.

그 비웃음을 되씹으며 뜻을 해독해보려 애쓰던 시간들이 내게 있었다. 타인의 아픔을 이해 못하고 쉬운 상처를 주는 그들로 인해 괴로운 마음을 달래던 시간이 내게 있었다. 왜 그럴까? 대체 내게 왜 그럴까? 하며 아픔을 소화시키려 애쓰던 시간들이 있었다.

내 삶을 긍정하지 않는 이들로 인해 내가 보낸 그 시간을 어떻게 말로 다 설명할 수 있나.

당신들은 그렇게 눈에 보이는 것만 보고 보이지 않는 것엔 조금의 상상력도 발휘하길 귀찮아하는가?

아니면 나는 인류의 구성원으로도 칠 수 없는 그런 존재란 말인가?

어쩌면 정말 나를 인류의 구성원으로 치지 않는지도 모르지.

그래서 안되는 걸 하는 걸로 보여서 비웃었는지도 모르지.

사람들이 피곤하고 그들과 관계하는 삶이 피곤하다.

전혀 예의라는 필터로 거르지 않고 아무 생각없이 단순하게 대하는 행동들.

눈에 보이는 이웃에겐 친절할지 몰라도 조건이 다른이에게는 다들 합세한 듯 고립시키고 은근한 비웃음을 보이는 이들.

이제 더는 그들로 인해 나를 잃고 고뇌하고 싶지 않다.

더는 세상과 갈등하고 싶지 않고 얽매이고 싶지 않다.

더는 그들의 이해를 구하고 싶지않다.

어차피 타인과 완벽한 의사소통을 하지도 못하는데 이제는 그저 무심하고 싶다. 타인의 감정에 동화되며 끌려다니며 살기엔 너무 아까운 인생, 조금이라도 내 주관대로 살고 싶다.

내가 발버둥 친다고 관계라는 늪에서 빠져나올 수 있을지 알지 못한다. 내 삶은 쉽지 않다. 다만 어디서 어떻게 생겼는지 모를 믿음이란 줄을 하나 잡고 있다. 신은 내게 다만 줄 하나 던져주셨나 보다. 어둠속에 헤매는 내게 잘 따라 오라고.

어디로 가는지 모른다. 왜 사는지도 모르고 무엇을 해야할지도 모르겠다. 다만 줄 하나 잡고 따라갈 뿐이다. 믿음이란 줄.

관계라는 늪에서 헤매이는 나는 그 줄을 잡고 걸어간다.

어두컴컴하고 안개가 끼어 앞이 잘 보이지 않는다. 발에 걸리는 장애물에 넘어져가며 그래도 굳게 줄을 잡고 따라가고 있다.

2023.06.10

<내 인생의 민낯 들여다보기>

아침에 눈을 뜨면 내 마음을 비명을 지른다.

사람들은 새로운 날을 반갑게 맞이하는데 내 마음은 왜?

무엇 때문인가.

전날 밤까지, 힘든 삶이지만 그래도 의미있는 삶을 살아보자고 결심하고 의욕을 품은 것이 무색하게도 아침이 되면 삶을 견디고 극복하기보다 그저 삶을 포기하고 싶은 것이다.

매일 그렇게 반복하고 있다.

그런 반복이 나의 삶이 되어버렸다

그저 아침이 오면 우울하게 맞이했다가 그 우울은 아침이 지나면서 잠시 거두어지고 낮시간을 지나면 스스로를 다독이며 의욕을 내본다. 그러면 다시 살수 있을 것 같다. 그러다 다음날 아침이면 또다시 살고 싶지 않다.

마치 개구리가 뜨거운 물에 들어가면 뛰쳐나가겠지만 서서히 온도를 높이면 느끼지 못하듯, 나도 하루라는 시간동안 서서히 변화하는 온도변화에 별 생각 없이 끌려가는 거 같다. 진한 고통이 시간에 따라 옅어지면 잊어버리기. 살아지니 살기. 그러나 만만한 고통이 아닌 것이 매일 되풀이되고 있다.

계속해서 이렇게 대책 없이 살아도 되는 걸까?

그렇게 괴로우면서 그런 삶을 깨치고 나올 생각은 않고 그저 생각 없이 반복하는 걸 어리석음이라 할 수 있지 않을까.

그 괴로움이 언젠가 큰 파도가 되어 덮치면 어떡하나. 시간이 지나도 괴로움이 흐려지지 않으면 어떡하나. 더는 무시해선 안될거 같다.

이제 그 고통을 회피하지 말고 한번 직시해봐야 하지 않을까, 맞짱을 떠봐야 하지 않을까.

그 괴로움을 진지하게 한번 들여다보고 뭔가를 해야지 하고 생각은 늘 하고 있었다. 그런데 막상 생각하려하면 귀찮기도 하고 너무 막연해서 여태 진행을 못하고 있었던 것 같다.

또 살아온 관성 때문인지 나도 모르게 다시 온도변화에 아무 생각없이 이끌려간 거 같다.

그러나 이제 한번쯤 그 서서히 변하는 온도변화를 따라가지 않은 채 진지하게 사유를 진척시켜서 내 인생의 민낯을 대면하고 싶다.

지금까지 아무 생각없이 이끌려 살며 고통을 반복했다면 이제 그 생활에서 깨치고 나오고 싶은 것이다.

그러기 위해 첫 번째가 온도변화라는 구덩이를 나오는 것이다. (이것도 내가 본질을 못 보게 막은 하나의 구덩이다.)

그러면 무엇이 보일까?

절망도 희망도 있는 그대로 보고 싶다. 내 삶의 혼란을 한꺼풀 벗겨내서 분명하게 있는 그대로의 민낯을.

그러나 이것은 사실 아주 위험한 시도일 수 있다. 어떤 결론을 내릴지 모르니. 혹시 내 인생의 민낯이 절망만 있고 절망에서 나오는 방법이 없으면 어떡하나.

그러나 언젠가는 해야할 작업이다.

절망의 모습을 보면 그 깊이까지 다 내려가보고 싶다.

그렇게 한 후에야 비로소 절망을 치고 올라올수 있을테니.

희망의 모습도 간과하지 않고 이성적으로 찾아보겠다.

용감하게 도전해보고 싶다

2023.06.14

<나의 인생의 민낯 들여다보기2>

나의 인생 민낯을 바로 바라보기.

사실 그동안도 은연중에 늘 그것을 보려고 노력을 해왔었던 거 같다. 하지만 늘 헤매고만 말았던 것이, 때로는 내 삶이 너무 무겁게 느껴지고 때로는 너무 가볍게 보이곤 했으며 또 때로는 보려는 그 결심을 잊어버리고 딴데 한눈을 팔기도 했던 것이다.

한번 마음을 잡고 앉아 진지하게 그 실타래를 풀어보는 작업을 해보려다가도 너무 복잡하고 뭐가 뭔지 모르겠어서 그냥 눈앞에서 치워버리고 다음에 하자, 했던 것 같다.

그런 끝에, 이제야 비로소 자세를 고쳐 앉고 정식으로 내 삶을 마주 보는 작업을 하기로 했다.

그렇게 오랫동안 헤매는 내가 바보처럼 혹은 어리석게 느껴졌기 때문이랄까. 더는 그래선 안 될 것 같았다.

그런데 역시 쉽지가 않다. 이 복잡한 내 삶의 혼란을 벗겨내고 나의 인생 민낯을 바로 들여다본다는 것은.

그동안도 은연중 해왔던 그 일이 늘 실패한 이유는 나의 현실이 너무 복잡하고 혼란스러울 뿐 아니라 나의 혼란은 세상을 대상으로 한다는 것이다. 세상은 너무나 크고 복잡하기에 학생 때 과학실에서 실험하던 것처럼은 할 수가 없는 것이다.

세상은 실험실 안의 그 실험대상처럼 가만히 있는 것이 아니고 또 나와 관계를 맺으며 상호작용을 하기에 거기서 부차적인 잡음들을 제거하고 현실을 정확하게 인식하는 것이 쉽지가 않은 것이다.

세상은 마냥 혼란스럽고 크고 복잡한 데이터들을 어떻게 가려서 받아들일지 헷갈린다.

나 자신의 문제도 있다.

냉철하게 작업을 해야 하는데 그때그때의 감정에 따라 이때는 이렇게 저때는 저렇게 하며 인식하는 게 바뀐다.

또 진지하게 작업을 시작했지만 시간이 지나면 집중이 흐려지고 정신이 산만해져 딴 데 정신을 팔기도 한다.

그러면 자의식에 빠지기도 하고 허영이 들기도 하며 주관적으로 상황을 판단하는 자신을 발견하곤 한다.

언제부턴가 나 자신이 이런 행동패턴을 반복하고 있다는 것을 깨닫고 있다. 진지하게 뭔가를 궁리하다가 곧 집중을 잃고 해이해져 버리는 것이다. 혹은 우울에 빠져 바닥까지 내려가 힘들어하더니 어느새 긴장을 다 놓아버린 채 마음이 들떠서 주체를 못한다.

우울의 열기에 싸여있을 때 너무나 힘이 들었기에 그 우울이 가버린게 반갑긴 하지만 들떠서 스스로를 통제 못하는 나의 모습은 정말 마음에 안 든다.

진지하게 여기던 것들이 우습고 별거 아닌거 같이 느껴진다. 무거워서 꼼짝도 못하더니 이제는 너무 가벼워져서 하늘을 훨훨 날아다닐 것만 같다. 내버려뒀다가는 내가 정말 어디까지 갈지 불안할 정도다.

결국 처음에 의도한 나의 문제를 해결하지도 못하고 결국 제자리걸음으로 정체되고 만다. 그렇게 세상 속에서 뱅뱅 돌고 있는 자신이 참 한심하다. 어디서부터 어떻게 바로잡아야할까.

그래도 이번엔 나의 인생의 민낯을 잘 관찰하기 위해 제대로 해보기로 했다.

우선 이랬다저랬다 하는 나의 변덕을 자제하고 기분을 일정하게 유지하고 최대한 이성적으로 데이터를 받아들이기.

나의 목적을 잊지 않도록 자주 상기시키고, 스스로 자만에 빠지거나 착각하는 것을 알아차리고 되도록 무심한 자세 유지하기.

나의 인생 민낯 바라보기, 이 작업을 하는 것은 현실을 있는 그대로 분명히 보기 위함이다 그리고 그 바탕위에서 뭔가를 하기 위함이다.

그 뭔가를 하기위해선 우선 현실을 있는 그대로 파악해야하니까.

2023.06.23

<내게 글쓰기란>

페이스북에 글을 쓴지 5년 가까이 된다.

글쓰기를 시작한 시기는 내 인생에 다시 힘든 날이 찾아왔을 때부터이고, 눈앞에 보이는 높은 언덕을 마주보며 그 언덕을 넘는데 나는 본능적으로 글쓰기를 함께 해야한다는 것을 알았던 거 같다.

벌써 5년이나 되었다는 것이, 아득하다. 지나온 시간이라도.

그리고 아직도 힘듦이 진행 중이라는 것이.. 마치 망망대해에 아직도 새까만 바다 한가운데 있는 것 같아서 또다시 아득해진다.

처음에는 그저 말을 하고 싶었다.

마음에 가득한 혼란이라든가 아픔이라든가 그런 것들을 도저히 내 안에 가둬둘 수가 없었다.

아무도 안 봐준다고 해도 유일한 소통의 창에다가 글을 썼다.

아무도 안 봐주는 적도 많았지만 누가 봐주는 경우에는 보다 효과적이었다. 나의 혼란이 소통되면서 조금씩 풀어졌고, 즉각적인 위로를 받기도 했으니.

무엇보다, 세상에는 내 한 몸 있을 곳, 내 한 몸 설 자리조차 마땅찮은데 온라인에서는 글로써 내 세계를 분명하게 창조할 수 있었다.

또한 글을 쓰면서 나의 혼란을 조금 더 분명하게 규명할 수 있었다. 혼란을 규명할 수 없다 해도 쓰는 것만으로 적어도 혼란을 내려놓고 자유로워질 수 있었다.

나를 쓰게한 것은 무엇보다, 종이에 털어놓고 나면 내가 얽매인 것들을, 지금 혼란해서 미칠 것같은 것들을 내게서 떼어낼 수 있기 때문인 거 같다. 나의 길을 가는데 방해가 되는 것들, 내 마음을 아프게 하는 것들을 종이에 적으면, 그것들을 내 마음에서 종이로 내려놓으면, 한결 자유로워진 내가 남았다.

그 자유로워진 나로 나는 다시 힘을 내서 한단계 한단계 나아갈 수 있었다. 나의 길을 찾아서.

그래서 나는 혼란스러울 때 마음이 아플 때 자연스레 종이를 앞에 놓고 마음을 글로 옮긴다.

쓸수록 나 자신을 알게 되고 세상을 이해하는 시간을 가질 수 있었다. 세상에 잃을 뻔했던 나를 다시 되찾는 시간이기도 했다.

어지럽고 실타래처럼 엉킨 나의 감정을 조금 더 분명히 아는 일이기도 했고, 그것은 또한 그 순간으로부터 한발 떼어 현실에 대해 보다 선명한 시각을 얻는 일이기도 했다..

때로는 너무 깊이 생각하는 것 같고 이런 생각들이 쓸데없는 것이 아닐까 하는 생각도 든다.

하지만 그것이 나름대로 내가 찾은 나의 마음을 치유하는 방식이었던 거 같다. 마치 학창시절 과학실험실에서 실험을 하듯 나는 나의 감정을 종이에 적어놓고 이러저리 살펴보곤 한다.

그러면서 이해에 이르기 위해. 혼란을 벗기 위해 노력한다.

내가 왜 이렇게 글을 쓰는지 원래부터 이렇게 쓰는 사람인지 모르겠지만, 사람은 다 다른 방식으로 살테니 나는 이런 방식으로 살며 글을 쓸 뿐이다.

종이를 마주보며 마음속의 엉킨 실타래를 풀어놓고 있으면 마음속의 어지러움이 조금씩 풀리고 제자리를 찾아 마음이 후련해진다.

그래서 여태 글쓰기를 멈출 수 없다.

세상은 내게 일방적이고 나는 세상에 당하기만 하는데 나도 할 말을 종이에다가 하는 것이다.

혼란이 다 걷히고 나면 그때는 글쓰고 싶은 마음이 사라질까?

예전보다 혼란이 많이 줄었고, 지금 여기에 있는 내 모습도 글쓰기 덕이었다는 것을 안다.

아무것도 해결하지 못하는 무능력은 여전하지만 적어도 글쓰기가 조금씩 내 시야를 선명하게 해주었다. 마음을 가볍게 해주었다.

돌아보면 글쓰기 덕에 매번 쓰러졌다가도 다시 일어날 수 있었고 또 내 인생의 길에서 다음 단계를 밟고 성장하게 해주는 디딤돌 역할을 하였던 거 같다.

2023.06.28

<혼란>

복잡하고 어지러운 나의 혼란을 진지하게 대면하고 구체화 하고 싶다. 그런데 잘 안된다. 항상 놓쳐버린다.

그것을 붙잡아서 분명하게 보고 싶은데 추상적으로만 머릿속에 맴돌다가 사라진다.

마치 지난밤에 꾼 꿈이 어렴풋이 기억은 나지만 구체적으로 떠올리려하면 아무리 노력해도 안 되는 것처럼,

분명히 어떤 순간에 급박하고 진지하게 생각을 해봐야겠다고 마음먹었는데 상황이 바뀌면 그것들이 틈새로 새어나가 버리고 머리는 둔해진달까 멍해진달까. 무엇을 생각하려 했는지 무엇을 풀어보려했는지 막연한 덩어리로만 남아있는 것이다.

그래도 그것을 풀어보려하면 너무 흐릿해서 잘 그려지지 않고 혹은 너무 꼬여있어서 따라가기 힘들어서 뭐였는지도 모른 채 그냥 놓아줘버린다.

그래도 어렴풋이 아는 건 분명히 내 인생에 대해 진지하게 생각해볼 것이 있다는 것. 내 뜻같지 않은 내 삶에 대해서 뭔가 대책을 세워야한다는 것. 더는 미루지 말아야한다는 것. 그것을 미루고 여전히 무지한 채로 있기 때문에 눈앞의 구덩이에도 자꾸 빠지는 것이니. 이제는 혼란에서 나와 분명한 시야를 가져야할 때.

지금의 내 모습은 마치 그런 것과 비슷하지 아닐까.

군데 군데 적들이 있어 포위된 상태인데 당장은 보이지 않는다고 망각하고 편안히 앉아 공상이나 즐기고 있는.

지금의 나는 너무 안일하게 있는 것은 아닐까. 그럴 때가 아닌데.

비정상적인 지금의 상황을 바꾸기 위해, 더 나은 삶을 위해 뭔가 해야할 것이 있는데. 본질적인 것을 보고 중요한 것을 알아야 하는데. 이제 중심을 잡고 뿌리를 내리는 노력을 해야 할 때인데. 세상에 굳건히 서있도록.

왜 상황이 지나면 생각을 진행시키지 않고 잊어버리는 걸까.

어쩌면 그런 것과 비슷할까. 더위에 시달리다가 상쾌한 바람이 불어오면 지나간 더위는 어느새 잊어버리고 바람이 부는 쪽으로 고개를 돌리는. 그런 것과 비슷하지 않을까.

골치 아픈 일은 굳이 떠올리고 싶지 않고 비정상적인 일들은 일시적이라 여겨 치워버리고 싶으니까.

더위는 잊고 지금 부는 바람을 만끽하고 싶으니까.

2023.06.28(2)

<단계>

훌쩍 멀리뛰기 하고 싶다.

나의 현실의 얽매임, 번뇌가 나를 구속할수록 더욱 멀리 뛰고 싶다. 크게 한번 도약하면 그 경지에 이를 것만 같다. 편안하고 자유로운.

마음만 앞선다. 수행이 쉽지가 아닌데. 아직 나 자신에게 눈에 띄는 변화도 없는데. 느린 스스로에게 아직도 여기야? 얼마나 더 가야해? 묻는다.

마음을 조절하지 못하는 순간이 괴롭다.
세상사에 끄달려 번뇌하고 힘들어하는 순간이.
내 마음인데 내 뜻과 같지 않아 내가 통제하지도 못하는 순간이.
통제밖의 감정에 무작정 끌려가는 순간이.
온통 혼란된 머리를 감싸고 있는 순간이
그럴 때일수록 간절하다. 늘 평화롭고 안정된 그 경지가.

꿈에서는 계단을 오르고 있다.
거의 꼭대기까지 왔는데 맨 위쪽 계단에 발을 올릴 수가 없다.
중심이 안 잡히고 몸이 흔들리고 무슨 이유인지 한 발을 거기 올릴 수가 없다.
지금의 나도 그렇게 한발만 더 올리면 될 것 같은, 한번만 도약하면 될 것 같은 마음이다.

문득 중학생 때 친구랑 사직동에 자전거 타러가 본 기억이 난다.
그때 나는 넘어지고 또 넘어졌다.
그래도 이상한 열망에, 자전거를 꼭 타겠다는 열망에 수십번을 넘어져도 다시 올라탔다. 넘어져도 그걸 즐겼다. 언젠가는 잘 탈수 있다는 기대감이 계속 일어서게 했다.
그런 거 같다. 한 번에 잘 탈수는 없는 거다. 한 단계 도약하는데에 수많은 넘어짐이 필요한 것이다. 그러나 그 넘어짐이, 주변에서 맴도는 시간들이 무의미하지는 않는 것이다.
수많은 넘어짐으로 감을 잡아가는 것일 테니까.

그때의 기분이 떠오른다.

마침내 감을 잡아서 바람을 가르며 신나게 자전거 타던 그 순간이. 언젠가는 능숙하게 자전거를 탔던 그날처럼 어느날 부쩍 자라있는 나를 발견하지 않을까.

지금 나를 힘들게 하는 번뇌, 고통, 아픔을 벗고 어느날에 거듭나는 순간이 오겠지.

비록 지금은 계속 좌절감을 맛보고 아무리 노력해도 그대로인 나를 발견하고 있다지만.

내게도 작은 변화는 있다.

조금은 성장했다 싶은 순간이.

그러다간 다시 제자리에 돌아가곤 하지만.

삶에 대한 통찰력이나 지혜같은 것이 생긴 듯 느껴질때도 있다.

작고 소소한 깨달음 같은 것도 왔다가 사라진다.

제멋대로지만 수행을 해갈수록 마음이 조금씩 편해지는 것도 느낀다. 이런 수행을 뗏목삼아 나가면 언젠가 그곳에 다다를까.

언젠가는 올 그 진정한 깨달음을 기다린다.

지금의 나는 넘어져도 다시 일어나 자전거 페달을 열심히 밟는 바로 그 모습이 아닐까. 언덕위에서 시원한 바람을 맞는 나의 모습을 생각하며 다시금 도전해본다.

댓글

싯다르타 왕자도 고뇌 했지요. 그리고 해결했죠. 붓다가 되었죠. 아마도 양 선생님의 현재의 그 고뇌도 부처가 되어가는 한 고비겠지요. 구비 구비 고개 길...넘다보면 자유롭고 평화로운 평지가 펼쳐 지겠지요. 홧팅!

네 선생님 항상 격려해주시고 응원해주셔서 제가 힘이 납니다 감사합니다

2023.07.09

<출구>

'숨이 막혀 죽을 것 같다.'
'조그만 틈도 없는 것 같아.'
'내 인생은 아무리해도 안되는 인생인 걸까.'
'출구는 어디에도 없는 것 같아.'
'아, 평화롭고 안온한 그곳에 이르고 싶다. 그곳에선 이런 번뇌가 없겠지.'
그런 투덜거림이 가득한 나의 일상.
그저 현실을 잊고 눈을 감고 명상을 할 때나 가끔 평온함을 느끼곤 한다.

일상의 작은 변화들이 있지만 그것이 진정한 출구는 아니라고 스스로에게 주의를 주는 중이다. 왜냐하면 완전한 변화도 아닐뿐더러 믿을만한 변화도 아니기 때문이다.
세상을 조금씩 알게 되고 쌓이고 쌓인 경험이 내 삶에 조금 도움

을 주고 세상이 조금 호응해주는 정도라고 할 수 있겠다. 어쩌다 보니 자연스럽게 그런 변화가 와 주었다. 다행이다. 완전히 꽉 막힌 상황은 아니었군. 무상한 외부의 상황을 의지하지 말자 다짐은 했지만 조금 숨쉬기 편해지긴 했다.

하지만 그렇게 상황을 믿었다가 또 배신당하는 일이 있다는 걸 경험으로 안다. 그래서 무심하려 한다. 그리고 진짜 출구를 찾는 일을 계속하려 한다.

그동안은 너무나 무지했던 것이다. 세상을 알지 못한 채 암흑 속을 헤매고 있었던 것이다. 그래서 항상 세상에 지고 상처받았던 것이다. 알면 상처받지 않는다. 모르기 때문에 상처받는다.

이제 세상에 대한 무지가 조금씩 걷히고, 아니, 걷히지 않았더라도 어느정도 경험이 쌓이고 쌓여 세상이 조금 익숙해진거라 할수 있겠다.

마음이 조금 편해지고 세상에 조금은 유연하게 부딪히고 전처럼 무작정 상처받지 않는다.

어떻게 보면 조금씩 파도를 탈수 있게 된 느낌이기도 하다.

그러나 성급하다, 아직 그렇게 완전히 믿어버리면 곤란하다.

경험으로 이것이 확실한 출구는 아니라는 걸 안다.

조금 변한 세상에 기뻐하며 기대를 하고 마음을 열었다가 다시 벽에 부딪힌 수많은 좌절감과 배신감, 내 인생에는 도무지 출구가 없다는, 답이 없다는 절망감의 기억을 잊지 않는다.

내 인생에 있는 벽은 그리 만만치 않다는 걸 알고 있다.

또한 아이러니하게도 세상은, 내가 무심하게 있을 때라야 비로소 내게 호의적으로 대해주는 것 같으니 방법이 없다. 그냥 나의 길을 묵묵히 가는 수밖에.

무엇보다, 진정한 출구는 세상의 변덕이 아닌 내면에서 찾아야한다는 걸 알고 있다.

세사에 시달리지 않는 안정되고 평온한 존재가 되는 것. 마음을 다스릴 수 있고 내가 나의 평화를 지켜낼 수 있는 존재가 되는 것. 그것이 내 인생의 진정한 출구이자 나의 목표다.

어쨌든 미세하게나마 열린 틈으로 바람이 들어온다. 조금이나 숨통이 트인다. 그러나 나는 보다 견고하고 확실한 출구를 찾아나갈 것이다.. 변덕스러운 세상의 변화를 믿을 수 없다면 확실히 믿을만한 건 나의 변화라는 걸 알고 있다.

2023.07.16

<우울한 자화상>

한번쯤 시원하게 날아보고 싶다.
어디 목표는 없어도 날개를 펴고 자유롭게,
그러나 삶의 제약들이, 내 발목을 잡는 제약들이 너무 많다.
내 인생은 제약으로 가득 찬 감옥. 번뇌 그 자체.

인생을 통째로 리셋하고 싶다.
게임을 하다가는 너무 불리하면 헝클어버리고 다시 하는데,
도무지 풀리지 않는 수학문제라면 학창시절처럼 빵점을 받아버리면 그만인데, 도무지 유리하지도 나아질 것 같지도 않은 이 삶, 이

골치 덩어리 삶은 어떡해야할까.
이 복잡하고 어려운 인생, 포기하는 게 제일 간단하다는 걸 알고 있지만, 그럴 수 없으니 어떻게든 풀어보려 해야 한다는 것.
그러나 엉켜버린 내 삶의 모습을 바라보면 내 마음은 그저 망연자실.
고독한 내 삶을 지도해주는 과외선생이라도 있었으면...

때로는 나아지는 것 같은 순간도 있기는 하다
이제는 부드러운 흐름으로 들어가는 듯한 느낌에
기대심이 생기고
나름대로 단계를 밟아 성장하고 있다는 느낌.
조금씩 실타래가 풀어지는 느낌.
조금만 더하면 자유를 쟁취할 수 있을 듯한 느낌.
그럴 때는 '조금만 더' 하며 스스로를 격려하고
자신에 대해 믿음을 가지려 노력하지만

도무지 나자신에 대해 확신을 가질 수 없는 순간도 있으니.
나아지는 게 아니라 그저 제자리걸음이었다는 생각이 드는 순간.
풀릴 듯하던 실타래가 다시 꼬여버리는 순간.
날아오르려다 다시 구속에 발목 잡히는 순간.
스스로에 대한 확신이 고개 숙이는 순간
내가 하는 노력이 정말 소용이 있을지 의심을 하며
삶이 그저 막막하고 답답해지는 순간.

문득 가만히 앉아 초라한 내 삶을 돌아보면 아무리해도 기운이

나지 않는 순간이 있으니
이 삶을 일으키기가 너무나 버거워지는 순간
너무나 외롭고 고단한 그런 순간들이
때때로 있으니.

댓글
오늘의 나를 사랑하는 가장 단순하고 솔직한 방법을 담은 <하루의 사랑작업> 정신세계사에서 출판한 책을 추천드려요

좋은글 잘 읽었어요 저장해두었어요
댓글도 감사합니다..

2023.08.07
<표지>

신: 너 왜 그러고 있느냐?
나: ....

신: 말하기도 싫으냐?
나: 몰라서 물어요? 내가 무슨 말을 할까요? 무슨 말을 기대하세요?

신: 한 잔 했느냐?

나: 네, 한 잔 했어요
사는 게 기가 막혀서 한 잔 했어요

신: 뭐가 그리 기가 막히더냐?
나: 내가 먼저 물읍시다. 내가 뭘 그리 잘못했나요
내가 뭘 잘못했다고 내 삶을 이따구로 만들어놓으셨나요

신: 하고 싶은 말이 많느냐? 해보아라.
나: 불러도 불러도 대답도 안해주다가 이제 와서 할 말 해보라구요? 그럼 못할 줄 아나요.
당신은 이렇게 내 삶을 불공평하게 만들어놓고 내가 그렇게 불러도 불러도 대답도 안해주면서, 도대체 신이 무슨 소용 있나요.
당신을 향해 부르짖는 소리들에 귀를 막아버린다면 도대체 당신이 무슨 소용 있나요
이 땅을 살고 있는 힘든 자들에게 용기를 주고 힘을 주셔야 하는거 아닌가요
적어도 당신의 뜻을 알려주면서 위로도 하고 의사소통을 해줘야 하는거 아닌가요

신: 그래, 너가 나를 많이 불렀나보구나. 헌데 나에 대한 믿음을 가질 수 없더냐.
나: 저를 시험하시는 겁니까? 얼마나 더 믿음을 가져야하죠?
저를 한계까지 몰아붙이시면서, 극한 상황으로 몰아가면서 그러면서도 믿음을 가지라고요? 그럴 수 있을까요? 당신에 대한 믿음이 아무리 작더라도 작은 응답 정도는 해주셔야하지 않나요

당신이 왜 내 기도에 응답하지 않는지, 왜 외면하고 이렇게 나를 고독하게 하는지 이해할 수 없습니다. 왜 세상 가운데 이렇게 고립시키고 내버려두는지 모르겠습니다. 당신에게 무슨 뜻이 있을 거라 믿고 기다렸지만 이젠 당신에게 아무 뜻도 없는 것이 아닌가 그런 생각까지 듭니다.

신: 계속 말해보아라.

나: 저한테 너무 심한 거 아닙니까.

지금 제가 살고 있는 모습을 보세요. 이게 삶인가요

이 정도면 이제 충분하지 않나요. 얼마나 더 해야 하죠?

제가 감당할 수 있을 것 같습니까?

제가 대단한 정신력을 가진 사람입니까? 대단한 자신감이 있는 사람입니까?

아니면 아예 끄떡도 없는 돌덩어리라고 생각하는 겁니까?

저는 나약하고 외로운 사람일뿐입니다.

도대체 제게 왜 이러신 겁니까?

저를 이런 상황에 놓아둔 순간부터 그때부터 이미 당신은 저를 버리신 건가요. 아니라면, 말씀을 해주세요.

신: 많이 고단하느냐

나: 저는 완전히 지쳤습니다.

한걸음도 더는 못 걸을 것 같아요

신이여.. 사는 게 뭔지 모르겠습니다. 너무 힘들어요. 저는 세상에 역부족이에요.

지쳤어요. 의욕이 나지 않습니다.

신: 기운을 내 보거라

나: 오, 신이여,

이제 더는 참고 살수가 없어요. 이제는 당신과 맞짱을 뜨고 싶어요. 당신의 뜻은 도대체 무엇인가요. 도대체 제가 이 세상에서 무엇을 할수있나요.

제 인생이 답이 있는 인생이라면 이제는, 이제는 저를 구원해주세요. 이제는 제게 말씀을 해주세요.

신: 하고 싶은 말을 마저 해 보아라

나: 제가 하고 싶은 말요. 네, 제가 당신께 분명히 전하고 싶은 것이 있어요. 이렇게 물으셨으니 말하죠.

왜 이런 처지에 제가 놓였는지 알 수는 없지만, 할 수 있는 한 나태하지 않고 열심히 노력을 하며 삶을 개척하겠습니다. 지금까지 한 것 처럼요. 삶의 의미도 스스로 찾아가겠습니다.

하지만 저는 너무나 고독한 나날을 보내고 있습니다. 또한 불안정한 나날을 보내고 있습니다. 저는 제가 나약하다는 것을 압니다.

그래서 제가 이 고독을 이기고 확신을 갖고 걷기 위해서는 당신의 도움이 필요한 것을 압니다. 그래서 당신께 애원하는 겁니다.

당신의 지켜주심 느끼게 해주소서. 보살펴주시고 인도해주십시오. 표지를 보여주십시오. 그렇게 해주시는 것이 제게 큰 위로가 될것입니다...

2023.8.7(2)
<움직이는 마음>

삶이란 게 확신을 할 수 있는 게 아무것도 없다.
탄탄하다 믿었던 부분이 어느날 문득 덜컹거리기 때문이다.
안정적이게 여겼던 부분이 갑자기 덜커덩거리면 내 마음이 불안하게 떠돈다.
그럴 때면 삶의 중심도 흔들려버리고 세상에 혼자선 듯한 위기감에 가슴이 조여온다.
지금의 나는 너무나 취약하고 어떤 것도 내일을 보장할 수 없다.
나의 마음을 제발 어디에 앉히고 싶다.
도대체 어디에 마음을 앉힐 수 있을까.
믿을만하고 견고한 곳은 어디일까.
사람도, 내안의 자신감도, 믿음도 언제나 탄탄하지는 않다.
무엇을 해야 어떻게 해야 마음이 편안해질까.

2023.08.21
<잠시 돌아보며>

꽤나 오래 걸은 것 같은데 말이다.
5년쯤 전부터였나 보다.
길이 끝난 것 같은데서부터 다시 길이 시작되었나보다.

어디로 가야할지 몰라 두리번거리다가 문득 어떤 길을 보게 되었고 이미 이 길을 걷고 있는 사람들이 많다는 것도 보게 되었다.
절망에 차있던 눈으로 보기에 신기하기도 하고 한편 허황되어 보이기도 했던 거 같다.
어쨌든 달리 갈 길도 없었기에 희망으로 삼고 걸어보기로 했다. 깨달음의 길을.
그것이 전환점이자 첫 번째 표지였는지 모르겠다.
그렇게 슬며시 이 길에 발을 들여놓았다. 뭣도 모르면서.

소망한다. 이 길이 날 구원해주었으면, 이 길이 나와 맞아서 조금 잘 나아갈 수 있기를, 순조롭게 빠르게 나아가길.
수행 자체도 물론 어렵지만 그것이 삶을 떼어두고 할 수 있는 일은 아니었다. 내 삶의 문제들은 고통스러웠고 매번 내 발목을 잡아서 주의를 뺏어가서 수행에 전념할 수 없었다.
삶의 문제에 완전히 빠져 정신이 흩어지고 헤어나지 못하기도 했다. 갈등하고 번뇌가 가득하고 혼란 속을 헤매느라 깨달음은 감이 잡히지 않았다.. 번뇌가 이렇게 깊은데 깨달음이 가능하기는 할까..
삶이 힘들수록 좀 더 추구에 열심하려는 계기가 되기도 했지만 자세는 금방 해이해지곤 했다.
구덩이에 빠지고 수많은 장애에 넘어지면서도 수행으로 여기며 늘 다시 기운을 내서 한발 한발 걸어왔다.

내 삶의 문제가 나를 이 길로 들어서겐 했지만 그래서
꼭 그길을 가겠다는 마음은 분명히 있지만 그 길을 깊이있게 추구하지는 못하고 있는 같다. 집중을 못하는 산만한 성격이기도 하고 공부를 해보려하니 어렵기도 해서 그냥 되는대로 나아가고 있는거 같다. 이렇게 해도 되는 걸까?
열과 성을 다해서 추구해야 하는 건데 말이다.

이 길을 걷는 것이 때로 확신이 없을 때도 있고 외롭기도 하다.
이번 생에 꼭 깨달아야하는데 이런 대책 없는 자세가 염려되기도 한다. 삶이 너무 힘들고 마음이 고단할 때는 깨달음이고 뭐고 그냥 모든 의욕을 상실하고 포기하고 싶기도 했다.
어쨌든 이것이 나의 길이라는 것은 안다. 어서 깨달음이 왔으면... 그러면 삶의 무게도 가벼워질 텐데...

여기까지 많이 헤매면서 왔고 앞으로 얼마나 더 헤맬지도 모르겠다. 하지만 그 과정에서 조금씩 변화하고 조금씩 알게 된 것들도 있는 것 같다. 그렇게 과정을 거치면서 조금은 더 깨달음에 가까이 가고 있지 않나 그런 위로를 해본다.

지금 나는 다 내려놓고 잠시 쉬는 중이다. 무거운 짐들을 옆에 치워놓았다. 그리고 다리를 쭉 뻗고 나무 둥치에 기대어 올라온 길을 잠시 돌아보는 중이다. 시원한 바람을 맞으며 그렇게 아무 생각 없이 한동안 앉아 있으려 한다.

2023.08.23
<내 고유의 길>

더는 망설임 없이 걸어가라, 나의 길을.
나의 길을 다른 사람들과 비교하면서 굳이 불편한 마음이 되지 말라.
여기저기 주위를 둘러보며 산만하지 말라.
내게 주어진 삶을 받아들이며 나만의 길을 걸어가라.
결국엔 나도 나의 길의 끝에서 웃을 테니까.

계속 나아가라.
자꾸 멈추면 아무것도 못한다.
내가 믿는 것을 과감히 밀고 나가는 용기를 가지라.
그러기 위해 너무 많은 생각은 하지 말라.

여전히 갈등을 하겠지.
어차피 세상이 내 뜻대로 움직이지만은 않을 테니.
하지만 흘러가는 것들을 흘러가게두고
무의미한것들을 잡으려하지 말라.

흔들리기도 하겠지.
어쩔 수 없이 얽매이고 시달리고 번뇌하는 날이 있겠지.
과연 할수 있을까 의심을 하고
나의 판단이 옳은지에 대해서 의심을 품는 날도 있겠지.
그러면서도 늘, 다시 기운을 내서 일어나려할 것이고.

나는 지금 결심을 해.

나의 길에 장애가 나타날지라도
나는 이제 나의 발걸음을 멈추지 않을 거야.
나의 보물을 찾기 위해 한걸음 한걸음 나아가려 해.
잠시 멈춰서 쉴지라도 완전히 주저앉지는 않을거야.

나는 이제 더는 길을 잃은게 아니야.
나의 길을 분명히 알고있으니까.
앞으로도 그 표지들에 의지해 나아가려 해.
나의 감에 의지해서 나아가기로 해.

그리고 눈앞에 보이는 흐름을 탈거야.
이 흐름을 신뢰하고 이 물결에 몸을 맡기려고 해.
방해가 되는 잔물결들이 여전히 일기는 하겠지만
더 큰 흐름이 있어 그것들을 무시할 수 있을 거야

2023.08.27
<솔직함>

나 자신과 솔직하게 대면하고 싶다는 생각이 든다.
그동안 나 자신과 마주하는 것이 불편하고 두렵다는 이유로 외면하고 도망가진 않았나, 자연스러운 내 감정을 탓하고 억지로 바꾸려하진 않았나. 그렇게 나와 불목하던 시간들이 떠오른다.
자만심에 빠지던 내 모습이 떠오른다.

그리고, '잘란 것 없이 너 왜 그러냐'고, '그러지 말라'고 '잘못됐다'고 억누르고 자책하던 내 모습도.

마음이 들뜨거나 구름처럼 불안정해지면 거부감이 들어서 '너 그럴 상황이 아니니다.'하고 이런저런 조건을 들여가며 '그러지 말라'고, '다시 긴장하라'고 스스로에게 요구하기도 했다.

왠지 그러면 안 될거 같아서, 지금의 내 생각은 오류가 있는 거 같아서, 만만찮은 현실을 잊고 있는 것이 불안하기도 해서, 있는 그대로의 내 마음을 바라보는게 불편하기도 해서 굳이 외면하는 태도를 취하던 내 모습.

그러나 억지로 감정을 조작하는 건 잘 되지 않았다.
이제는 그런 태도들을 달리해보고 싶다.
나의 감정을 자연스럽게 받아들이고 나 스스로를 이해해보기.
나를 알고 싶다. 나를 알고 싶은데 나의 감정을 자꾸 피해다니고 도망다녀선 나를 알 수 없으니까.
스스로에게 거부감을 느끼긴 싫다.
더는 스스로를 조작하지 않고, 불편해하지 않고, 무리하지 않고, 나와 편하게 함께 하고 싶다.
다만 스스로의 감정들을 들어주기도 해야겠지만 때론 한걸음 떨어져서 바라보기도 해야한다는 것.
사는 건 자신을 조금씩 조금씩 알아가는 것과 다름없지 않을까.
그런데 지금까지 나 스스로가 어떤 인간인지 잘 모른 채 살아온 것 같다. 너무 오랫동안 스스로를 외면해오면서.

나의 감정과 불목하던 순간이 또 떠오른다.

화가 날 때, 마음이 불쾌하고 불편할 때, 그럴 때 화가 나는 그 대상보다 더 싫은 것은 내가 내 마음을 조절 못하며 점점 그 대상에 얽매인다는 것이었다. 한참을 답답해하며 앉아 있곤 했다.

그것은 자신의 감정을 부정했기 때문이 아닐까. 그저 피하려고만 하고 외면하려하고 억지로 마음을 바꾸려하지 않았나.

하지만 그렇게 할수록 오히려 더욱 말려들면서 답답해질 뿐이었다. 감정을 극복하는건 인정하고 얘기를 들어줘야 자유로울 수 있었다. 어차피 내안에서 나오는 자연스런 감정인데 그럴수 있다고.

나의 마음의 소리를 있는 그대로 받아들이기로 한다.

우선 그렇게 솔직해야 마음의 문제를 풀어도 풀 수 있을 테니까.

나는 살면서 이것을 배웠다. 무엇이든 억지로 바꾸려하거나 애를 쓰면 어렵다는 걸. 그저 인정하고 받아들여야 내려놓을 수 있다는 것을.

거부하고 외면하고 조작하며 덮어둔 마음은 어디로도 가지 않는다. 다시 반복적으로 일어나며 마음을 불편하게 한다.. 언제까지나 정리 되지 않고 남을 그 감정을 솔직하게 바라보자.

자신의 자연스러운 감정들을 부정하는 건 곧 자신을 부정하는 것. '힘들어한다' '자만한다' ‘아프다’ 그런 것들을 부정하고 억누르기보다 '나는 그렇게 느낀다', '그럴수 있어'라며 있는 그대로 받아들이기.

그렇게 해서 날이 갈수록 나와 함께 사는 일이 점차 자연스럽고 편안한 일이 되었으면 좋겠다.

그러기 위해 우선 진정한 나를 대면해야 할 것 같다. 솔직한 태도로.

2023.09.05

<읽고 있는 책>

사람하고도 인연이 있듯 책하고도 인연이 있는 거 같다.

몇 달 전에 산책하다 알게 된 어르신이 공부하라고 책을 줬는데

별로 흥미가 없어서 구석에 던져놓은 책을 이제야 펼쳐보고 있다.

모든 것은 본래마음에서 일어난 무상한 것이라 한다.

이런 말은 언제나 나를 답답하게 한다.

지금 내가 몸으로 체화하기에는 장애가 많기 때문이다.

그 비슷한 말을 오래전부터 들어온 거 같다. 세상은 환상이다. 마음에서 만들어낸 것이다 같은 말들. 오래도록 내가 그 비슷한 말에 갈등을 느껴오고 있다는 걸 알았다.

아무 생각 없이는 그 말을 그대로 받아들이지만 실제로 내 삶의 장애들에 부닥쳐서는 거부감이 드는 것이다.

평소엔 아무 문제없이 그 말을 알아듣는 척 할 수 있지만 내 삶의 거대한 장애들, 내 삶을 혼란시키고 나를 지배하는 것 같은 큰 장애들과 부딪혀서는 그 말들이 거부감이 들고 도무지 나의 이해 안에 들어와지지 않는다.

아무리 해도 마음 평화로울 수 없는 것들, 어떻게 받아들이고 이해할지 모르겠는 것들이 내 삶에 있고 그런 것들이 깨닫고 싶은 욕망과 대치하고 있는 거 같다.

단순히 책을 읽고 그 배움들로 평화로운 마음을 가지려 하다가도 순간순간 내 삶에 그런 날카로운 자극같은 것이 나를 찔러댈 때면 이건 허상일 뿐이야 라고 차마 하지 못하고 마음을 빼앗겨버리고 세상에 압도되어 버린다. 내가 사는 이 고단한 삶이 번뇌가득하고 내가 통제하지 못하는 삶이 다만 환상이라니. 마음만 잘 먹으면 된다니. 삐딱하게 '그런 말하는 당신들이 나와 같은 삶을 살아도 그런 소리할까'하는 생각까지 든다. 그래도 믿고 싶다. 언젠가 그 말을 체화하고 깨달음을 얻는 순간을 희망한다. 언젠가 그런 날이 올 것이다.

나의 마음의 분별의식은 왜 이다지도 머리 아픈 현상을 창조해냈을까. 내 삶의 이 장애를 어떻게 넘을 수 있을까.

2023.09.14
<구덩이>

원치 않게 구덩이에 빠지는 불유쾌한 경험들에 지쳤고, 혼란에서 나와 내 삶에 대한 분명한 시야를 가지고 조금 더 당당한 태도를 취하고 싶었고, 이제는 삶을 조금이라도 통제하고 싶어서 노력을

해왔다.

그러나 결국, 내가 내 삶의 모든 것을 다 통제할 수는 없다는 것을 인정하게 되었다. 한낱 인간이기에. 한계가 있는 인간이기에.

어느 정도는 통제할 수 있었다.

반복적으로 구덩이에 빠지는 걸 피해 갈 수 있었고 머릿속 부유하던 어지럽던 생각들도 시간에 따라 자리를 찾아 차곡차곡 정리된 부분이 있다. 그래서 혼란이 줄고 조금은 삶이 안정되었다. 세상에 조금은 유연하게 대처한다. 상처에도 그렇게 취약하진 않고 마음도 어느 정도는 조절할 수 있다. 이 정도만으로도 다행이다.

그러나 아직도 도무지 감당할 수 없다고 느끼는 부분들이 내 삶에 있다는 것을 깨달았다. 내 노력으로, 내 의지로 안되는 것들, 벽 같은 것들, 그래서 그것을 생각하면 두통을 낳는 것들, 내 인생의 거대한 장애라고 느끼는 것들이 여전히 내 인생에 있다.

결국 통제력에 벗어나는 그런 것들 앞에서 저항을 느끼고 멈춰서서 무기력을 느낀 채 인정하게 되었다.

내가 내 삶의 모든 것을 다 통제할 수는 없다 라는 걸.

삶은 내 뜻대로만 나아갈 수 없다. 내가 나아가려던 방향을 계속 고집하지 못하게 하고, 저항을 만나게 하고, 발목잡고, 나를 멈춰서게 하는 것들이 있다. 나를 잃게 하는 것들, 나를 구속하고 제약하는 것들이 있다. 그러니까 한낱 인간으로써 때때로 구덩이에 빠지는 걸 비난할 수 없는 것이다.

시야도 조금은 열렸고 혼란도 조금은 줄었다. 구덩이에 그렇게 자주 빠지지 않는다. 그럼에도 나를 압도하고 무기력한 부분이 여전히 존재한다. 해결되지 않는 인생의 문제들, 스스로 통제할 수 없는 것들, 내 의지를 벗어난 것들. 그런 것들을 인정한다.

그러나 그런 혼란과 한계가 있음에도 할 수 있는 것들을 하며 조금이라도 나아지도록 끊임없이 노력하는 것이 인간인가 싶다.

<댓글>

가끔 구덩이에 빠져서 허우적거리지만, 그곳에서 벗어나려하는 것. 그것이 인간의 본능이겠지요. 아마 삶의 의지, 더 나아가 자유의지가 되지 싶네요. 받아들이고 노력하시는 모습, 참 보기 좋아요. 공감합니다.

감사합니다 넘 오랜만의 댓글이라..
읽어주셔서 감사합니다!

힘내세요.

옛써~ 좋은 저녁되세요

2023.09.30
<기운을 내>

가끔 그렇게 마음의 압박을 많이 받는 날이 있다.
무언가에 쫓기고 쫓기다보면 삶과 죽음의 기로에 서있는 느낌이다. 마치 죽음이 나를 집요하게 쫓아오는데 도망치는 거 같다
삶을 지켜내기 위해 무진 애를 쓰는 거 같다.

내가 통제할 수 없는 상황 속에 놓일 때면 두려움에 떤다.
말도 안 통하고 의사소통도 안되는 그 상황이 나를 집어삼킬 것만 같다. 막다른 곳에 다다라 더는 달아날 곳도 없는데 자꾸만 쫓아와서 어쩔 줄을 모르겠다.
별일 없는 날에도 불안정한 삶의 토대위에 있기에 두려움이 새록새록 올라온다. 가만히 있다 보면 우울함과 고독감도 떠오른다. 그래도 결국 삶을 살아내려 애를 쓴다.
삶을 살아내기가 너무나 고단한데 삶을 살아내야 하기에 너무나 힘이 든다. 감히 놓아버리지 못하니 끝까지 지켜내야 하는 것이다.

막다른 곳에 이르러 생과 사 두가지 기로에 서서 생에 힘들게 집착하며 삶이란 이리 무거운 것이던가 하고 생각한다.
바람같이 살다 가면 좋을 텐데 왜 이렇게 구차하게 살고 있을까 그런 생각을 한다. 이런 삶이 고단하고 피곤하다.
대단한 확신 같은 것으로 사는 것도 아니다. 대단한 자신감도 없다. 그저 살수 밖에 없어서 산다.
그래서 언제나 바라는 것은 신이 나를 조용히 편안히 거둬가주시는 것이다.

평소에는 어느 정도의 확신과 신념으로 삶을 지켜나가고 있지만

그것을 매순간 지키지는 못한다. 특히나 이렇게 압박을 받는 날에는 그런 믿음과 신념조차 흔들리고 아무것에도 의지할 곳이 없다.
나를 구조해줄 사람도 없다. 그런 중에 쫓기고 쫓겨 막다른 벽앞에 서있는 순간이 힘들다

고단하지만 결국 해야 할 선택은 언제나 하나다.
어쨌든 다시 한번 일어나서 힘을 내서 헤쳐나가는 것.
이 장애와 혼란, 고난을 다시 한번 극복할 노력을 해야하는데,
이 벽같은 세상을 다시 한번 마주할 용기를 내야하는데,
다시 한번 희망을 충전하고 삶의 통제력을 회복하기위한 무언가를 시도해봐야 하는데...
막다른 곳에 선채로 좀처럼 마음을 추스리고 기운을 내기가 정말 힘든 그런 순간들이 종종 찾아온다.

2023.10.12(1)
<내게 삶은>

내 인생의 민낯이라는 글을 쓴 후로 계속 생각을 해왔다.
내 인생을 있는 그대로 보며 절망과 희망을 가늠해보는 것을.
이 작업을 시작한 이유는 내 삶을 분명히 보고 싶어서였다.
내가 사는 삶이 어떤 삶인지 스스로가 모르고 있는 것 같았다.
세상 속에서 무지한 모습으로 이랬다 저랬다하며 중심을 못 잡고

있는 스스로가 불안하기도 했던 것이다.

이제 혼란을 벗고 현실을 분명히 알아서 그 인식 위에서 뭔가를 해도 할 수 있을 거라는 생각도 있었다. 이제는 내 삶의 주인이 되고 싶은 거였다.

민낯에 대해 생각하기로 한 후 얼마간의 시간이 흘렀다.

일부러 생각을 하기는 꽤나 골치 아프기 때문에 그저 일상을 살아가면서 내게 다가오는 생각들을 기다렸다.

마치 낚시터에 앉아서 물고기가 낚이기를 기다리 듯.

아주 편하지는 않고 우울함도 함께 있었지만 어느 정도 평온한 중에 생각이 낚이기를 기다리는 여유를 가졌다. 찌에 대한 주의는 놓치않은 채. 그리고 시간에 따라 혼란한 생각들이 제자리를 찾아 차곡차곡 정리되는 것도 느낄 수 있었다.

잡생각은 굳이 따라가지 않았고 고요한 중에 영감 같은 것이 떠오르기도 하고, 어떤 때는 혼란으로 인해 생각해볼 필요가 있는 것들이 낚싯대에 걸리기도 했다.

그러면 그에 따라 이것저것 생각을 해보기도 하고 어떤 것은 정리해두고 어떤 것은 놓아버리기도 하며 새로운 신호를 기다렸다. 대체로 무심한 채로, 명상하는 기분으로.

처음에 그 작업을 시작했을 땐 분명히 알 수 있을 거라고 생각했다. 내 인생에 대한 분명한 답을 얻을 수 있을 거라고.

그러나 나는 아직도 모르겠다. 헷갈린다.

도저히 살수 없다 판단되는 날도 있고, 그러다 다시 뭔가 할수 있겠다 나아질 거다 믿어지는 날도 있었다. 희망의 조그만 흔적 찾고 새로이 마음을 무장시키는 날도, 도무지 힘없다 느끼며 좌절하는 날도 있었다.

그렇게 이랬다저랬다 했다.

그러니까 세상이 희망과 절망으로 나뉘는 게 아니라 내 마음이 어떤 때는 희망으로 어떤 때는 절망으로 나눠지는 걸 느꼈다. 결국 나의 삶을, 나의 마음을 배제한 채 흑과 백, 희망과 절망처럼 둘 중의 하나로 분류할 수는 없었다. 언제나 나의 마음이 끼어들었고 그 마음은 우유부단했다.

삶은 그리 단순한 것이 아닌 듯하다.

인생지사 새옹지마라는 말도 있듯, 지금 좋은 것이 나중에 나쁠 수 있고 지금 나쁘게 여겨지는 것이 결국 좋은 것이 될 수도 있다.

모든 것은 좋은 면과 나쁜 면이 함께 있는 것 아닐까.

좋은 쪽으로 길을 내는 것과 나쁜 쪽으로 길을 내는 건 지금 내가 선택할 수 있다는 것. 그것이 내가 내린 결론이다.

나의 삶이 좋아보이는 건 아니다. 나의 현실은 아무리 살펴봐도 좋아보이지 않는다. 그러나 나의 마음이 긍정적인 쪽으로 기울고 싶어 한다, 대책 없지만. 그러면 어쩔 수없는 것이다.

그냥 믿고 나아가고 싶다. 지금까지 해온 것처럼. 잘 될 거라고 믿고.

결국 내가 할 수 있는 건 역시 새로운 마음자세를 갖추고 다시금 도전하는 거다.

어차피 미래는 모르기에 인내심을 가지고 이 삶을 살아내기로. 내 삶을 풀 열쇠를 꾸준히 찾아보기로.

그러나 그것은 또한 각오를 해야만 하는 것이다.

나의 삶이 만만치 않으니까.

앞으로도 수없이 나약해지는 자신을 다시 일으키는 노력을 해야 하는 것이다.

2023.10.12(2)

<견고한 무엇>

흔들리고 아파하는 일을 수없이 반복함으로써 이제는 본능적으로 어떤 경지를 찾고 있다.

나는 그저 세상 속에서 나로 서있고 싶을 뿐인데 매번 세상과 부딪혀 나를 잃고 세상에 휩쓸려버리고 만다. 매번 그렇게 상황을 마음 편하게 대처하지 못하고, 그럴 때마다 타인은 지옥이라고 외쳐댄다. 그러면서 한편 어떻게 하면 세상에 휩쓸리지 않고 안정적으로 서있을 수 있나 하고 고민을 하게 되는 것이다.

어떤 지점이 있을 텐데. 더는 나를 잃지 않고 세상 속에서 편안할 수 있는 지점. 더는 흔들리지 않을 수 있는 지점. 세상과 사람들과 조화할 수 있는 지점.

간절히 중심을 잡고 싶다는 생각을 한다.

어떤 마음가짐이나 믿음 지혜, 그런 것을 갖추고 있으면 세상에 좀 더 유연하게 대처할 수 있을 거라는 생각도 든다..

물론 만만치 않고 일정하지 않은 세상에 다 대비를 하고 살순 없다 해도 적어도 나는 어떤 중심을 잡고 싶은 것이다. 힘들어도 어느정도의 평정을 유지할 수 있고 강하게 버티고 서진 못해도 어느 정도 휩쓸리지 않을 정도의 중심.

나의 내면에 평화로울 수 있는 그런 중심을 세워놓으면 세상에 조금은 더 유연하게 대처할 수 있을 것 같다. 세상사에 너무 연연하지 않고 안정적이고 편안할 수 있을 것 같다. 나를 지킬 수 있을 것 같다.

세상 속에서 뒤흔들릴 때마다 흔들리지 않을 수 있는 견고한 그 무엇을 내 손에 꽉 붙잡고 싶다는 생각을 한다.

어떻게 하면 그것을 찾을 수 있을까. 어떻게 하면 그 지점을 만날 수 있을까. 세상과 마찰 없이 조화로울 수 있는.

종종 떨어지고 만다. 안 되는 걸 하는 거 같다는 좌절감, 내 인생에 도무지 답이 없다는 절망감에. 이것이 가장 괴로운 것이다. 그래서 이제 이것만은 피하고 싶은 것이다. 내 안에 중심을 단단히 잡고 있으면 다시는 그런 곳에 떨어지지 않을 것도 같다. 그러기위해서라도 견고한 그것을 쥐고 싶다.

이제는 그것을 찾아서 확신을 갖고 당당하게, 묵묵히 걷고 싶다.

2023.10.20

<지친 눈물>

마음이 편안할 수 있는 경지를 추구해왔는데

그것이 내게는 왜 이다지도 어려운 일일까?

마음을 안 쓰고 나의 내면을 지키는 것조차 내 의지대로 하기가 이렇게 힘들단 말인가. 결심한 대로 내 뜻을 지켜나가는 것조차 이렇게 저항을 만나야 하는가. 세상이 타인이 나를 자유롭게 내버려두지 않는구나.

이렇게 다시 또다시 넘어질 때마다 무력감이 쌓이고 절망이 쌓이고 고독이 쌓여만 간다. 하염없이 앉아서 스스로를 의심하는 시간, 확신이 고개 숙이는 시간, 혼돈에 싸여 내가 옳은지 의심하고 나의 판단이 옳은지 의심하고 세상에 대해 헷갈려하는 시간.

어느 것이 오독이고 어느 것이 옳은 해석인지 혼돈 속에서 생각한다. 마음의 평화는 또 멀어져 간다. 또 이렇게 마음을 움직이며 세상에 진하게 얽매인다. 환상에 불과하다는 세상에.

언제쯤 부딪히지 않고 살 수 있을까. 언제쯤 이 무지와 혼돈으로부터 벗어날 수 있을까. 언제쯤 내 삶을 헤쳐 나갈 수 있을까.

언제쯤 내 삶의 열쇠를 찾을 수 있을까.

세상과 세게 부딪혀 한계를 느끼고 마침내 참았던 눈물이 쏟아져 나오려 한다. 이 벽 앞에서 그저 주저앉고만 싶다.

또 다시 막다른 곳 앞에 이르렀다. 여기까지 왔을 때 늘 나를 일으키는 것은 믿음과 신념이었다. 겨우겨우 믿음과 신념을 회복한 후 우울을 떨치고 다시 힘을 내곤 했다.

그러나 지금 나는, 너무나 지쳐있어 혼자 일어날 수 없다. 아니, 서글프게 혼자서 일어나고 싶지가 않다. 내 삶이 답이 있는 인생이라면 누가 좀 일으켜주었으면. 내 힘으로 일어서기엔 나 지금 너무 지쳐있어서.

2023.10.24

<고비>

아무 것도 할 수 없는 나날을 살아오는 와중에 내가 굳게 붙잡고 의지한 것은 신념, 확신이었던 거 같다. 아무 근거도 없는 확신. 그것밖에 잡을게 없었다. 그러나 한 번씩 그런 순간들이 온다. 확신이 흐려지고 확신을 의심하는.

그런 순간들이 힘들었다. 그 고비를 넘기는 것이 힘들었다.

한번씩 힘든 순간이 오면 무기력하게 그저 주저앉아있었다. 할수 있는 것이 별로 없어 무력감을 느끼고 주저앉아서 나를 일으켜주는 손을 간절히 기다렸다. 그러나 도움의 손은 없었고 무엇보다, 힘든건 나약한 마음을 파고드는, 나의 확신들이 허황된 것이라는 스스로의 의심이었다.

그럴 때면 바닥에 주저앉아 기도했다. 부디 저를 구원해주소서.

내가 품은 확신들이 맞다면, 나의 희망이 근거 있는 것이라면 이제는 제 손 잡아 주소서.

그러다 대부분 아무도 일으켜주지 않아 스스로가 힘을 내서 일어설 수밖에 없었다. 다시 근거 없는 확신과 신념으로 충전한 채. 그것 외에 할수 있는게 없었다. 고독한 투쟁이었다.

이번에도 그런 시간이 찾아왔다.

한참을 주저앉아있었다.

수순을 밟아서 이제 다시 신념과 확신을 충전하고 일어서야할 때인데...

이번엔 좀 오래 걸리네요.

다시 확신을 움켜쥐고 일어서야 하는데 나약하게 쓰러져만 있네요. 도저히 힘이 안 나네요.

좀 고집을 부리고 있죠. 신에게 투정을 하고 있죠.

나 안 일어나고 여기 이대로 주저앉아 있을 테니 내 인생이 정녕 답이 있는 인생이라면, 저를 지켜주고 계시는 게 맞다면, 이제는 제발 저를 일으켜주시라고.

이제는 정말 혼자서 못 일어날 것 같다고. 아니 일어나기 싫다고. 너무 고독하고 처량해서.

자신감도 없고 적대적인 세상을 대할 자신도 없고. 가슴이 아파서 우울해서...

그러니 그동안의 나의 확신이 맞는 거라면 이젠 내게 힘을 실어주세요. 그렇게 퍼질러 앉아 고집을 부리고 있습니다. 이번엔 또다시 외롭게 스스로를 추스르면서 일어나지 않겠다고

그러나 한편 이런 시간이 두렵네요. 나의 확신을 의심하는 순간이. 나의 확신을 다시 회복하지 못할까봐.

소중히 간직한 나의 생명줄 같은 확신을 놓아버리면 할 수 있는 게 없는데.

그 확신이 멀어질까 두렵네요

스스로에 대한 확신. 어쨌든 잘 되어 나가리라는 믿음.

힘든 시간이에요. 확신이 고개 숙이고 있는 지금 이 시간이 힘이 들어요.

하지만 내가 이러는 건, 이제는 뭔가 다른 것이 필요한 것 같아서예요. 그동안처럼은 살수가 없을 것 같아서에요.

지금까진 할수 없이 근거없는 확신을 품고 살았지만 이제는 의심없는 확실한 확신을 갖고 싶은 거에요.

이제는 정말 마지막으로 절망속을 헤매이고 싶어서 그래요.

이제 절망과는 끝장을 보고 싶어서 이러고 있는거에요. 그런거에요

마침내 더 단단한 확신을 쥐고 분명한 삶의 의미도 갖고 일어서고 싶은 거에요

단단한 확신으로 무장해서 앞으로 나아가고 싶은 거에요

분명한 신의 응답을 듣고 이제 거기 의지해서 보호를 느끼며 살고 싶어요.

그래서 응답을 기다리며 이렇게 절망과 대치하고 있는 거에요

그런데 기다리는 이 시간이 견디기 힘드네요.

그동안은 무기력하게만 살아왔죠.

이제는 지금을 기점으로 무언가를 하고싶어요.

이제는 스스로 뭔가 노력을 해서 삶을 개척하고 변화를 이뤄내고 싶어요.

지금까지는 그저 이끌려왔다면 지금부터는 내 스스로 노를 저어 나아가고 싶어요..

너무 오래 무력하게 살아왔어요. 이젠 뭔가 하고싶어요...

2023.10 26

<이제는>

이제는 편하게 살고 싶어요
마음 다스리려 노력하고 싶지 않아요
복잡한 생각하는 대신 단순하게 살고 싶어요
흐름을 거스르려 애쓰고 싶지 않아요
이제는 순조로운 흐름을 타고
인연에 내맡긴 채 흘러가고 싶어요
불안과 두려움은 치워두고싶어요
이제는 유연하게 파도타기를 하고 싶어요.
물론 뜻대로 되는 건 아니지만.
이제는 우울하기 싫어요.
다시 절망의 늪 헤매지 않고 싶어요
삶의 여유를 갖고 싶어요
좀 더 단단한 확신으로 무장하고 싶어요.
이젠 조화롭게 삶에 대처하고 싶어요
당당한 모습으로 살고 싶어요
그저 물결에 실려 떠다녔다면
이제는 내가 할 수 있는 일을 찾고 싶어요.
나아지길 막연히 기다렸다면
이제는 스스로 삶을 개척하고 싶어요
지금을 참고 인내하기보다
지금 행복하고 싶어요
삶의 어려움을 지혜로 대응하고 싶어요

이제는 생의 갈등과 괴로움에 빠지기보다
수행에 전념하고 싶어요.

2023.10.29
<마음 추스리며>

시간이 가면 못 견딜 것 같던 절망의 열기도 저절로 수그러든다.
어지럽던 마음도 어느 정도 평정을 찾고 다시 힘을 내볼까 생각한다.
또 이렇게 한 고비가 지나가는 것인가.
등 돌리고 가는 고비가 '원래 어려운거야. 이 정도도 각오 안했어?' 한마디 하면서 간다.
그러면 또 다르게 생각해볼 여유도 생긴다. 나를 그렇게 조여오던 압박이 어쩌면 어느 정도는 오독이었을 수도 있다는.
너무 그 기분에 빠져 있었던 거 같다는. 앞으로 또 힘들어 질 때면 그 순간이 전부라고 여기지 말자고 다짐도 하는.
나는 왜 또 이렇게 헷갈려하는 것일까. 언제까지 헤맬 것인가. 왜 내 현실에 대해 분명히 알지 못한 채 언제까지 이랬다저랬다할 것인가.
어쨌든 다시 그 근거 없는 확신의 목소리 쪽으로 마음의 무게가 이동한다. 절망에 빠져있는 동안의 그 많은 고민들에 답을 찾지 못했지만 이제 그만 그것들을 털어버리고 그 시간에서 빠져나오고 싶다. 너무나 지쳐있어서. 더는 그 절망의 공기가 견디기 힘들다. 나를 짓누르는 절망을 내려놓고 이제 바람을 쐬고 싶다.
그 많은 의문들 답을 얻지 못했지만 살면서 답을 기다리자고.

이제 그냥 무심한 태도로 살자, 그러면 조금은 평화롭지 않을까, 세상의 희비에 얽매이지 말자, 무의미한 생각에 빠지지 말자, 그런 결심들을 한다.

절망에 쏟던 에너지, 그래서 나를 지치게 했던 에너지를 다시 도전하는 에너지로 바꾸려 하니 의욕도 조금 나는 거 같다.

씁쓸하지만 내 인생 누구도 구조해주지 않았다. 언제나처럼 혼자 일어선다.

삶은 그런 건가 보다. 결국 내가 일어서야 한다.

다시 추스리고 일어나 또 다시 출발선 앞에 선다.

모든게 다 잘될 거라 주문을 외우자.

그렇게 긍정을 마음에 심는다.

2023 12 01

<소통2>

1. 처음부터 소통문제로 나는 앓았던 것이다.

2019년 처음 글을 적기시작할 무렵의 나.

소통이 되지않음으로 인해 마찰을 겪고 아무것도 모른채 무지속에서 무작정 앓기만 했던 그때의 나.

그때의 갈등이 적힌 글을 보니 그때의 나의 무지와 또 무자비한 세상을 생각하니 내가 너무 안쓰럽게 느껴진다.

(...현실을 무시하고 살고싶지만 현실은 날 자꾸 건드리고 자극하고, ...

현실을 무시하고 나아가고 싶지만 그래도 나의 마음은 끝없이 현실을 두고 판단하게된다.
그리하여 어떨때는 평화롭고, 어떨때는 두려움에 사로잡히고... 어떨때는 아프다....)

혼란뿐인 현실을 벗어나고 싶어도 벗어나지 못하고 끄달리기 시작하던 시점... 그저 여릴 뿐이었던 내가 아프게 떠오른다.

2. 사람과 사람이 서로를 진정으로 이해하는 것이 왜 그렇게 어려운지 알 수 없다.
수많은 오해와 어긋남 마찰 갈등
가까이 서 있어도 때로 그 가슴끼리의 거리는 하늘과 땅보다 넓은 것 같다.
그래서 숨이 막히는 사람이 나뿐일까
그 거리에 가슴 아프고 답답한 사람이 나뿐일까
쓸쓸하고 외로운 가슴 안고 사는 사람이 나뿐일까.
왜 어떤 사람들은 그런 고독을 안고 사나.
그것이 단순히 벽 때문일까.
이해와 배려 같은 마음을 내는 것이 그리 어려운걸까.
다 같은 인간이라는 것, 같은걸 느낀다는 것, 그걸 알면 되는 것 아닐까
그러면 서로의 가슴이 조금은 가까워지지 않을까?
모르겠다.

2023.12.30.

<연극무대>

원치 않게 자꾸 세상에 얽매이는 것이 정말 싫다.

지금까지의 내 삶은 그런 얽매임을 벗어나려 애쓰는, 자유를 쟁취하기 위한 외로운 투쟁이었던 것만 같다.

하지만 생각해보면 어쩔 수 없는 것 같다.

우리는 한낱 연극배우들이 아닐까.

우리는 삶이라는 무대에서 꼭두각시처럼 그 연극에 빠져있다.

그런 자신을 알아차린다 해도 우리는 그 연극을 벗어나지 못한다.

살아있는 한 계속해서 세상에 얽매이고 열심히 삶이라는 무대 위에서 연극을 할수 밖에 없지 않나.

본래의 사실이 무엇이든 우리는 보이는 대로 받아들이고 보이는 대로 인식하고 보이는 대로 갈등하면서 산다.

타인의 불친절에 상처받고 무지해서 혼란에 빠지고 눈앞의 현실에 사로잡혀 끙끙 고민하고 조그만 일에도, 겨우 조그만 일에도 통제력을 잃곤하지 않나. 아무리 이 연극무대를 벗어나 저 위에서 내려다보고 싶어도 우리는 매일 심각하게 인생이란 연극무대에 빠져 산다. 누가 그런 것에서 자유로울 수 있나.

할 수 있는 것은 세상에 얽매이지 않으려는 힘든 노력이 아니라 얽매이고 갈등하는 자신을 알아차리는 정도가 아닐까.

나 자신 또한 그렇게나 열심히 이 연극무대에서 연기를 하고 있다. 나로 꽤 살아와 이제 내 자신이 조금은 익숙하다. 두려움, 갈등, 외로움에 빠져 힘들어하는 나. 그러다 금방 다시 마음이 느슨해지고 자만심과 자의식에 빠져드는 나. 세상에 시달리며 힘들어하고 앓는 나. 매번 안정이 깨어질 때마다 흔들리고 갈등하는 나.

이제는 그런 감정들이 올 때 그저 알아차리고 '또 왔니? 라고 하려한다. 세상에 무심하려 노력하는 만큼 이제는 그렇게 나 자신에 대해서도 무심하려 한다. 나를 충분히 겪어왔기에.

쓸데없는 생각에 시달리기보다 되도록이면 생각을 안하고 다른 뭔가에 집중하고 있을 때 편안하다는 것을 배웠다.

매일매일 결심을 한다. 모든 것을 개인적으로 받아들이지 말자. 단순하게 넘기자. 의미를 되새기지말자. 무심하자.

연극무대일지언정 조금이나마 이 삶을 잘 살려고 애를 쓴다.

힘들 때마다 매번 흔들리고 복잡한 생각을 할 필요가 없다.

내가 옳다는 것만 기억하면 된다.

니가 틀리고 내가 옳다가 아니다. 예전에는 그렇게 하려했지만 그것은 너무 힘든 작업이었다.

이제는 타인을 틀리게 할 의도가 아니라 너도 옳을 수 있고 나도 옳을 수 있다는 것이다. 내가 옳다는 것만 의심하지 않으면 된다.

힘들 때마다 매번 그것을 의심했기 때문에 그 시간이 더욱 힘들었고 그러느라 많은 시간낭비도 했던 것 같다.

이제는 내가 옳다는 신념을 지켜나가련다.

매번 마음의 갈등 반복할 필요없다.

내가 옳다는 그것만 기억하고 계속해서 나아가자.

2024.01.05.

<체험을 기다리며>

지금의 나는 혼란에 싸여 뱅뱅돌고 구속을 느끼는 삶을 살고 있다. 그래서 늘 자유로워지는 경지를 꿈꿔오고 있다.

내 삶에서 혼란을 떼내고만 싶어서 생각도 많이 했지만 한날 인간으로 혼란을 벗어버리는 것이 정말 쉽지 않다. 그로 인한 수많은 갈등과 번민.

늘 궁금하다. 그 경지는 어떤 것일지.

깨달으면 혼란을 겪지 않는지.

세상에 얽매임 없이 자유로울 수 있는지.

이 고뇌와 번민이 정말 다 소멸할지.

지금의 나는 혼란과 너무나 찐하게 결합해있어 온통 시야가 답답하다. 이 틀을 깨고 어서 빨리 깨달은 이의 시야를 갖추고 싶다. 혼란에 연연하지 않는, 혼란을 넘어선 시야를... 자유로운 시야를. 내가 정말 바라는 그것을.

어떻게 하면 그 시야를 갖출수 있을까.

어둠에 관심을 갖지 말고 불을 켜라.

그 말에 정신이 번쩍 들었지만 또다시 생각을 하며 어둠에 신경을 쓰는 나를 본다.

아무리 결심을 해도 내 의지대로 매끄럽게 나아가지 않는 삶에 저항을 만나 나는 삶에 묶여버린 것이다. 대단한 의지가 없어 혹은 미련해서.

혼란을 풀려 노력하던 지난 시간들은 세상 속에서의 어쩔 수 없는 헤매임이고 어쩔 수 없는 얽매임이었다. 여기까지 오기 위한 단계를 밟은 것이었다.

당장 불이 켜지지 않아서 어쩔 수 없었다. 불만 켜면 천년동안의 어둠이든 한시간 동안의 어둠이든 사라진다는 것은 알지만. 불이 켜지지 않고 당장의 삶을 살기위해 다른 방법이 없었다고 생각한다. 당장의 내 삶의 트러블들을 무시할 수 없었기에.

지금도 나는 삶의 갈등을 한다. 당장은 아무 변화 없는 삶을 인내해야만 한다. 이 삶을 살아내기 위해 여러 가지 관념들을 나에게 주입시킨다. 하지만 그것만으로는 혼란에서 벗어날 수 없고 뱅뱅 돌고 있는 자신을 느낀다. 불을 켜는 것만 못한 것이다.

이렇게 혼란에 갇혀버린 삶이 답답하다.

어서 빨리 혼란을 벗고 선명한 시야를 갖췄으면.

이제 점점 혼란에는 관심이 거두어지고 빛을 향해 고개를 돌리고 싶은 마음도 어물쩍 드는데, 글쎄.

어서 그 깨달음이 왔으면 좋겠다.

<통제 밖의 나>

조금만 여유가 생기면 내 마음이 통제가 안되니 어쩌나.
힘든 상황만 통제가 안되는게 아니라 내 마음도 통제가 안된다.
그런 날의 내 모습은 참 마음에 안든다.
자의식에 자만에 경거망동을 하는.
그래서 그런 날엔 나 자신을 만나는게 두렵기까지 하다.
압박하는 것이 없어지면 뜻밖에 마음의 빈 공간이 생기는데 들떠서 그 빈 공간을 유영하다보면 이것저것을 만난다.
허영, 망상, 자만, 자의식... 그런것을 통제못하고 무작정 끌려가고 마는데
그런걸 만나는 것이 불편하고 두려운 것이다.
그래서 마음이 붕 뜨는 날이면 불편하다. 오늘은 또 내가 어떤 엉뚱한걸 취할지 자신이 두려워서.
여유공간속에 생긴 그 생각들을 가리지 않고 무작정 따라가다보면 내 마음의 방이 한참 어지러워진다.
시간이 지나면 그 어지러워진 마음의 방을 보고 망연자실한다.
스스로가 그렇게 싫어질 수가 없다.

좀 똑바로 섰으면 좋겠는데 말이다.
위태롭지 않게 중심을 잡고 자신만의 스타일을 갖춘 채 자신을

굳이 의식하지 않는 사람.
그런 사람이 내 부러움의 대상이다.
그에 비하면 나는 덜컹거리는 트럭같다.
가끔 이렇게 내안에서 덜컹거리는 소리가 들릴 때면 자신을 대하기가 참 민망하다.

그나저나 통제 밖의 상황이 아니라 통제 밖의 나를 자주 접하는 요즘이다.
그만큼 상황이 많이 좋아졌다고 생각해야하는 걸까.

<오락가락하는 나>

바람에 나뭇가지 휘어지듯 이리 흔들면 이리, 저리 흔들면 저리 하는 내 모습을 본다.
답답하다. 왜 그리 오락가락하는 것일까.
무지 때문이다. 무지.
무지 때문에 미로에 갇혀서 도무지 박차고 나올 줄을 모르고 있는 것이다.
그런 자신을 인식한 것은 다행이지만 또 금방 잊고 다시 이랬다 저랬다 하며 헤매고 있다.
지금까지의 습 때문일까. 무지를 없애는 것이 쉽지 않다.

내가 먼저 중심을 잡은 채 꿋꿋이 서있어야 하는데 그러지 못하고 이랬다저랬다하기에 세상과의 관계에서도 결국 아무 변화를 끌어내지 못하는 것 아닐까.

세상과 나는 오래전부터 소통이 안 된 상태에서 끝없이 밀당을 하고 있다. 돌아보면 늘 제자리걸음인거 같다.

그것이 답답하면서도 그 미로에서 나오는 방법을 모른다.

안개가 가득 끼어 도무지 분간할 수가 없다.

그러니 확고한 걸음으로 걷지 못하고 있다.

세상에 무관심하겠다고 결심하지만 늘 뜻과 같지 못하고 세상으로부터 들어오는 데이터를 열심히 분석하고 있다.

매일매일 새로 들어오는 데이터들.

과거의 데이터는 잊히고 새로운 데이터가 주입된다.

오해와 착각을 수정하기 바쁘고 마음을 썼다가 놓았다가 한다.

새로운 판단에 지난번에 뭘 생각 했던가는 쉽게 잊힌다.

지난번에 심각하게 마음을 썼던 것도 아주 쉽게 마음에서 놓아버린다

그렇게 안일하게 있다가 다시 새로운 데이터에 당황하며 허둥지둥 정신을 차리고 다시 긴장을 한다.

그것이 내 삶의 방식인 것이다.

이런 행동은 다 무지 때문인 것이다.

무지 때문에 언제나 상황을 정확하게 알지 못하기에 나도 모르게 매번의 상황의 변화에 끌려다니며 이랬다저랬다 하고 있는 것이다. 거기서 통 나올 줄 모르는 것이다.

매번 무상한 상에 속아 변덕을 부린다.

이 미로에서 이제 좀 나오고 싶다. 무상한 상이 아닌 잡을 무엇이 필요하다.

<내 안의 밧줄>

그런 내 모습이 염려스럽다.
중심을 못 잡고 이랬다저랬다하고
믿을 수 없는 상황의 변화에 성급히 안주하려하고
쓸데없는 무의미한 생각에 빠져 있고
자의식 자만에 빠지고
마음이 들떠서 통제 밖으로 나가곤 하는 상태

그런 상황들은 내게 무엇을 망각하고 있거나 무엇을 모르고 있다는 뜻이기 때문이다.
무지는 실수를 낳을 수 있다. 그래서 그럴 때는 의식적으로라도 자신에게 무엇을 상기시키곤 한다.

'지금 나에게는 문제가 있고 아직 그 문제가 해결되지 않았다.
그러니 그렇게 해이해져있을 때가 아니다.
여기서 안주하지마라. 나는 아직 내 인생의 주인이 되지 않았다.
그 누구라도 나를 흔들 수 있다.
들뜨지 말고 만만치 않은 현실을 직시해라.
나는 현재 얼마나 안정적인 토대위에 있는가 점검하라.
여전히 타인에게 내 희비를 맡기고 있지 않는가.
여전히 부자유스럽지 않나.
발등에 불이 떨어진 듯 한 이런 상황에서 어떻게 그걸 잊고 있을 수 있단 말인가.

그런 식으로라도 흐트러진 나의 고삐를 다시 바싹 잡아당긴다.
그래도 자신을 통제하는 것이 잘 되지 않는다.

내안에 밧줄하나가 있다.
그걸 잡고 생활에 긴장을 유지하고 무언가 생각할 것이 있으면 화두삼아 사유도 하며 생활하고 있다.
그런데 그것을 자주 놓쳐버리곤 한다.
필요에 의해 어떤 것에 대해 심각하게 사유해오다가 상황의 변화가 일어날 때 별 생각없이 무심히 그것을 놓아버리는 식이다.
놓아버리고도 놓아버린다는 의식을 하지 못한 채 너무 자연스럽게 일어난다.
그리고 무지 속에서 해이해져 다시 위와 같은 행동을 마음대로 하다가 다시 긴급한 필요에 따라 새로운 사유의 끈을 취하는 식이다.
그렇게 끈을 잡았다 놓았다 이랬다저랬다 반복하느라 좀체 사는 게 진전이 없다.
해결되지 않았는데 별 생각없이 놓아버려 잊혀진 사유할 거리들은 얼마나 많은가.
정말 쓸데없어 놓아버리는 것도 있지만 -혼돈, 의심, 오해 같은 것들-그러나 내 인생의 중대한 문제, 진지하게 생각해야할 것들, 인생을 풀 화두 각오와 결심 그런 것도 있다.
그런 것을 쥐고 느슨하게 사유해오다 무지 속에 오락가락할 때 놓아버리곤 하는 것이다. 그리곤 다른데 쓸데없이 한눈을 팔거나 엉뚱한 짓을 하는 것이다. 이제 필요한 것들을 취해서 진지하게 나아가야한다. 긴장을 유지한다. 그래야 적어도 분발을 할테니까. 그렇게 조금은 일관된 모습을 갖춰야한다.

혼란하고 난해한 삶을 살아가는 지금.

무상한 바깥상황에 의지할게 아니라 내안의 밧줄을 쥐고 나가며 나자신에게 의지해야한다.

안정적이지 않은 토대 위에 있다는 것을 잊으면 안된다. 서둘러 뿌리내리는 작업을 해야하는 것이다.

방해요소에 마음 뺏기지 않으면 조금이라도 빨리 나아갈 수 있지 않겠냐고.

그러기 위해 또한 스스로를 관리할 필요가 있다.

<자기관리>

내 삶은 도전적이고 이 삶을 극복하려면 내가 먼저 중심을 잡고 서야하는 것이다.

이렇게 오락가락하고 끈을 놓쳐버리는 내가 불안하다.

스스로를 관리할 필요가 있다.

무엇보다 우선 오락가락하지 않고 일관된 모습을 유지하고 끈을 계속 쥔 채 길을 찾아 나아가야 한다.

무지에 빠진 행동을 경계하고 또 미래를 일구기 위해.

매번 쓸데없는 생각에 에너지낭비, 시간낭비를 하지 않는다.

특히나 나자신을 괴롭게할 뿐인 생각의 패턴들.

사유의 끈을 계속 잡고 또한 긴장을 유지하며 나아간다.
무상한 상에 집착하지 않는다.
반복되는 쓸데없는 끄달림을 경계한다.
또 변하고 말 현실에 안주하지 않는다
지금의 불안정한 토대라는 인식하에 서둘러 뿌리내리는 노력을 한다.
자신을 점검하며 모순을 없애고 내 안의 오류를 없앤다.
헛된 잡념에 마음을 내서 존재를 혼돈시키지 않는다.
지난 일에 대한 의미없는 되새김질 하지 않는다.
대체로 무심한 마음자세로 살아간다.
자만 자의식 알아챈다.
무상한 바깥현상에 대해 기대나 바람을 갖지 않는다
기대를 했다 실망했다 하는 일 반복하고 싶지 않으니까.

무엇보다, 나의 마음을 관리하는 노력을 하고 있다.

생각의 유희를 무작정 따라가면 존재가 혼란하고 어지럽다.
마치 소꿉놀이 하듯 생각으로 유희하면 마음의 방은 마구 어질러져 혼란스럽고 그걸보는 것이 난감하다.
모든 생각을 다 할 필요가 없는 것이다.
어떤 것은 쓸데없는 헤매임 시간낭비 존재를 혼란시키는 것들이다.
생각은 저절로 일어나고 온갖 가지를 뻗어가지만 그 가지를 치는 건 내 몫이다.
마음을 단속하고 관리하는 건 자연스러운 나를 인위적으로 조작하는 것만은 아니다.

나에게 정해진 모습은 없다고 알기에 어떤 식으로든 생각의 가지는 무한정 뻗어나갈 수 있지만

나를 어느 정도 제어하는 건 가능하다고 생각한다. 특히나 나의 마음을 괴롭히거나 존재를 어지럽게 하는 무의미한 것들이라면.

마음을 들어줄 필요도 있지만 절제할 필요도 있는 것이다. 마음을 진정으로 다스리려면.

그래서 나는 때로 생각을 없애고 무심하려 한다.

방편이지만 그렇게 억지로라도 생각을 내려놓으니 좋았다. 편안했고 끄달림에서 벗어날 수 있었다.

그런 식으로 나 자신을 가꾸어가고 싶다.

그것은 나무를 심어 가꾸는 것과 같다.

그런 들어줌과 절제를 통해 당장 나의 마음을 다듬는 것만이 아니라 그런 행위를 계속해나감으로써 자라나고 열매를 맺을 수 있다고 생각하고 있다

성실히 생활을 쌓아나가기로 한다.

<혼란>

고타마는 동쪽에서 솟아오르는 밝은 새벽별을 보는 순간 무상정등정각을 완성하고 큰 소리로 사자후했다.

"이제 어둠의 세계는 타파되었다. 내 이제 다시는 고통의 수레에 말려들어 가지 않으리. 이것을 고뇌의 최후라 선언하며 이제 여래의 세계를 선포하노라."

나도 이렇게 말할 수 있다면 얼마나 좋을까.
"이제 다시는 혼란에 빠지지 않으리."
혼란, 그것은 늪이다. 빠지면 도무지 헤어나지 못한다. 혼란에 빠지면 더 큰 혼란과 오해의 거품을 키우며 도무지 분간을 못한다.
내게도 그 날이 있을까. 자신있게 선언하는 날.
"내 다시는 이 혼돈과 고뇌 속으로 빠져들지 않으리."

<끄달림>
아직도 끄달림에서 벗어나기가 힘들다.
평온한 날은 평온하고, 그럴 때는 다 잊고 편하게 있지만 아직 토대를 안정적으로 닦지는 못한 상태이다.
그래서 다시 끄달림의 감정이 일어날 때마다 번쩍 정신이 든다.
아 아직 진정한 변화가 온 것이 아니지. 잠시 안주할 뻔했네.
그리고 어디까지 왔나 얼마나 더 가야하나를 가늠해본다.
그리고 주의를 준다.
진정한 변화를 일구라고. 경거망동하지 말고 부지런히 닦아나가라고.
지금 조금 좋아지기는 했지만 다만 상황이 조금 유리해진 것뿐 만약에 또다시 거센 파도가 치면 나는 휩쓸릴 수박에 없다는 것.
아직 내가 진정한 내 삶의 주인이 되지 못했다는 것.
지금은 삶의 요령이 어느 정도 생긴 것뿐 다시 통제밖에 놓일 수 있으니 서둘러 뻐리를 내리는 작업을 해야 한다고.

아직도 내 권한 아래 두지 못한 감정들, 조절이 안되고 바꾸려 해도 안되는 곤란한 마음.
감당할 수 없고 내 의지로서가 아닌 무작정 느껴지는 이 괴로움, 답답함들.
내게서 일어나는 도저히 부인할 수 없는 감정들.
그런 것들 앞에서 끄달림을 느낀다.

나의 삶이 나를 이 공부로 인도해 주었다. 늘 자유로워지려고 애쓰고 감정을 다스리려 애쓰면 여기까지 왔다.
삶과 공부가 따로 있지 않았다. 법문을 들으며 공부 할 수록 삶에 도움을 받고 마음이 편안해진다. 깨달음을 얻기 위해 나름대로 책을 읽고 명상도 한다.
하지만 아직 마음으로 받아들이지 못하는 게 많다.

상을 짓지 않는다.
스스로의 생각에 갇히지 않는다.
마음을 심하게 쓰는 걸 경계한다.
모든 건 인연 따라 일어났다 사라질 뿐 집착하지 않는다.
넓게 보려 노력한다.
그렇게 법문과 어디서 주워들은 말들로 다짐을 하곤 한다.
내게 길은 이것밖에 없다는 걸 잘 알고 있다.

아마도 공부의 진척은 나의 이 끄달림에 대해 마음을 다스리는 경지로 알 수 있을 것이다.
아직 힘든 상황이 되면 마음이 답답해오고 그 마음이 내 통제 밖이라는 생각이 든다.

그래서 공부가 아직 멀었구나 한다.

마음은 일체유심조라는 말을 아직 받아들이지 못하고 있다.

언젠가 공부가 마무리 단계에 이르면 마음을 잘 다스리는 모습으로 알수 있겠지.

공부를 해나갈수록 인식의 전환이 온다.

지금까지의 내 삶은 그저 인내였다.

인내하자고 스스로를 다독이며 여기까지 왔는데, 그때는 아무것도 할 수 없었기 때문이다.

그러나 삶의 무대는 여기 지금일 뿐이다.

이제 인내하는 게 아니라 인내할 것이 없음을 알아야한다.

부처가 되는 것이 아니라 이미 부처다.

깨달음은 미래에 있는 것이 아닌 것이다.

그래서 지금 나의 생사의 문제를 더 이상 외면하거나 미래로 미루지 말고 지금 깨달으려고 노력하고 있다.

그런데 노력해도 깨달음이 오지 않아서 답답하기도 하다. 할 수 있는 다른 것은 달리 없는데 말이다.

언젠가 깨달음을 얻게 되면 혹여 이 길로 인도해준 내 삶에 고맙다고 여기는 날이 있을지도 모르겠다.

나의 삶을 성실히 살고 수행하면 언젠가 보답처럼 깨달음이 와줄거라 믿는다.

<소통2>

자꾸만 신경을 쓰고, 신경을 쓸수밖에 없는게 가슴 아프다.
함께 살아가는 세상 어쩔 수 없다.
사람들이 나를 부정하는 것이 가슴 아프다.
주고받는 관계 속에서 나중에 불쑥불쑥 지난 순간이 떠오르며 마음이 괴롭다.
불쾌감이 드는 것도 힘들지만 나를 부정하는 모습도 가슴 아프다.
그 인식이 정말 가슴 아프다.
나의 삶의 무대는 이곳일 뿐인데.

원만하지 않은 소통의 문제와 소통불가가 낳는 여러 가지 트러블들, 그리고 부정 당하는 아픔.
혼란한 밀당에 빠져 있지만 분명한 것은 타인은 나를 이해하지 못하고 이해해줄 생각도 없다는 것.
소통에 문제가 있다는 것은 참으로 삶과 직결되는 문제다.
삶은 곧 관계이기에.
나는 A로 말해도 상대는 B로 알아듣는다. 그것이 닫힌 마음으로 인한거든 오해로 인한거든. 아무리 노력해도 세상과 나는 초점이 안 맞는다.
그 간극의 슬픔과 답답함.
거기서 나는 내 의지대로 살지 못하고 나는 위태롭게 홀로 서서 흔들리며 앓는다.

<실체>

내가 쫓기는 것이 가만 보면 실체가 없는 것임을 알아야한다.
타인과 내가 소통 안되는 중에 생기는 이 갈등은 실체가 없는 거품 같은 것.
거품에 속아 점점 거품을 키우게 되는 것.
빠져들수록 부풀고 과장돼 결코 빠져나올 수없는 혼돈을 마주하게 돼.
파고들며 과장시켜 자신을 더 큰 구덩이에 빠뜨리기 전에 알아채야한다.
스스로를 지키자.
통제불능이 되기 전에 어느 정도 통제력을 발휘할 수 있을 때, 그때 자신을 건져내자.
그 순간을 놓쳐 실체없는 것이 거품처럼 커져가는 것을 막아야한다.

잊지마라. 타인은 나를 모른다는 것을. 망상이 깊어가기 전에.
여기서 빠져들면 수많은 갈등과 정체에서 헤어날 수 없어.
거대한 거품을 만들어내어 실제로 착각하고 압도당할지 몰라.

이미 거품이 생겼다면. 할 수 있다면 그 거품을 터뜨릴 바늘 같은 걸 준비하자.
그것이 수많은 번민과 고뇌로부터 나를 구제해 줄 테니.

<이제는>

이 어려움은 기정사실이고 내 삶의 조건이 불리하다고 투정해봐야 소용없다.

언제까지 같은 장애에 부딪혀 넘어질 것인가.

언제까지나 이 패턴을 반복할 것인가.

이제 그 어려움은 감안한 채 길을 내어가야 할 때.

조금 유연한 자세로 대처하며 길을 내어 갈때

가만히 있어 변화는 건 없어. 뭔가 해야 해.

어차피 힘든 건 사실이잖아.

여기서 헤맬 만큼 헤맸잖아.

타인을 비난하고 세상에 억울해해봐야 소용없어.

언제까지 쳇바퀴를 돌릴래.

언제까지 정체되어있을래.

아니, 난 가만있지 않았는 걸. 수없이 노력했지.

그래도 안 되었는 걸. 이 길이 그리 쉬웠다면 내가 그리 힘들어하지 않았겠지.

만만치 않다고.

그래, 잘 알지. 수없이 넘어졌지.

그럼 다시 한번 해보자.

넘어진 경험까지 다 축적되었으니 이제 그 경험들을 유용하게 쓸 수 있지 않을까.

이제 도약을 할 때가 아닐까.
저 너머 넓은 들판을 이제 다시 한번 시도해도 되지 않을까.
다시 넘어진다고 해도 이제 거의 끝이 아닐까.
모든 것은 끝이 있고 그 끝이 가까이 오지 않았을까.
넘어져도 조금만 더 넘어지면 되지 않을까.

<신호>

원치 않은 수많은 생각이 일어나며 머리가 아픈 때가 있다.
두통이 생기고 심하면 몸까지 좋지 않다.
몸과 마음으로 지금 이 상황을 받아들일 수 없어 일어나는 거부 반응, 스트레스.
그건 내가 다시 안 좋은 한 때를 맞고 있다는 것.
그런 시기를 거쳐봐서 잘 안다.
그래서 또 그렇게 되면 내가 또 안 좋은 시간이구나 하고 안다.
꼼짝달싹 못하고 그저 무력하게 두통을 느끼고 있다.
정리 안되는 정신작용. 그냥 가만히 있고 싶지만 머리는 뭔가 자꾸 생각하려하고 작동한다.
꽉 막힌 상황이 이런 정신작용을 부르는 것이다.
그러면서 그 오랜, 지나간 힘들던 나날을 추억해본다.
이 시간이 지나면 다시 괜찮아질 것이다.
잠시 안 좋은 시간을 맞이한 것뿐이다.
머리 쓰지 말고 잠시 쉬자.

<확신없는 나날>

나 스스로에 대한 확신이 없다.
사는건 정말 힘들고 때로는 심적 고통이 극에 달하는데,
이 나날을 나를 믿고 나아갈 수 있어야하는데
계속되는 불리한 상황들에 인내심이 닳고 빠져나올 수없는 구덩이에 빠진 것만 같다.
나는 안되는 인생 아닌가. 타고난 운명 극복할수 없는건 아닌가 그런 생각을 털어낼수가 없다.

나자신의 불완전함, 미숙함, 중심을 못잡고 어지러워하는 모습을 마주하면
내가 조금더 잘란 인간이었으면 좀더 잘 헤쳐나갔을텐데 그런 생각도 든다.
과연 헤쳐나갈 역량이 되는가.
역량을 갖추려면 어떻게 해야 하는가, 나는 그런 관념으로 가득차 있다.

스물스물 올라오는 삶에 대한 불안.
그러면 신에게 기도하곤 한다.
이 불리한 삶은 어떻게라도 노력해나갈테니 부디 마음의 불안 만이라도 가져가 주시라고.
불안한 마음과 함께 있는게 정말이지 견디지 힘들다고.

<사고는 경직되는 것을 좋아하지 않는다>

내 마음 어느 부분은 꽉 막혀있다.

도저히 받아들일 수 없는 상황들, 곧바로 상처와 아픔으로 연결되는 상황들이 있다.

그런 상황들이 되풀이 되면 그저 아프기만 했다.

그래서 피하는것이 다였다.

도무지 길을 찾지 않았다.

수많은 그런 경험들이 쌓여 나의 마음의 문을 닫게 했고 희망도 사라지게 했고

그래서 그런 쪽으로는 절대 길을 낼수 없다고 생각해왔다. 마주치지 않기만을 바랄뿐.

그러나 생각은 변한다. 나라고 생각했던 존재도 변한다.

어떤 날 조금 여유가 생기는 날은 슬그머니 틈을 내보려는 생각이 드는 것이다. 스멀스멀.

그러나 다시 같은 상황을 맞아 나의 저항감을 느끼고 역시 그렇지하며, 마음의 문을 닫았다.

역시 아팠다 역시 무력했고 역시 절망했다.

역시 피하는 것밖에, 나는 거기에 대해서 아무것도 할수 없다고.

그러나 어쩌나, 마음은 경직되는 것을 싫어한다.

다시금 또다시금 틈을 내보려는 생각이 올라오는 것이다.

어디까지나 받아들일수 없다고 한 그 영역을, 단단하게 막아둔

그곳을 슬그머니 들어가보는 것이다.

다시금 더한 절망감으로 그틈이 막힐 수도 있지만.

나는 새로운 생각, 새로운 무엇이 밀려들어오는 걸 막고 싶지 않는 것이다.

새록새록 새로운 희망 의지 가능성 그런 것을. 그런 것들이 매력적이기 때문이다.

과거의 절망보다.

사고는 경직되는 것을 좋아하지 않는다.

마음의 상처가 아물만큼의 시간이 되면 그때가 언제라도 다시금 봄바람이 부는 것이다.

지금 당장은 부딪혔을 때의 그 아픔이 너무 아파서 마음을 꼭꼭 닫고 다시는 열지 않으리라 다짐하지만 말이다.

아무리 가슴 답답해서 꽉 닫아두었더라도 그것을 희망으로 다시 유연하게 노크해보고싶은 마음... 언제까지나 일어날 것이다.

그러나 결코 변하지 않는것도 있을것이다.

만지면 아픈것, 변함없는 것도 있을것이다.

그럼에도 불구하고 자꾸 틈을 내려는 마음이 솟는다면 그것은 마음의 소리아닐까

'절대로 그 상황은 극복할수없어' 하던것이지만 혹시 이제는 차원의 벽을 넘어섰을수도 있다고, 어쩌면 다른 존재가 되어서 그 상황을 극복할수 있을지도 모른다고 마음이 속삭이는 것 아닐까

그러면 한번 슬쩍 확인해보고 싶은 마음이 든다..

'역시 그렇지' 하고 다시 막힐 수도 있지만.

희망은 어떻게든 존재한다는 것 그것을 믿고 싶은게 아닐까. 그래서 마음을 자꾸 유연하게 가지려는 것 아닐까.
지금으로서는 가능하지 않아 보여 '절대로 안돼' 하지만, 결단코 희망을 품지 않겠다고 말하지만, 지금이 다가 아니니까.

나는 달라졌을까.
조금은 희망을 일궈낼수있게 된걸까.
시야도 달라지고 혼돈도 걷히면서 나는 달라진걸까.
제자리 걸음이란 생각이 들때도 있지만 조금씩 흐름이 바뀌어가는것을 느끼고 이 흐름을 타고 결국 저편언덕으로 닿을수있다는 희망이 생기는 것이다.

<풀지 못하는 문제>

해결되지 않은채 헝클어져 있어 마주보기 곤란한 모습을 하고 있는 나의 인생.
아무리 바라봐도 정리되지 않은 채 머무르는 무엇.
구체적이지 않고 너무 복잡하고 막연해 분명히 볼수 없는 것들.
그렇게 나를 답답하게 한다.
간단히 정리하고픈 욕구가 있지만 도무지 뭐가 뭔지 모르겠다.
마음 안에서 가지런히 정리되지 않고 모아지지 않는다.
답답해서 마주보지 못하고 거리를 둔 채 놔둔다.
오래되었다.
조금 더 시간이 가면 그땐 차곡차곡 정리가 될 것이다.

<구겨진 종이>

구차한 생각들이 가득 적힌 내 마음이라는 종이.

알아보기 어렵게 마구 구겨진 종이.

그 종이를 쓰레기통에 던지려다 구겨진 것을 펼쳐 무엇이 씌어있나, 이것은 무슨 글짜인가 보려한다.

그러다 다시 구겨버리고 또 다시 펼친다.

무의미한 일들, 모든 걸 하나하나 사유할 필요 없다는 걸 아는데

잡스런 온갖 생각들이 싫은데 왜 그저 쓰레기통에 쳐넣지 못하고 있는가.

<반항>

세상이 정해주는 대로

슬픔을 강요하는 대로

억지를 부리는 대로 다 받아주기 싫다.

나를 답답하게 하고 온통 억지를 부리고 있다.

말도 안되게 억지를 부리고 있다.

이런 삶이 싫다.

반항하고 싶다.

몹시 반항하고 싶다.

내 뜻대로 내 주관대로 살고싶다.

나이고 싶다.

<중심>

중심을 잡고싶어 애써왔다.
흔드는 대로 무력하게 흔들리는 내가 싫었다.
미리 중심을 잡아놔야 한다고 생각했다.
무슨 일이든 안 흔들리는 사람이 되고 싶었다.
그것은 무리한 욕심이었다.
내가 도를 닦아 마음이 움직이지 않는 사람도 아니고 세상을 다 알지도 못하면서
어떻게 변화무쌍한 온갖 작용이 일어나는 세상에서 일관적일 수 있겠는가
나는 마치 돌덩이나 나무토막이 되고자 한 걸까.
미리 중심을 잡는 것이 아니라 모든 건 실전이다.
이제 조금 유연하게 중심 잡는 법을 생각해본다.

먼저 자신을 알아야 한다. 내가 세모인지 네모인지.
다음은 세상을 알아야한다. 세상과 불화하면서도 세상을 모른채 대면하는 것은 혼란이다.
타인의 인식, 사람들의 습성을 안다. 사람은 다 똑같다고 하니, 그런걸 알아야 적절히 대처한다. 너무 개인적으로 받아들이지 않는다.
그리고 나 혼자서 자신을 고집해봐야 실속이 없다.
세상 속에서 내가 설 자리를 알고 거기에 맞추는 것도 필요하다. 나의 현실, 조건을 고려해서.

주고받는 관계 속에서 매순간 유연하게 대처하며 세상과 조화한다.
물이 정해진 모습 없이 그릇에 따라 변하듯.

어쩌면 이건 중심잡는 법이 아니라 중심잡은후 조화하는 법이다.
중심을 잡으려하는 것은 혼란할 때, 세상에 심하게 흔들릴 때 필요한건데 말이다.
흔들리지 않으려 애를 쓰던 순간들이 떠오른다.
휩쓸리는 상황에서 중심을 잡으려 애를 쓰면 쓸수록, 나를 고집스레 세우고 단단히 하려할수록 힘이 들었다.
필요에 의해 자신을 강하게 해야하는데 그런걸 스스로에게 요구하는 것이 도리어 부담스럽고 압박을 주었다.
불리한 환경 속에서 자신에게 굳게 서기를 요구할수록 자꾸 이성적으로 현실을 따져보게 되고 그럴수록 나는 역부족이고 위태로운 토대위에 서있다는걸 느낄수밖에 없었다. 힘을 내라고 요구할수록 힘이 들었다. 마음은 자꾸 약해지고.
나자신 조차 나의 미래를 확신하지 못하는데 힘이 나지 않았다.
그저 울고싶었다. 주저앉고 싶었다.

그래서 힘이 들면 아예 아무생각도 하지않곤 한다. 그렇게 하여 내 마음에 아무 파장도 가지않도록 하는 방편을 쓰곤 한다.

이제 알겠다. 그럴 때 나에게 필요한건 계속해서 중심을 잡으려는 고된 노력보다 의지할 사람이라는 것을.
흔들리는 나를 잡아주고 나로 다시 회복할수있게 해주고 어지러

운 나를 차분하게 해주는 것은

내 존재를 인정해주고 믿어주고 계속 밀고 나갈수 있게 해주는 의지할 사람이라는 걸.

아니 적어도 곁에 있어주기만 해도 된다. 그것만으로도 힘이 충분히 된다.

나는 의지할곳없이 혼자서 힘을 내려하기 때문에 힘들었던 것이다.

혼자선 아무래도 취약하다. 이 세상과 맞서기엔.

상처에 혼란에 외로움에 나는 도무지 취약하다.

내가 중심잡는것도 필요하지만 곁에 사람은 꼭 필요하다.

다같이 사는 세상이지 혼자사는 세상이 아니다.

<지점>

오랫동안 찾아왔는데 아직 못 찾으니 회의가 든다.

그 지점, 사람들과 마찰을 겪지않고 적어도 내 마음이 편안한 지점.

그러다보니 하나씩 하나씩 체념하게 되고,

기대와 바람을 하나씩 하나씩 내려놓게 되었다.

고독을 인정하고 완전한 소통을 체념하고 아무 기대도 하지않고
그렇게 우울하고 포기할수록 마음은 편해졌다.
아이러니 하게도 이렇게 내려놓으니 갈등이 없고 마음이 편안하다니.
우울하게나마 일관된 모습을 유지할수 있다니.
내가 그동안 늘 흔들리며 일관된 모습을 유지못하는 이유는 기대와 바람 때문이었던 거다.
그래서 조그만 변화에도 마음이 들떠 마음이 흔들렸던 것이다.
그리고 그렇게 중심 못 잡고 흔들리는 모습에 내 삶은 여전히 제자리걸음이었고.
그 기대와 바람을 내려놓으니 우울해졌지만 마음이 움직이지 않았다.
진정한 이해를 포기하고 진정한 변화를 포기하고
타인에 대한 기대와 바람을 버려야 마음이 편안하고 흔들리지 않는다는 건 씁쓸하다.
그러나 안정적인 지점, 지금 여기가 그 지점이 아닐까.
이 상태가 평온해서 여기 계속 머물렀으면 좋겠다.
그러나 편안할지언정 우울하고 외롭고... 서글프다.

<관계2>
관계의 문제. 나는 이편에 있고 사람들은 저편에 있다.
나는 사람들로부터 무수한 상처를 받고 있다. 아무 생각없이 나

를 대하는 사람들 때문에.

나를 단순하게 대하는 이들을 보면 사람은 그렇게 단순한 존재가 아니지 않나요 라고 말하고 싶다.

문제의 원인은 내 삶의 장애에 있다하더라도 그래도 그들을 다 이해할순 없다.

저쪽에 있는 그들, 그들은 분명 너무 쉽게 나를 대하고 아무 생각없이 상처를 준다.

나에 대해 아무 배려도, 예의도 없다. 이해해줄 생각도 없고, 내가 그들로 인해 괴로워할 시간에 대해서의 상상도 없는 것 같다.

내게 문제가 있어서 그럴 뿐이라 하면 자신들이 정당하게 느껴지는 것일까.

내가 마음다친다는 것 쯤은 전혀 문제되지 않는 것일까.

내 입장쯤은 간단히 무시해버려도 되는 것일까.

나는 갈등을 풀수도 없고 나를 지킬수도 없다.

타인에게 온전한 이해를 구할수 없고 타인이 내 고통을 이해하길 바랄수없다는 것도 잘 알고 있다.

그래서 쓸쓸하다.

이 답답한 삶에서 나오기위해 무언가 해야한다는 생각이 들지만 뭘 해야할지 모르겠다.

만약에 탁 트인 곳에서 나와 세상이 탁자를 사이에 두고 마주앉아있다면, 그리고 서로의 사정을 얘기한다면 어떨까

어떤 부분이 오해이고 어느 부분이 고의인지 얘기를 나눈다면

왜 그렇게 행동할 수밖에 없는지 서로의 행동에 대해 풀이를 해

줄수 있다면

어디서 어떻게 갈등이 나고 어째서 마찰을 겪는지 얘기한다면.

서로를 이해해줄 수는 없지는 배려심을 가질수 없는지 얘기를 나눈다면.

혼란의 막을 벗겨내 모든 것을 분명하게 볼 수 있다면.

나의 고통을 이해시킨다면, 숨이 막힌다는 한 마디 할수 있다면.

답답한 삶. 언젠가 이 갈등을 풀수 있는 시간이 올까.

<벽2>

존재의 부정. 무조건적인 배척

사유의 끈을 잡고 도달한 것은 그것이다.

그래서 그토록 지점을 발견하지 못했던 것이다.

아무리 유연하게 대처하려 노력해도 그들의 단순한 부정이란 벽은 넘기가 어렵다.

거기에 인간에 대한 예의와 배려도 사라진다.

그 사람에 대한 이해와 관심은 묻혀버렸다.

그저 단순한 부정일 뿐이다.

그 표정들을 바라보면 세상에 그보다 더 답답한 벽은 없을 것 같다. 그 인식은 숨이 막힌다.

그 벽을 마주하면 과연 희망이란 있을지 확신할 수 없다.

<2024년 11월에>

뒤돌아봐도 그렇게 밖에 못했을 거 같다. 온갖 끄달림과 끈적임에 힘들었다. 그 상태에서 벗어나려 수많은 갈등을 했다.

무심하지 못했고 혼란 속에서 모든 것에 의미를 부여해서 따져봤다.

분별의 감옥에서 수많은 생각을 했다.

이제는 정말 이 감옥에서 나오고 싶다.

얼마전에 본 법문에서 '어둠에 관심갖지 말고 불을켜라'고 했다.

이제 이를 실천하고 싶다.

어둠에 대한 관심을 끊으라한다.

어둠속에서 어둠을 만지작거려서 어둠이 가시지 않는다고. 불을 켜야 한다고.

굴에서 벗어나고 싶으면 굴에 대한 관심을 끊으라고 한다.

다른 차원으로 관심을 돌리라고.

그렇게 한번 해보려고 한다.

----------------------자작시

<꽃>

작고 파란 예쁜 아이들.

화려하지 않아도 평화롭게 무리지어 피어있는.

어디서 이런 빛깔과 향기를 얻었니

아무도 봐주지 않는 구석에서 누군가 너를 봐주기를 기다렸겠지. 오랫동안.

잠시 쉬어 갈께. 너의 옆에 앉아서.

너의 이야기를 들려줄래.

평화로운 너의 작은 세상이야기

너가 온 곳의 이야기.

지나가는 나비에 대한 기다림

그럼 나도 나의 이야기를 들려줄게

나도 너를 보고 너도 나를 보고

우리 다른 건 말고 너와 나만이 아는 이야기를 속삭여보자

아무도 봐주지 않는 곳에서도 피어나는

외로움에 대한 이야기

긴 기다림에 대한 이야기

그리고 오늘처럼 무심히 스쳐가는 누군가의 눈에

너의 모습이 들어오게 되는 거지, 나무 뒤켠에 숨어있는

그때가 되면 세상을 향해 이렇게 온 존재로 말하는 거지

나는 꽃이에요.

<님이여 오늘은>

님이여, 오늘은 나의 마음이 심히 괴롭습니다.
괴로워 어찌할 바 모르겠습니다.
벌써 여러 시간 나의 마음은 방황하고 있습니다.
님이여, 당신이 내게 다가와 주신다면
당신이 나의 아픈 마음 다독여주신다면
나의 외로운 마음 감싸주신다면...
님이여, 나는 당신이 필요합니다.
당신의 사랑을 얻고 싶습니다.
내가 당신으로 인해 위안 받는다는 것
내가 오직 당신으로 인해 웃는다는 거
내가 당신으로 인해 살아갈 힘을 얻는다는 것 진정 모르십니까.
님이여, 오늘은 나의 마음이 심히 괴롭습니다
괴로워 어찌할바 모르겠습니다.
당신은 나를 일으킬 힘을 가지고 계시고
나를 다시 웃게 해주십니다
그런데 어찌하여 이렇게 나를 내버려두십니까.
어찌하여 내게 와주지 않으십니까.
오 님이여.

<사랑하기좋은날이다>

하늘은 높고도 파랗고
창밖으로 문득 새 한 마리 날아간다.
좁은 방안에 앉아 있지만 내 마음은 이유 없이 설레기 시작한다.
아 사랑하기 좋은날이다
창밖으로 문득 환한 햇살한 줄기
오래 갇혀있던 내 마음의 빗장이 열리는 소리가 들리고
내 마음은 꿈을 꾸기 시작한다.
아 사랑하고 싶은 날이다
지나가는 새가 속삭이고
창밖의 햇살이 내 마음을 간질이는
아 사랑하고 싶은 날이다.
사랑이 왔으면 좋겠다

<비가오는 날은>

비가 오는 날은
당신에게 편지를 쓰고 싶어집니다
당신이 계신 그곳에도 비가 옵니까?
당신도 창밖을 보고계신가요?
아니면 빗길을 걷고 계신가요?
나처럼 비를 보며 누군가를 생각하고 계시나요?
당신에게 하고싶은 말이 많이 있었는데
모두 다 빗물에 씻겨내려가 버리고
그저 벙어리처럼 서서 당신 얼굴 그려보고 있습니다
저 멀리까지 뻗어있는 비안개를 걷어내면

당신에게 닿을 수 있을 것만 같습니다
끊임없는 빗소리는 내 마음을 두드리며
당신에 대한 그리움을 일깨우는데
당신이 계신 곳의 빗소리는 당신에게 무슨 말을 하고 있나요?
당신의 두 눈동자 속에 비가 내리고 있습니까?
내가 그 안에 들어가면 안 됩니까

<비>

촉촉히 닿는 비의숨결이 나쁘지 않아
오늘은 우산을 켜지 않았습니다.
내 마음에 잔잔히 와닿는 비가 고마워
오늘은 선채로 비를 다 맞고 말았습니다

<고독>

오늘 내가 또 힘이 듭니다
위로되는 노래 하나 틀어놓고
또 글을 끄적이고 있습니다
내 인생의 산은 높고도 높아서
한 모퉁이 돌아나면 또 다른 높은 산
끝이 없습니다
오늘 내가 또 눈물이 납니다
강하게 마음먹으려했는데

주저앉고 말았습니다
오늘 하루쯤 울어도 상관없겠죠
오늘 내가 또 아픕니다
많이 아픕니다
내가 극복할 수 없는 벽에 부딪혀 쓰러져서
나는 너무 아픕니다
내 아픔 아무도 모릅니다
알아도 아무도 이해하지 못합니다
그저 음악이나 들으며 내 마음 내가 위로합니다
오늘 내가 또 많이 외롭습니다
새삼느끼지 않으려할뿐 어차피
원래부터 외로웠지 않습니까
저번에 울고 얼마 지나지도 않은거 같은데
나는 또 울고있습니다

<홀로 흔들림>

당신이 처음 내게 오셨을 때
나는 잠시 설레임에 흔들렸습니다
그 이후로 이제는 당신이 오시지 않는데도
나는 가끔 홀로 흔들리곤 합니다
앞으로도 당신이 오시지 않을 것을 알면서도
나는 가끔 흔들리며 당신을 꿈꿉니다
쓸쓸하거나 우울 할 때
잠시 당신을 떠올리면 빙긋 웃음이 나고

또 많이 아프거나 힘들때면
괜히 당신을 욕심내 보기도 합니다
나는 내 마음속 아픔과 슬픔 가득 찬 자리에
조그맣게 당신의 자리 하나 마련해놓고
우울하거나 쓸쓸할 때 위로가 필요할 때
가만히 그 자리 앉아있곤 합니다
쉬면서 당신을 생각하곤 합니다
수천년전 약속 당신이 잊으신건지
아니면, 우리 인연이 이것뿐인지 몰라도
내게 나타녀서 내 마음 한 자리 차리해주셔서
내게 쉬어갈 여유 주셔서
감사합니다

<희망>

내일은 내일의 태양이 뜰거야
내일은 모든 게 제자리로 돌아가 있을거야
노프라브럼, 신이 지켜주실 거야
저것봐
창밖에 햇살이 비치고 있잖아
멀리에 있는 저 산이 나를 포근히 안아주는 듯하고
새들이 희망을 속삭이잖아
저것들이 모두 내게 일깨우고 있어
이제 길고 긴 절망의 시간이 지나
희망을 꽃 피울 시간

여기까지 오는 길 위에서의 방황은 과정이었을 뿐
결코 그 방황이 헛되지는 않으리
외로움과 고통도
모두 지금 이 순간에 오기위한 과정
나의 버티던 힘 다 모아
나의 온 에너지를 다 쏟아
새로운 시간을 준비하리
새로운 희망의 시간을 가슴 가득 안으리

<이 책을 읽어주셔서 감사합니다>